Adolescência e Drogas

Adolescência e Drogas

Ilana Pinsky e Marco Antonio Bessa (orgs.)

Projeto gráfico e montagem de capa
Gustavo S. Vilas Boas

Revisão
Luciana Salgado

Dados Internacionais de Catalogação na Publicação (CIP)
(Câmara Brasileira do Livro, SP, Brasil)

Adolescência e drogas / Ilana Pinsky, Marco Antonio Bessa (orgs.). –
3. ed. – São Paulo : Contexto, 2012.

Vários autores
Bibliografia
ISBN 978-85-7244-277-0

1. Adolescentes – Conduta de vida 2. Adolescentes – Uso de drogas
3. Drogas – Abuso – Aspectos sociais 4. Drogas – Abuso – Tratamento
5. Psicologia do adolescente I. Pinsky, Ilana. II. Bessa, Marco Antonio.

04-5556 CDD-362.290835

Índices para catálogo sistemático:
1. Adolescentes : Abuso de drogas : Problemas sociais 362.290835
2. Drogas : Uso : Adolescentes : Problemas sociais 362.290835

EDITORA CONTEXTO
Diretor editorial: *Jaime Pinsky*

Rua Dr. José Elias, 520 – Alto da Lapa
05083-030 – São Paulo – SP
PABX: (11) 3832 5838
contexto@editoracontexto.com.br
www.editoracontexto.com.br

2012

Sumário

"Para todos nós, em algum momento, nossa existência se revela como alguma coisa de particular, intransferível e preciosa. Quase sempre esta revelação se situa na adolescência. A descoberta de nós mesmos se manifesta como um saber que estamos sós; entre o mundo e nós surge uma impalpável, transparente muralha: a da nossa consciência. É verdade que, mal nascemos, sentimo-nos sós; mas as crianças e os adultos podem transcender a sua solidão e esquecer-se de si mesmos por meio da brincadeira ou do trabalho. Em compensação, o adolescente, vacilante entre a infância e a juventude, fica suspenso um instante diante da infinita riqueza do mundo. O adolescente se assombra com ser. E ao pasmo segue-se a reflexão: inclinado para o rio de sua consciência pergunta-se se este rosto que aflora lentamente das profundezas , deformado pela água, é o seu. A singularidade de ser – mera sensação na criança – transforma-se em problema e pergunta, em consciência inquisidora".

OCTAVIO PAZ – O Labirinto da solidão

Para Erik e Alex,
agora crianças e para quando adolescerem.

Para Pedro Henrique e Sophia,
agora, enquanto adolescem.

PREFÁCIO

Poucos fenômenos sociais geram mais preocupações entre pais e professores, custos com justiça e saúde, dificuldades familiares e notícias na mídia do que o uso de álcool e drogas. Nos últimos anos, tivemos um aumento significativo e notório no consumo de substâncias psicotrópicas em todo o mundo, e principalmente em países em desenvolvimento, fato largamente comprovado por centenas de pesquisas, feitas em dezenas de países, sobre o assunto. No entanto, a resposta a isso varia muito de país para país. As políticas públicas e de prevenção são múltiplas, assim como o nível do debate público. O que está em jogo são as ideias que os profissionais, bem como o público em geral, têm das causas primeiras do uso de drogas e quais as melhores respostas para diminuir o consumo crescente.

Infelizmente, não existe uma solução simples para um problema complexo. O que leva milhões de pessoas, no mundo todo, a consumir as mais variadas substâncias, a suportar os mais variados tipos de danos e, ainda assim, continuar a utilizá-las? Estamos, de fato, diante de um fenômeno intrincado. É especialmente intrigante o fato que leva os adolescentes, como um grupo de alto potencial de risco, a experimentarem drogas, quando as informações sobre os danos decorrentes disso são tão acessíveis a eles.

Este livro traz uma grande contribuição para iluminar tal debate. Os organizadores conseguiram reunir conceituados especialistas, nacionais e internacionais, para responder a uma série de questões sobre o problema, no Brasil e no mundo. E conseguiram fazer algo ainda mais difícil. O livro, apesar de abordar um assunto multifacetado, constitui um todo harmônico. Os pontos de vista são distintos e, ao mesmo tempo, complementares.

O fio condutor do livro discute o consumo de drogas entre adolescentes como um comportamento que pode ser comum – em especial entre subgrupos expostos a importantes fatores de risco, tais como a alta disponibilidade das drogas, o baixo custo, o ambiente de moradia, o abandono da escola e a família problemática –, mas nem por isso não passível de produzir graves danos individuais e sociais.

Pais e profissionais que trabalhem com adolescentes, seja nos setores da educação, da saúde ou do judiciário, obterão sem dúvida um grande benefício ao ler o que especialistas do Brasil, EUA e França têm a dizer sobre adolescentes, drogas, família, Estatuto da Criança e do Adolescente etc. Além de grande contribuição para o esclarecimento desses assuntos, o livro poderá servir como fonte de consulta permanente em alguns temas capitais, como ações e efeitos das drogas de abuso, vulnerabilidade ao uso de drogas, influência da mídia, teoria da "porta de entrada", legislação brasileira sobre o assunto, avaliação clínica do adolescente e a necessidade de políticas públicas de prevenção e tratamento.

Ronaldo Laranjeira
Professor adjunto de psiquiatria
e coordenador da Unidade de Pesquisa em Álcool e Drogas da Unifesp

Apresentação

A adolescência é uma fase de metamorfose. Época de grandes transformações, de descobertas, de rupturas e de aprendizados. É, por isso mesmo, uma fase da vida que envolve riscos, medos, amadurecimento e instabilidades. As mudanças orgânicas e hormonais, típicas dessa faixa etária, podem deixar os jovens agitados, agressivos, cheios de energia e de disposição em um determinado momento. Mas, no momento seguinte, eles podem ser acometidos de sonolência, de tédio e de uma profunda insatisfação com seu próprio corpo, com a escola, com a família, com o mundo e com a própria vida.

Essa é, assim, uma fase em que eles necessitam de conforto, amparo e proteção – da mesma forma que o casulo precisa da crisálida. Desse modo, os adolescentes buscam nos amigos, na turma, na "galera" – ou seja, naqueles com que se identificam e com os quais compartilham as mesmas dores, dúvidas e alegrias – a dose necessária de aconchego, solidariedade e compreensão. Isso é perfeitamente compreensível e faz parte de uma adolescência considerada normal. Se tudo correr bem, a travessia, ao final, com seus percalços e obstáculos, será vencida. O jovem atingirá a vida na plenitude de todos os seus potenciais e dispondo de um substrato orgânico, afetivo, emocional e cognitivo para desenvolvê-los. Entretanto, se fatores intrínsecos – biológicos, genéticos e emocionais – ou extrínsecos – a família, a escola, os amigos e a comunidade – falharem ao longo desse processo, a transformação pode ser interrompida, em diversos níveis e graus de complexidade.

Nessa fase de transição, é normal que os adolescentes questionem, duvidem de verdades prontas e se rebelem. Afinal, querem ser diferentes dos adultos e, ao mesmo tempo, pertencer a um grupo. Assim, expressam toda sua energia e criatividade características no estilo de vida, nas roupas, nas gírias, nas artes ou nos esportes. Mas tamanha energia pode também ser desviada para atividades de risco ou lesivas ao seu próprio bem-estar. As drogas, particularmente, incluindo aí tanto substâncias ilícitas quanto lícitas, têm a perversa capacidade de desviar o curso de vida dos jovens, às vezes, de modo irreversível.

Na busca de uma melhor compreensão desse fenômeno – a associação da adolescência com o uso de drogas – convidamos, para compor este livro, profissionais sérios e de reconhecida competência em suas respectivas áreas, todos estudiosos, pesquisadores ou especialistas no tema, sob os mais diversos prismas. Nosso objetivo, ao tomar por base as diversas práticas e conhecimentos científicos, foi o de que pudéssemos fornecer para um público amplo, não especializado – educadores, pais e quaisquer outras pessoas que se interessem pela questão –, informações precisas e fundamentadas em dados autorizados e coerentes.

O livro é dividido em três partes interligadas. A primeira, que tem por objetivo contextualizar a problemática, inicia-se com um capítulo escrito pelos psiquiatras Tadeu Lemos e Marcos Zaleski, que apresentam didaticamente a classificação das drogas psicotrópicas, dando destaque para aquelas mais consumidas pelos adolescentes. Em seguida, os psiquiatras Vilma Aparecida da Silva e Hélcio Fernandes Mattos discutem como os efeitos das drogas podem acometer o indivíduo ainda durante a gestação no ventre da mãe e, também, como essas substâncias atuam no organismo em desenvolvimento dos adolescentes.

Ana Regina Noto, especialista do Centro Brasileiro de Informações sobre Drogas Psicotrópicas (CEBRID), recorre a estudos epidemiológicos recentes para discorrer sobre as estatísticas que indicam o nível real do envolvimento dos jovens brasileiros com as drogas legais e ilegais. Fechando a primeira parte do volume, as psicólogas Paula Inez Cunha Gomide e Ilana Pinsky discutem a influência da mídia sobre os adolescentes, concentrando-se especialmente nos filmes, comerciais e programas de tevê que exibem cenas de violência e incentivam o consumo de drogas como o álcool e o tabaco.

Na segunda parte do livro, que discute a legislação e as políticas públicas de combate e prevenção às drogas no país, Luiza Nagib Eluf, promotora do estado de São Paulo, apresenta e analisa objetivamente as leis brasileiras que tratam do consumo e do tráfico. A psicóloga Myriam Mager, doutora em psicologia social pela Freie Universitat Berlin, e a advogada Eliana Silvestre, mestre em história social, analisam o impacto social do Estatuto da Criança e do Adolescente (ECA), desfazendo alguns mitos constantemente veiculados a respeito.

A seguir, os sociólogos Renato Sérgio de Lima e Liana de Paula propõem uma instigante e original discussão aos pais e educadores: qual é realmente o papel dos jovens em relação à violência em nossa sociedade e quanto as drogas contribuem para isso? A renomada pesquisadora norte-americana Zili Sloboda encerra a segunda parte do livro, apresentando um histórico da prevenção nas escolas nos EUA, que estabelece uma ponte com a situação de seu país e a realidade brasileira.

A última parte do volume traz dados acessíveis e úteis para o tratamento de adolescentes envolvidos com substâncias psicotrópicas. O psiquiatra Marco Antonio Bessa apresenta o conceito de comorbidade – situações nas quais, além do uso problemático de drogas, o indivíduo apresenta algum outro tipo de diagnóstico psiquiátrico. O autor adverte que a ocorrência de depressão, ansiedade e distúrbios de conduta, por exemplo, entre adolescentes com problemas relacionados às drogas, é mais uma regra do que uma exceção.

Ana Cecília Marques, psiquiatra e presidente da Associação Brasileira de Álcool e outras Drogas (ABEAD) indica como proceder a uma avaliação inicial cuidadosa e orienta sobre quando se deve encaminhar um jovem para um serviço especializado. Os mais eficazes tratamentos contra as drogas são discutidos por Yifrah Kaminer, consagrado psiquiatra e pesquisador da Universidade de Connecticut, EUA e Cláudia Szobot, da Universidade Federal do Rio Grande do Sul. A terapia familiar sistêmica, por sua vez, um dos principais instrumentos de tratamento de famílias de dependentes químicos, é apresentada por Bernard Geberowicz, membro do conselho da sociedade francesa de terapia familiar.

Por fim, gostaríamos de agradecer a todos nossos amigos que acreditaram e participaram deste projeto, dedicando o tempo e o conhecimento que possuem para, gentilmente, compartilharem com os interessados no problema. Apesar de o foco do livro ser relacionado a uma triste realidade, muitas vezes assustadora, esperamos que nossos leitores desfrutem do mesmo entusiasmo com que esta obra foi concebida e que, ao longo da leitura, possam aprender tanto quanto nós aprendemos na sua organização[1].

Ilana Pinsky
Marco Antonio Bessa

Nota dos Organizadores

[1] Os termos "drogas" e "substâncias psicotrópicas" são utilizados neste livro para denominar todas as substâncias psicoativas, incluindo as lícitas (álcool, cigarro) e ilícitas (maconha, cocaína).

Parte I
Problematização

As principais drogas:
como elas agem e quais os seus efeitos

Tadeu Lemos
e Marcos Zaleski

As drogas de abuso ou de uso recreacional são popularmente conhecidas pelo seu caráter lícito (álcool e tabaco, principalmente) ou ilícito (maconha, cocaína, cola, LSD, *ecstasy*, entre outras). Do ponto de vista médico, elas são classificadas de acordo com sua forma de agir no cérebro, modificando a atividade do sistema nervoso central (SNC). Assim, conhecemos drogas que são depressoras ou estimulantes da atividade cerebral e ainda as que causam alucinações, as alucinógenas.

Algumas dessas drogas têm utilidade terapêutica no tratamento de diversas doenças. Porém, por serem drogas que afetam a capacidade de funcionamento normal do cérebro e, consequentemente, o comportamento do indivíduo – com um risco significativo de uso abusivo e desenvolvimento de um quadro de dependência – o uso terapêutico delas é bastante restrito, principalmente hoje, quando há outros medicamentos que podem perfeitamente substituí-las.

O potencial de abuso dessas drogas está relacionado ao fato de elas, inicialmente, produzirem uma sensação agradável de bem-estar. Isto se deve à ação direta ou indireta sobre uma via neuronal cerebral (conhecida cientificamente como via dopaminérgica mesolímbica), responsável pela nossa capacidade de sentir prazer e/ou satisfação em diferentes situações. Essa via é também conhecida como via do reforço, da gratificação ou do prazer. Acontece que, com o uso repetitivo da droga, a sensação agradável vai diminuindo e o indivíduo, por consequência, se sente obrigado a aumentar a quantidade de uso da substância para voltar a desfrutar daquele bem-estar inicial. A isso chamamos de tolerância e, assim, inicia-se a dependência.

Neste capítulo incluímos ainda um outro grupo de substâncias, os esteroides anabolizantes. Embora não sejam classificados como psicofármacos, eles apresentam um padrão de consumo inadequado, com efeitos importantes sobre o comportamento, especialmente dos jovens, semelhante ao das demais drogas de abuso.

AS DROGAS DEPRESSORAS DO SISTEMA NERVOSO CENTRAL

ÁLCOOL – BARBITÚRICOS – BENZODIAZEPÍNICOS
ANALGÉSICOS OPIOIDES – SOLVENTES INALANTES

Algumas dessas drogas têm utilidade terapêutica, sendo os benzodiazepínicos os mais utilizados com esta finalidade, pois são ansiolíticos (calmantes), indutores de sono e relaxantes musculares. Os barbitúricos são utilizados para tratar alguns tipos de epilepsia, e também como indutores do sono e relaxantes musculares e anestésicos. Os analgésicos opioides, como a morfina e seus derivados, são utilizados no tratamento de dores muito intensas, que não podem ser aliviadas com analgésicos comuns. Estes últimos também têm propriedades antidiarreicas (difenoxilato, loperamida, elixir paregórico) e antitussígenas (inibidoras da tosse, como xaropes e gotas à base de codeína).

De todas elas, a substância mais utilizada como droga recreacional, e de forma abusiva, é o álcool. O jovem, em especial, busca no álcool seus efeitos iniciais, relacionados a uma desinibição comportamental, uma certa euforia que se manifesta pela descontração, extroversão, seguida por uma sensação de relaxamento. Segue-se a esses efeitos, a sedação. Para alguns, tais efeitos podem ter uma conotação "terapêutica", de antidepressivo e/ou de ansiolítico. Nesses casos, é preciso prestar atenção se há um transtorno psiquiátrico de base predispondo ao uso da droga.

Segundo dados do Centro Brasileiro de Informação sobre Drogas Psicotrópicas – CEBRID – (1997), os solventes inalantes ocupam o primeiro lugar como as drogas mais consumidas por crianças e adolescentes nas principais capitais do país (excetuando o álcool e o tabaco). Os jovens buscam neles os mesmos efeitos euforizantes descritos para o álcool, porém mais intensos e fugazes, acompanhados por alucinações visuais. É preciso salientar que a associação de duas ou mais drogas depressoras tem efeito sinérgico, ou seja, uma potencializa o efeito da outra, acarretando maior risco de prejuízo orgânico e morte.

A seguir, descreveremos as ações e os efeitos das principais drogas depressoras:

Álcool

O tipo de álcool presente nas bebidas alcoólicas é o etanol. Uma dose de álcool (etanol) equivale a aproximadamente uma latinha de cerveja (350 ml), uma taça de vinho (120 ml), 40 ml de uísque ou de cachaça. O organismo leva de sessenta a noventa minutos para metabolizar essa quantidade de álcool, eliminando os efeitos centrais (sobre o SNC) da bebida.

O etanol apresenta um mecanismo complexo de ação. Além de alterar a estrutura molecular das membranas celulares, tornando-as mais fluidas, interfere com diferentes sistemas de neurotransmissão. Por exemplo: (1) potencializa a ação do GABA, principal neurotransmissor inibitório; (2) bloqueia a ação do glutamato (principal neurotransmissor excitatório) em seu receptor NMDA; (3) estimula o sistema dopaminérgico (aquele da via de reforço ou recompensa); (4) estimula o sistema opioide (relacionado com dor e analgesia), entre outros.

A intoxicação aguda pelo etanol geralmente aparece com a ingestão de duas ou mais doses e caracteriza-se por: (a) alteração do humor (pode variar da euforia até o desânimo e apatia, passando por comportamento inconveniente com irritabilidade e/ou agressividade); (b) aumento da sensação de autoconfiança; (c) alteração da percepção do que está acontecendo ao seu redor, prejudicando a capacidade de julgamento; (d) diminuição da atenção, dos reflexos e da capacidade motora; (e) visão dupla; (f) tontura e sonolência; (g) náuseas e vômitos; (h) coma, parada cardiorrespiratória e morte.

O álcool vem se tornando uma companhia cada vez mais frequente dos adolescentes, usado como um importante agente socializador. Sob efeito do álcool, o jovem torna-se mais desinibido, conversador e interativo. Essa aparente melhor aceitação por parte dos seus pares não raramente estimula o uso esporádico de grande quantidade (*binge*). Tal padrão de consumo deixa o usuário mais sensível à fase estimulante ou euforizante do etanol e mais tolerante à fase depressora. Observa-se uma maior impetuosidade e agressividade, que o leva a assumir atitudes de risco sem noção da gravidade, como dirigir embriagado e transar sem camisinha. Dessa forma, o álcool deixa o jovem mais exposto a acidentes, à violência e ao risco de contrair doenças sexualmente transmissíveis.

A repetição do uso de álcool por longos períodos, caso típico dos alcoólatras, leva à intoxicação crônica. Esta se caracteriza por: (a) perda de memória, confusão mental e demência; (b) lesões orgânicas, principalmente gastrite, pancreatite, hepatite e cirrose; (c) deficiência de vitaminas, especialmente as do complexo B, e desnutrição; (d) perda de massa muscular e dores musculares, principalmente nas pernas; (e) alterações das hemácias e da coagulação do sangue; (f) queda das defesas imunológicas, predispondo a infecções (pneumonia, tuberculose etc). A súbita interrupção do uso crônico também causa uma série de sintomas que caracterizam a síndrome de abstinência: irritabilidade, tremores, confusão mental e *delirium tremens* (alucinações, convulsões, desorientação e agitação psíquica).

Solventes inalantes

Todos são substâncias voláteis, altamente inflamáveis: acetona, benzina, cola de sapateiro e outras colas (tolueno, n-hexano, acetato de etila), aguarrás, gasolina, removedores de tinta, esmalte, lança-perfume (cloreto de etila), "loló" (clorofórmio e éter), fluido de isqueiro, laquê e as tintas em geral.

A inalação voluntária dessas drogas é um fenômeno que ocorre em diversas partes do mundo, principalmente por crianças e adolescentes de países subdesenvolvidos ou por populações socioeconomicamente marginalizadas dos países industrializados (indígenas e hispânicos norte-americanos, por exemplo).

No Brasil, pesquisas do CEBRID sobre o uso de drogas entre estudantes do ensino médio e fundamental, em escolas públicas também frequentadas pela classe média, mostram que, exceto pelo álcool e tabaco, os solventes aparecem como a droga mais consumida nas principais capitais do país, sem predominância de sexo. Mais de 50% dos usuários relatam como local de uso a própria residência. Isso possivelmente deve-se ao fato de que essas substâncias estão presentes em muitos produtos de uso doméstico.

Os mecanismos de ação não são bem conhecidos, mas sabe-se que, como o etanol, alteram a permeabilidade das membranas celulares. Os efeitos aparecem em alguns segundos e podem durar até trinta minutos. Os efeitos sobre o SNC (Sistema Nervoso Central) caracterizam quatro fases distintas:

1) Fase de excitação: euforia, tontura, perturbações auditivas e visuais, náuseas, espirros, tosse, salivação e face avermelhada.

2) Fase de depressão leve: confusão mental, desorientação, voz pastosa, visão turva, perda do autocontrole, dor de cabeça, palidez, delírios auditivos.

3) Fase de depressão moderada: redução do estado de alerta, incoordenação ocular e da marcha, inibição dos reflexos motores, fala enrolada e alucinações.
4) Fase de depressão profunda: inconsciência, delírios, convulsões e morte.
Os solventes tornam o coração mais sensível à adrenalina, que é normalmente liberada em toda situação de esforço físico ou estresse. Assim, se após inalar solvente o indivíduo fizer esforço físico, a hiper-reatividade cardíaca à adrenalina pode provocar um ataque cardíaco e até mesmo a morte. Sabe-se também que estas substâncias têm efeitos tóxicos sobre a medula óssea, os rins, fígado e nervos periféricos.
O uso crônico pode levar a atrofias corticais e cerebelares, responsáveis por déficit cognitivo e ataxia (perda de coordenação dos movimentos musculares voluntários) irreversíveis. A síndrome de abstinência costuma ser menos intensa do que a provocada por outras drogas e caracteriza-se por ansiedade, agitação, tremor, câimbras nas pernas e insônia.

Benzodiazepínicos
Alguns dos mais conhecidos são o Diazepam, o Lorazepam, o Bromazepam, o Clonazepam, o Flunitrazepam, o Midazolam e o Alprazolam. O mecanismo de ação dos benzodiazepínicos é bem conhecido. São agonistas seletivos do receptor GABA-A, potencializando a ação do neurotransmissor inibitório GABA neste receptor.
O efeito mais comum é a sedação (calmante). Como o álcool e os solventes inalantes, também provocam incoordenação motora e alterações da percepção. Casos de intoxicação fatais são mais raros. A síndrome de abstinência é mais leve que a do álcool, com irritabilidade e insônia, mas podem ocorrer convulsões.

Barbitúricos
Os mais conhecidos são o fenobarbital, um antiepiléptico, o pentobarbital, um indutor do sono, e o tiopental, um anestésico. Atuam tanto sobre a neurotransmissão inibitória (de forma semelhante aos benzodiazepínicos) como excitatória, inibindo a atividade glutamatérgica. Apresentam efeitos semelhantes aos dos benzodiazepínicos e doses três vezes maiores que as terapêuticas podem ser fatais, causando depressão respiratória, coma e morte. A síndrome de abstinência pode ser grave, semelhante ao *delirium tremens* alcoólico.

Analgésicos opioides

São assim denominados por terem sua origem no ópio, extraído da papoula. São substâncias opioides a morfina, a codeína e a heroína, sendo esta última um derivado sintético que leva à dependência mais facilmente que os demais. São também chamados de narcóticos, porque produzem hipnose e analgesia (hipnoanalgésicos).

Os mecanismos de ação dos opioides ainda não são totalmente compreendidos, mas sabe-se que atuam no sistema opioide endógeno, relacionado à liberação de endorfinas. Interferem com os sistemas GABAérgico e dopaminérgico. Estimulam o sistema de recompensa cerebral, a formação reticular e afetam as estruturas relacionadas com a nocicepção (condução e percepção da dor).

Provocam sono, analgesia, alteração do humor, alucinações, náuseas e vômitos, redução da tosse, constipação intestinal e relaxamento muscular. Uma overdose provoca coma e parada respiratória. Os efeitos desejados pelos usuários recreacionais são uma sensação de bem-estar e contentamento, um torpor e calmaria em que a realidade e a fantasia se misturam, numa espécie de "sonhar acordado". O uso intravenoso, especialmente da heroína, causa uma sensação de prazer instantânea, conhecida como *rush.* Esta experiência desencadeia um desejo intenso de repeti-la, sendo responsável pelo elevado índice de dependência dessas substâncias.

A síndrome de abstinência caracteriza-se por diarreia, náuseas, vômitos, coriza, lacrimejamento, cólicas, sudorese, calafrios, hipertensão, ansiedade, agitação e convulsões.

AS DROGAS ESTIMULANTES DO SISTEMA NERVOSO CENTRAL

TABACO – ANFETAMINAS – COCAÍNA

Neste grupo, apenas as anfetaminas são utilizadas terapeuticamente. Sabe-se que estas substâncias são potentes inibidores do apetite, porém seu uso é recomendado somente nos casos de obesidade mórbida. Entretanto, frequentemente observamos um uso terapêutico inadequado das anfetaminas em tratamentos emagrecedores, não raramente levando à dependência química. O Brasil é um dos maiores consumidores mundiais de anfetaminas.

Vejamos os mecanismos de ação e efeitos das drogas estimulantes:

Tabaco (*Nicotiana tabacum*)

Há registros do uso do tabaco pelos povos indígenas das Américas desde 1000 a.C., com fins curativos. Ao longo da história, foi utilizado para tratar desde úlceras até unha encravada. A partir do século XIX e de forma mais intensa no século XX, as associações do cigarro a imagens de pessoas bonitas, jovens, esportistas, bem-sucedidas, sensuais, homens "machos", mulheres "femininas e decididas" tornaram a droga um atrativo especial para os jovens. As primeiras comprovações científicas sobre os prejuízos do tabagismo à saúde surgiram na década de 1960. Hoje se sabe que, ao fumar um cigarro, o indivíduo se expõe a mais de quatrocentas substâncias tóxicas, além da nicotina, responsável pela dependência ao tabaco.

A nicotina absorvida pelos pulmões chega ao cérebro em nove segundos. Atua em receptores nicotínicos do sistema de neurotransmissão colinérgica, simulando a ação do neurotransmissor acetilcolina. A acetilcolina modula a atividade do sistema de recompensa dopaminérgico mesolímbico e atua também no hipocampo, estimulando a atenção e o desempenho mental, e na formação reticular, estimulando o estado de alerta.

Os efeitos desejados da nicotina são o aumento do estado de alerta, da atenção e do desempenho psicomotor (especialmente sob condições de estresse). Também diminui o apetite. Além disso, provoca taquicardia, aumento da pressão arterial, redução da motilidade gastrintestinal e um pequeno aumento da atividade motora. Os efeitos tóxicos são inúmeros e estão relacionados não somente à nicotina como também ao alcatrão, ao monóxido de carbono e a centenas de outros produtos tóxicos do cigarro. Ocorre o comprometimento funcional de todos os sistemas orgânicos, com aumento da probabilidade de ocorrência de bronquite, enfisema pulmonar, infarto do miocárdio, hemorragia cerebral, úlcera digestiva e câncer de pulmão, laringe, faringe, boca, esôfago, estômago e mama.

As substâncias tóxicas produzidas pelo cigarro ultrapassam a barreira placentária, provocando aborto, baixo peso ao nascer e alterações neurológicas no feto. Também são transmitidas pelo leite materno. Assim, a criança que nasce ou que é amamentada por uma mãe fumante pode apresentar uma síndrome de abstinência ao cigarro, como acontece com a mãe. Esta toxicidade faz do cigarro a droga que mais extensa e gravemente afeta o organismo, sendo responsável por uma elevação substancial dos gastos públicos para o tratamento de doenças a ela relacionadas.

Sabemos que o consumo de tabaco por adolescentes vem crescendo muito em todo o mundo. São raros os tabagistas que iniciaram o uso na vida adulta, o que evidencia a vulnerabilidade da população adolescente. Pesquisas da Organização Mundial da Saúde com jovens fumantes apontam como fatores que predispõem ao tabagismo na adolescência a pressão exercida pelos amigos, o papel da mídia e das companhias tabagistas e o contato precoce com o tabaco na própria família (familiares fumantes). Paradoxalmente, essas mesmas pesquisas mostram que três em cada quatro fumantes desejam ou já tentaram parar de fumar, sendo que menos da metade obteve êxito. A nicotina, na adolescência, é a droga que mais captura usuários experimentais. Isso confirma a rápida instalação da dependência de nicotina numa população extremamente ambivalente e reforça a importância da prevenção precoce na infância.

Não podemos esquecer do "tabagismo passivo" (exposição de não fumantes à fumaça do cigarro), pois não fumantes que convivem com fumantes estão mais propensos às doenças relacionadas ao cigarro, especialmente às infecções respiratórias, do que o restante da população.

A abstinência da nicotina manifesta-se com fissura (desejo incontrolável de uso), irritabilidade, agitação e ansiedade (por isso o fumante diz que o cigarro acalma), dificuldade de concentração, sensação de incapacidade de lidar com o estresse, sudorese, tontura, insônia e cefaleia.

Cocaína (*Erythroxylon coca*)

O *epadu* dos índios brasileiros, cujas folhas ainda hoje são utilizadas pelos povos andinos como revigorante e para eliminar a fome, deu origem no século XIX a um dos mais poderosos estimulantes do SNC, a cocaína. Este anestésico local chegou a ser prescrito por Freud como ansiolítico e antidepressivo. Logo se percebeu seu alto poder de causar dependência, tornando-se "ouro branco" para os narcotraficantes. No início do século XX houve nos EUA uma verdadeira epidemia de dependência de cocaína e seu uso terapêutico foi abandonado.

A cocaína é encontrada em diferentes apresentações. Fumada na forma de pasta, conhecida como merla, os efeitos aparecem em poucos segundos, podendo durar até meia hora. Na forma de pó ou microcristais (cloridrato de cocaína), se aspirada, os efeitos aparecem em três minutos, se injetada na veia aparecem em trinta a sessenta segundos, podendo durar até uma hora. Na forma sólida ou em pedra (cloridrato de cocaína mais bicarbonato), o *crack*, fumado

em cachimbos, produz efeitos intensos e fugazes em dez a quinze segundos, que duram aproximadamente cinco minutos.
A cocaína potencializa a ação dos neurotransmissores dopamina, noradrenalina e serotonina no cérebro, inibindo a recaptação, que é o principal mecanismo de inativação desses transmissores.
Os efeitos desejados pelos usuários são um intenso prazer com sensação de poder e euforia. Essa excitação da atividade cerebral produz um quadro de hiperatividade, insônia e inibição do apetite. Sob efeito da droga, o usuário pode apresentar um comportamento violento, com irritabilidade, tremores e psicose cocaínica (paranoia, alucinações e delírios). Além disso, a droga estimula a atividade do sistema nervoso autônomo simpático, produzindo dilatação da pupila, taquicardia, aumento da pressão arterial e constipação. A *overdose* provoca convulsões, coma, parada respiratória e morte.
A síndrome de abstinência, após a primeira hora de passado o efeito, caracteriza-se por irritabilidade e fadiga (*crash*), seguindo-se a fissura, depressão e ansiedade.

Anfetaminas
Na década de 1930, nos EUA, foi sintetizada a primeira anfetamina, a benzedrina, para o tratamento da asma. Algumas das anfetaminas mais conhecidas são: metanfetamina (*ice*), fenfluramina, mazindol, dietilpropiona, femproporex e metilfenidato. Por serem drogas sintéticas, criadas e modificadas (desenhadas) em laboratórios, são também chamadas de *design drugs*. Entre os motoristas, são conhecidas como "rebite" e entre estudantes, como "bolinha". Como já descrito anteriormente, têm um uso terapêutico bastante restrito, e muitas já não são mais fabricadas no Brasil.
As anfetaminas estimulam a liberação dos neurotransmissores noradrenalina e dopamina e inibem suas recaptação e degradação enzimática. Além de estimular o sistema de recompensa cerebral, têm importante efeito sobre a formação reticular aumentando o estado de alerta, deixando o usuário "ligado, aceso, elétrico", com menos sono e uma sensação de maior energia. Este é o efeito desejado pelos usuários.
A inibição do apetite, assim como um aumento da temperatura corporal, ocorre devido a uma ação hipotalâmica. Outros efeitos incluem verborragia, estimulação do sistema simpático, agressividade, irritabilidade e psicose anfetamínica (semelhante à cocaínica).
A síndrome de abstinência se manifesta pela apatia, fadiga, sono prolongado, agressividade, irritabilidade e depressão.

As drogas alucinógenas

CANNABIS – MESCALINA – *AYHUASCA* – PSILOCIBINA – LSD
ECSTASY – *CLUB DRUGS* – TRIEXFENIDILA – KETAMINA

Nesse grupo encontramos as drogas que perturbam o funcionamento do SNC sem deprimir ou estimular de forma importante as funções cerebrais. Provocam mudanças nas percepções sensoriais, no pensamento e nos sentimentos, causando experiências alucinatórias vívidas – "viagens" (efeitos psicodélicos) –, algumas vezes responsáveis pela precipitação de quadros psiquiátricos de difícil controle. As "viagens" podem ser boas ou ruins, dependendo do estado emocional do usuário. Se o indivíduo está bem e feliz, a "viagem" tende a ser boa, mas se estiver triste ou deprimido, tende a ser ruim.

Muitas plantas alucinógenas têm seu uso restrito a rituais místico-religiosos, como a jurema e o caapi (*ayhuasca*). Outras, como as daturas (lírio-saia-branca, zabumba, trombeteira), têm um efeito alucinatório muito fugaz, acompanhado por importantes efeitos tóxicos desagradáveis (boca seca, visão turva, tontura, náuseas, vômitos, dores abdominais) que desestimulam seu uso. A mescalina é derivada de um cacto (peiote), não encontrado em nosso meio, e a psilocibina é consumida através do "chá de cogumelos".

A triexfenidila é uma droga anticolinérgica sintética, utilizada no tratamento da doença de Parkinson e outros transtornos motores, que tem efeito semelhante às daturas (anticolinérgicos naturais).

Vamos aqui nos deter mais nas ações e efeitos da *cannabis*, do LSD e do *ecstasy*.

Cannabis sativa

Planta que dá origem à maconha (folhas e flores secas) e ao haxixe (pasta de seiva) e que tem como princípio ativo o THC (tetrahidrocanabinol). Tem propriedades analgésica, hipnótica e espasmolítica. O haxixe é aproximadamente dez vezes mais potente do que a maconha.

Há estudos demonstrando a existência de um sistema neurotransmissor canabinoide endógeno, que modula outros sistemas de neurotransmissão, entre eles o dopaminérgico. O THC atua nesse sistema, mimetizando as ações do neurotransmissor endógeno, a anandamida. Por ter alta lipossolubilidade, o THC deposita-se em tecido gorduroso, sendo o cérebro um desses locais.

Os usuários de maconha e haxixe buscam uma sensação de calma, relaxamento e bem-estar, acompanhada de aguçamento da percepção sensorial, com intensificação dos sons e da visão, que adquirem um caráter fantástico. Outros efeitos são hilaridade, angústia, tremores, sudorese, prejuízo da memória e da atenção, alteração da percepção espacial e temporal, delírio e alucinações. Os olhos ficam avermelhados, a boca seca, o coração dispara e ocorre broncodilatação. O uso crônico leva a déficit de aprendizado e memória, diminuição progressiva da motivação – apatia e improdutividade ("síndrome amotivacional"), piora de distúrbios psíquicos preexistentes, bronquites e infertilidade (por redução da quantidade de testosterona). O déficit cognitivo provocado pela maconha tem especial importância nos adolescentes, pois está relacionado a dificuldades de aprendizagem e repetência escolar.

A tolerância aos efeitos da *cannabis* aparece e desaparece rapidamente após pequenas doses. A síndrome de abstinência, geralmente observada nos usuários diários que interrompem abruptamente o uso, tem intensidade mais fraca que as descritas anteriormente e caracteriza-se por náusea, agitação psicomotora, irritabilidade, confusão mental, taquicardia e sudorese.

LSD (Dietiliamida do Ácido Lisérgico)

O LSD, mais conhecido como "ácido", é o alucinógeno mais potente. Produz alucinações mesmo em doses tão pequenas quanto 25 microgramas. Trata-se de uma substância alcaloide sintética derivada do *ergot*, produto de um fungo que cresce em culturas de cereais (arroz, centeio etc). Atua no SNC mimetizando parcialmente as ações da serotonina.

O efeito desejado pelo usuário é a "boa viagem", caracterizada por uma sensação de euforia e excitação acompanhada por ilusões e alucinações auditivas e visuais agradáveis. Ocorrem distorções na percepção do ambiente (cores, formas e sons) e sinestesias (estímulos olfativos e táteis parecem visíveis e cores podem ser "ouvidas"). Concomitantemente há dilatação da pupila, taquicardia e sudorese (efeitos simpáticos). Contudo, podem ocorrer "viagens ruins" (*bad trips*), desagradáveis, com delírios persecutórios, comportamento violento, ansiedade (semelhante à síndrome do pânico), depressão, surtos psicóticos, medo de enlouquecer e de morrer. Pode ocorrer retorno das experiências alucinatórias originais (*flashbacks*), mesmo dias, semanas ou meses após o uso.

Ecstasy (êxtase)

O *ecstasy* é uma anfetamina (MDMA – metilenodioximetanfetamina) sintetizada em 1914 como um moderador do apetite. Tem estrutura química semelhante à do LSD e atua estimulando os sistemas das aminas cerebrais (dopamina, noradrenalina e serotonina). É comercializado principalmente na forma de comprimidos, mas também pode ser encontrado em cápsulas ou em pó.

Essa droga tornou-se um alucinógeno muito popular na Europa e EUA na década de 1980, sendo associado à cultura *clubber* ou das discotecas (danceterias). Uma droga para se soltar, sentir melhor a música e suportar mais horas dançando. A droga aumenta também a autopercepção e faz com que o indivíduo tenha a sensação de gostar mais de si mesmo e de se sentir "extasiado" – daí o nome "êxtase". No Brasil a droga chegou no início da década de 1990, no rastro da *dance-music*. Por ser uma droga cara, é mais utilizada por usuários das classes média e alta, frequentadores de clubes noturnos e festas *rave*.

Apresenta efeito estimulante do SNC, semelhante às anfetaminas, e efeitos perturbadores, semelhantes aos do LSD. As "viagens ruins" e *flashbacks* não são comuns com o *ecstasy*, mas podem ocorrer. O *ecstasy* causa também inibição do apetite, taquicardia, dilatação da pupila, boca seca, dores musculares e ranger de dentes. Muitos usuários relatam um efeito residual depressivo nos dias subsequentes ao uso da droga, além de intenso cansaço e insônia.

O efeito de um comprimido de *ecstasy* pode durar até oito horas, propiciando um grande esforço físico através de horas de dança ininterrupta, provocando um aumento considerável da temperatura corporal, que pode chegar a 42° C e levar à morte por hipertermia. Além disso, devido a essa hipertermia, há um consumo excessivo de água que, somado ao efeito de inibição do hormônio antidiurético pelo *ecstasy*, leva a um acúmulo de água no organismo e intoxicação pela água, o que contribui para a letalidade da droga.

Club drugs

Várias substâncias alucinógenas são preferencialmente utilizadas para intensificar ou alterar as percepções sensoriais durante festas em clubes e casa noturnas, sendo por isso chamadas de *club drugs*. É o caso do LSD, do *ecstasy* e da ketamina, frequentemente associados com flunitrazepam ou GHB (gama-hidroxibutirato), que por isso merecem ser comentados.

O flunitrazepam e o GHB são depressores do sistema nervoso central. Atuam estimulando a transmissão inibitória GABAérgica, com um importante efeito sedativo, servindo por isso ao propósito de contrabalançar os efeitos do LSD e do *ecstasy*. O flunitrazepam faz parte do grupo dos benzodiazepínicos, descrito no início deste capítulo. O GHB, um anestésico, provoca inconsciência e amnésia e vêm sendo utilizado em festas *rave* para facilitar estupros, dos quais a vítima depois não se lembra. Existe na forma de pó, mas é geralmente comercializado na forma líquida, não possui cor nem odor, com leve sabor salgado, sendo facilmente misturado às bebidas, inclusive água. Também pode ser injetado na veia. Por via oral o efeito aparece em cerca de dez minutos, atinge o máximo em aproximadamente uma hora e pode durar mais de 24 horas. Em pequenas doses, provoca sensação de bem-estar, euforia e autoconfiança (semelhante ao *ecstasy*), incoordenação motora, inclusive da fala. Em doses maiores provoca sedação, náuseas e vômitos. Pode levar à insuficiência respiratória e à morte. É também chamado de *ecstasy* líquido.

OS ESTEROIDES ANABOLIZANTES

Os esteroides anabolizantes (EA) são substâncias derivadas da testosterona, hormônio androgênico produzido nos testículos. Existem mais de cem diferentes compostos que apresentam efeitos anabolizante (aumento da massa muscular), androgênico (virilizante e masculinizante – indução das características sexuais masculinas) e modulador da agressividade e do humor. O uso médico é bastante limitado, sendo indicados para o tratamento do hipogonadismo (prejuízo da maturação sexual por déficit de testosterona), para controle de metástases de câncer de mama, para tratamento da asma e de alguns tipos de anemia.

Os EA são encontrados na forma de comprimidos ou injetáveis. Os mais utilizados no Brasil são o estanozolol e a nandrolona. Alguns usuários chegam a utilizar preparações de uso veterinário por serem de mais fácil aquisição. Geralmente o uso se inicia com uma dose pequena que vai aumentando gradativamente, atingindo doses centenas de vezes maiores do que as recomendadas para os efeitos terapêuticos. Essa forma de uso é denominada "pirâmide". Alguns usuários acreditam, falsamente, que a mistura de diferentes EA (*stack*) propicia uma hipertrofia ainda maior da musculatura. Outros usuários, ainda, preferem usar a droga em ciclos de seis a doze semanas, interromper o uso por um período semelhante ou inferior e retomá-lo em seguida, acreditando que desta forma minimizam os efeitos hormonais sexuais.

A massificação do culto ao corpo e a proliferação de academias de ginástica, onde o uso desse tipo de substância é algumas vezes incentivado, fez crescer assustadoramente o número de usuários de EA. Os jovens em especial buscam nessas drogas o aumento da massa e da força muscular, uma maior intensidade nos treinos e agressividade nas competições esportivas. Entre adolescentes do sexo masculino, a obtenção de um corpo musculoso se traduz numa forma de competição guiada por conceitos estéticos distorcidos e também por uma necessidade de demonstração de força, especialmente pelos que tenham sido vítimas de agressão. Isso pode gerar um problema de julgamento do próprio corpo, conhecido como dismorfia corporal. Entre as meninas, não raramente o uso está associado a transtornos alimentares. Os usuários costumam relatar uma sensação de bem-estar sob efeito da droga e falta de motivação para interromper o uso.

Os EA interrompem o crescimento ósseo e afetam o coração, os rins e o fígado. Há indícios de que essas substâncias facilitam a tolerância ao álcool, aos opioides e à cocaína. A síndrome de abstinência se caracteriza por irritabilidade, agressividade, ansiedade e depressão.

Considerações finais

Conhecer as ações e efeitos das drogas é de fundamental importância para se compreender o fenômeno do uso abusivo e da dependência química. Identificar os efeitos que reforçam o uso e aqueles indesejáveis auxilia no tratamento dos usuários, bem como na prevenção do uso ou abuso.

É importante não esquecermos dos efeitos relacionados à via de administração da substância, em especial daquelas usadas por via injetável. O uso de droga por esta via aumenta o risco de *overdose* e de disseminação de doenças graves como hepatite e aids. Vale lembrar ainda da forma de uso do *crack*, que por ser fumado em pequenos cachimbos provoca queimaduras e fissuras labiais, que também facilitam a transmissão de doenças por meio do beijo ou do sexo oral.

Devemos lembrar ainda que os jovens sob efeito das drogas tendem a criar um mundo em que a realidade e a fantasia se misturam, têm sua capacidade cognitiva e laborativa comprometida, perdem o interesse em se relacionar com outras pessoas e de cuidar de si mesmos. Uma vez instalada a dependência, perdem a capacidade de estabelecer a relação entre prejuízo e benefício dos efeitos das drogas. Os adolescentes gostam de correr riscos, experimentar novas sensações e por isso têm maior dificuldade para reconhecer esses prejuízos, cabendo aos pais ou familiares sinalizá-los. Via de regra, somente quando os efeitos desejados deixam de ocorrer é que o usuário começa a pensar em buscar ajuda. A droga, que num primeiro momento pode parecer um agente socializador, torna-se a única companheira do jovem. Para alguns, a dependência torna-se uma doença de solidão.

BIBLIOGRAFIA

BROWER, K.J. "Anabolic steroid abuse and dependence". *Curr Psychiatry Rep*, 4(5):377-87, 2002.

Galduróz, J.C.F., NOTO A.R., CARLINI E.A. *IV Levantamento sobre o uso de drogas entre entre estudantes de 1° e 2° graus em 10 capitais brasileiras.* São Paulo: Centro Brasileiro de Informações sobre Drogas Psicotrópicas – CEBRID, 1997.

GREFF, F.G., GUIMARÃES F.S. *Fundamentos de Psicofarmacologia.* São Paulo: Atheneu, 2000, p.197-221.

LINGFORD-HUGHES, A.R.; DAVIES, S.J.; MCIVER, S.; WILLIAMS, T.M.; DAGLISH, M.R.; NUTT D.J. *Addiction.* Br Med Bull, 65:209-22, 2003.

LOWINSO, J.H.; RUIZ, P.; MILLMAN, R.B.; LANGROD, J.G. *Substance Abuse: A comprehensive textbook.* New York: Lippncott, Williams e Wilkins, 1997.

MALDONADO, R. *The neurobiology of addiction.* J. Neural Transm Suppl, 66:1-14, 2003.

MCCRADY, B.S.; EPSTEIN, E.E. *Addictions.* New York: Oxford University Press, 1999.

RANG, H.P.; DALE, M.M.; RITTER, J.M.; MOORE, P.K. *Farmacologia.* Rio de Janeiro: Elsevier, 2004. p.666-695.

Os jovens são mais vulneráveis às drogas?

Vilma Aparecida da Silva
e Hélcio Fernandes Mattos

Desde o momento da concepção até a vida adulta, o organismo humano está exposto a agentes ambientais agressivos. Muitos desses agentes não afetam os adultos, mas podem ser altamente deletérios, ou mesmo fatais, para o feto em formação. Um exemplo clássico é o da talidomida, droga antes usada no tratamento dos enjoos e vômitos típicos da gravidez. Inofensivo para as gestantes, seu uso revelou-se desastroso para os embriões, produzindo malformações severas, principalmente dos membros superiores e inferiores da futura criança. Descobriu-se que a anomalia só ocorria se a exposição do embrião ao medicamento ocorresse entre os primeiros 28 e 42 dias de vida intrauterina. Nem antes, nem depois.

A grande e trágica lição advinda do uso indiscriminado da talidomida foi a de que uma droga inócua para um adulto pode ter efeitos devastadores para um organismo em determinado período de sua formação. No nosso caso, interessa-nos discutir aqui a possibilidade de o cérebro da criança e do adolescente ser mais vulnerável à ação de drogas, fazendo com que o futuro adulto se torne um dependente químico. Naturalmente, devemos ser cautelosos em nossas considerações e sempre ponderar sobre a interação dos efeitos causados pela agressão biológica com os demais fatores de risco psicossocial.

O cérebro é o mais sofisticado e complexo dos órgãos. Através de seus neurônios, ele percebe as modificações no meio ambiente, que são comunicadas a outros neurônios e que, por sua vez, comandam as respostas corporais a essas sensações. O resultado final e visível é o comportamento do indivíduo, ou seja, aquilo que ele faz ou deixa de fazer. Fatores biológicos e psicossociais têm em comum o fato de que precisam passar pelo processamento cerebral antes de se tornarem ações. Assim, são indissociáveis quando a questão é compreender o indivíduo e auxiliá-lo no sentido de uma melhor adaptação ao seu ambiente.

COMO SE DESENVOLVE O SISTEMA NERVOSO CENTRAL

O sistema nervoso central (cérebro, cerebelo, tronco cerebral, medula espinhal) inicia seu desenvolvimento ainda na vida embrionária, ou seja, logo no início da gravidez. O primeiro passo consiste na formação de uma dobra, a chamada prega neural, que vai se fechando gradativamente, formando um tubo, denominado tubo neural. A fusão das bordas da prega se dá do meio para as extremidades, como se pode ver na figura abaixo:

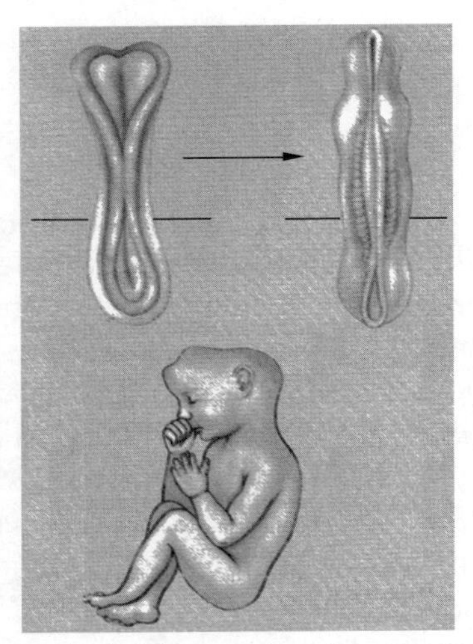

Fechamento do tubo neural e criança anencéfala

O fechamento completo do tubo neural ocorre no vigésimo segundo dia da gestação, isto é, muitas vezes antes mesmo da mulher saber que está grávida. Se nesse momento houver algum tipo de agressão à estrutura neuronal, ela poderá resultar em uma criança com anencefalia (ausência de boa porção do cérebro e do crânio) ou espinha bífida (a espinha se apresenta cindida), dois defeitos de extrema gravidade. No primeiro caso, o resultado inevitável é a morte da criança pouco tempo após o nascimento. Os casos de espinha bífida, apesar de não serem fatais, exigem longos e dispendiosos cuidados médicos.

Porém, para os profissionais de saúde e da educação, devem ser motivos de preocupação ainda maior os "pequenos defeitos", aqueles que serão compatíveis com a vida, mas que resultarão em alterações comportamentais, atingindo o desenvolvimento cognitivo e emocional do indivíduo. Esse é um aspecto recente da toxicologia do desenvolvimento, ainda muito difícil de ser estudado em seres humanos, devido a complexidade de fatores que determinam o nosso comportamento.

Assim, muitas vezes, nos valemos de animais em experiências de laboratório que, além de possibilitarem o controle de diversas variáveis, nos permitem verificar, após o sacrifício das cobaias, o que ocorreu em seus cérebros. Hoje, é verdade, com o avanço da ciência, já foram desenvolvidas técnicas modernas e não invasivas do estudo do cérebro humano, permitindo inclusive observá-lo ao vivo, funcionando. Já aprendemos muito, mas a complexidade do assunto ainda nos deixa longe de explicações definitivas.

Para entender o desenvolvimento comportamental precisamos conhecer, antes, toda a cronologia do desenvolvimento cerebral. Ao contrário dos demais órgãos, que ao final do terceiro mês de gestação já estão formados, o cérebro continua a se desenvolver por toda a gestação. Durante os primeiros anos de vida e até a adolescência, as estruturas cerebrais ainda estão se formando e amadurecendo, tornando-se, portanto, mais sensíveis aos agentes agressores. E embora seja verdade que, no adulto, a maioria das áreas cerebrais estejam definitivamente consolidadas, o desenvolvimento nunca termina em algumas delas.

Ainda nos primeiros estágios da gravidez, ocorre a formação e multiplicação dos neurônios. Se nesse momento o desenvolvimento for vítima de alguma espécie de agressão, o resultado também será uma inevitável má formação. A criança, possivelmente, nascerá com um número menor de neurônios, sua cabeça terá tamanho menor do que o normal e ela apresentará retardo mental. Isso pode ocorrer por causa de doenças contraídas pela mãe durante a gravidez, como a rubéola, ou pela exposição a certos medicamentos – anticonvulsivantes, por exemplo – e às drogas, como o álcool etílico.

A maioria dos neurônios é gerada entre a quinta semana e o quinto mês de gestação, numa taxa de 250 mil novos neurônios por minuto. Após serem gerados, os neurônios jovens, os chamados neuroblastos, ainda passam por um delicado processo, devendo migrar para a região onde irão atuar. Esse é um fenômeno complexo, que exige grande precisão. Acredita-se que, nesse processo, os jovens neurônios são auxiliados pelas células da glia, que é formada por células que apoiam, nutrem, guiam os neurônios e os revestem, nas chamadas bainhas de mielina, para tornar a comunicação entre eles mais rápida.

O desenvolvimento continua com a proliferação das sinapses – o contato entre os neurônios e a transferência de informação de um para outro através de um processo químico. Ao chegar ao local a que foram destinados, após a complexa migração, os neuroblastos começam a apresentar prolongamentos, os axônios e dendritos, responsáveis pelas conexões com outros neurônios. Se essas conexões não ocorrerem de forma apropriada, a criança poderá também apresentar retardo mental, embora com o encéfalo aparentemente normal.

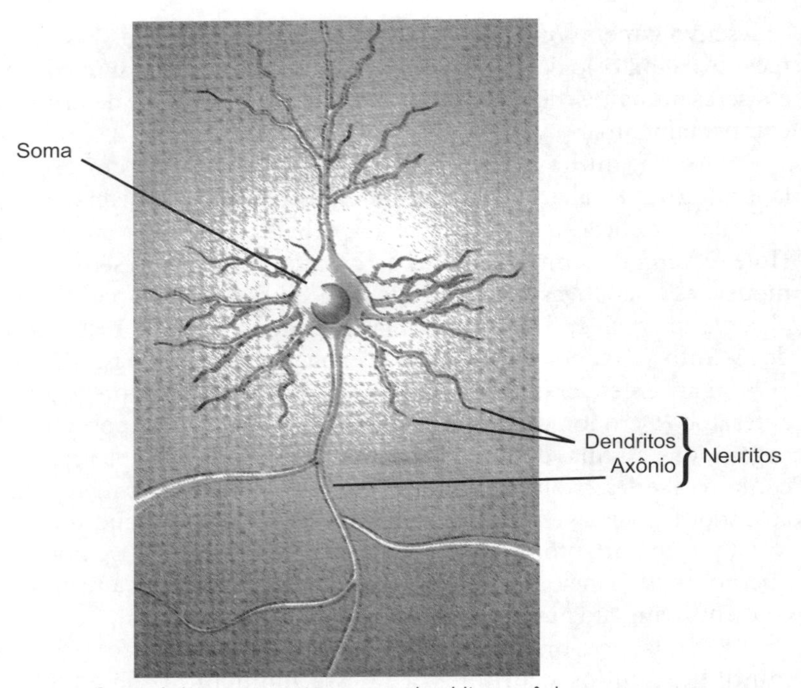

O neurônio e suas partes: soma, dendritos, axônios

O desenvolvimento normal das sinapses, incluindo a maturação dos axônios e dendritos, depende muito do ambiente a que a nova vida for exposta no período neonatal e, mais tarde, no início da infância. Um ambiente desfavorável durante esse período crítico poderá levar a profundas mudanças nas conexões do encéfalo. Por outro lado, as conexões sinápticas são também fortemente sensíveis ao meio de forma positiva, isto é, elas podem ser favorecidas se a criança for submetida a um ambiente estimulador.

Visto por fora, aos seis anos de idade, o cérebro da criança terá atingido o padrão adulto com os seus característicos sulcos cerebrais. Entretanto, as diferentes regiões do cérebro apresentam velocidades diferentes de desenvolvimento. Se passarmos da visão externa para uma observação mais detalhada do cérebro humano, no plano celular, veremos que na segunda década de vida, durante a adolescência, ocorrerá um delicado processo de refinamento. Haverá uma redução programada do número de neurônios e sinapses, bem como as conexões tornar-se-ão mais específicas e amadurecidas. O processo de comunicação entre as áreas cerebrais, incluindo a comunicação entre os dois hemisférios que compõem o órgão – o lado direito e o esquerdo – será depurado, especializado.

Igualmente nessa época, ocorre o amadurecimento de regiões cerebrais relacionadas à competência linguística. Podemos dizer que, nesse momento da vida, o ser humano atinge o auge de sua potencialidade, desenvolvendo exatamente aquilo que o diferencia dos outros animais. Dessa forma, toda e qualquer agressão nessa etapa do desenvolvimento cerebral pode resultar numa drástica diminuição desse mesmo potencial, às vezes de modo irreversível.

Como o desenvolvimento não segue o mesmo ritmo em todas as regiões, algumas estruturas, como os gânglios da base, diminuirão durante a adolescência; enquanto outras, como a amígdala, o hipocampo – relacionadas à emoção e à memória – e a região pré-frontal, sofrerão aumento em volume. Alterações nessa última região, aliás, são particularmente significativas quando nosso objetivo é analisar o efeito do uso de drogas por crianças e jovens. Isso porque o córtex pré-frontal faz parte dos circuitos motivacionais, inclusive do chamado "circuito do prazer", que é reforçado pelas drogas psicoativas.

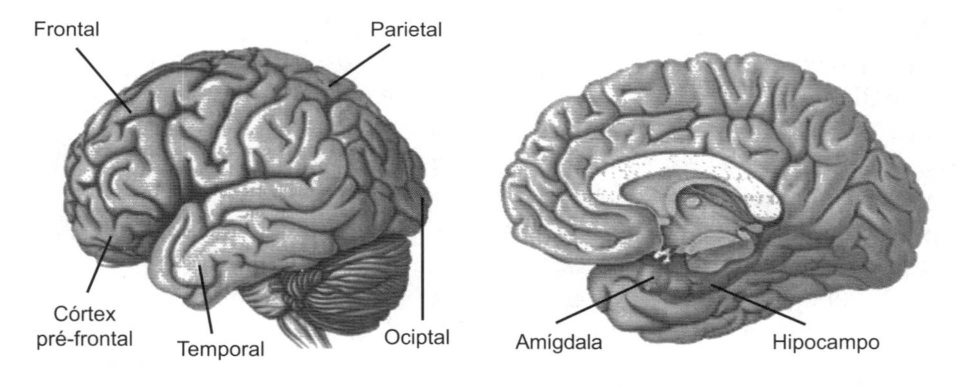

O cérebro e suas principais regiões

Os desastrosos efeitos das cirurgias de lesão do lobo central – as conhecidas lobotomias – evidenciaram a importância dessa região cerebral. Os pacientes lobotomizados apresentavam, entre outros sintomas, diminuição da inteligência e memória, entorpecimento das respostas emocionais e arrefecimento dos padrões morais. Com estruturas cerebrais tão importantes se desenvolvendo em plena adolescência, não é de se estranhar que doenças relacionadas a elas, como o transtorno de déficit de atenção com hiperatividade e também a esquizofrenia se manifestem precocemente. E, do mesmo modo, que a dependência química também comece, em geral, nesse período da vida.

Contudo, existe uma longa distância entre entender as evoluções anatômicas processadas durante o desenvolvimento do cérebro e conhecer, de fato, o que se passa funcionalmente dentro dele. O conhecimento científico disponível em tal terreno é, de fato, ainda muito incompleto. Sabemos que o funcionamento do cérebro depende necessariamente do amadurecimento dos sistemas de neurotransmissores, os responsáveis pela comunicação entre as células. Conhecemos, atualmente, cerca de vinte neurotransmissores. Outras tantas substâncias vêm sendo descobertas e classificadas como neuromoduladoras, ou seja, capazes de influenciar o comportamento dos neurotransmissores.

Mas, decididamente, não sabemos ainda organizar todo esse conhecimento científico disponível para explicar o comportamento humano. E, acreditamos, não poderia ser diferente. Afinal, estamos falando do cérebro, esse órgão sofisticado e misterioso, responsável por todas as características do homem, desde a criatividade à capacidade de abstração, de aprendizado, de adaptação e de relação entre os semelhantes. É ele, também, a sede de todos nossos distúrbios, sempre que nossas potencialidades se desviam de sua função original.

Motivação e dependência de substâncias psicotrópicas

A motivação é a força que compele um comportamento a acontecer. Ela envolve um processo altamente integrado e essencial para a sobrevivência. Acredita-se que os circuitos cerebrais envolvidos na motivação são responsáveis pela impulsividade, pelas tomadas de decisão, pela manutenção das funções básicas – como se alimentar, beber, reproduzir – e, também, pela eventual dependência às drogas. Em circunstâncias normais, as vias nervosas envolvidas nessa função devem ser capazes de interagir com o ambiente externo e avaliar as condições internas para determinar o melhor comportamento a ser executado.

Uma dessas vias, chamada de via límbica, é fortemente sensível ao que ocorre no ambiente, reagindo de modo intenso às situações. Uma situação típica que envolve a tomada de uma decisão e a emissão de um comportamento é quando o organismo se defronta com um "estressor", ou seja, um evento capaz de desencadear uma reposta de estresse. Embora inicialmente o estresse tenha sido associado a um estímulo adverso, uma conceituação mais atual o define como reação psicofisiológica complexa, que tem em sua gênese a necessidade do organismo responder a algo que ameace seu equilíbrio.

Isso pode ocorrer, por exemplo, quando a pessoa se confronta com uma situação que a irrite, amedronte ou que a faça muito feliz. Além disso, características de personalidade podem ser fontes internas de estresse, determinando como cada pessoa reage a diferentes situações e eventos da vida. Em outras palavras, não é o evento em si, mas como o indivíduo o percebe, que vai determinar a intensidade e a qualidade do elemento estressor.

A via límbica é formada por estruturas interligadas sinapticamente, a exemplo da amígdala, do hipocampo e do córtex pré-frontal. A amígdala tem a importante função de integrar as informações que recebe de todos os sistemas sensoriais. Lesões da amígdala reduzem a emocionalidade e diminuem seletivamente a capacidade de reconhecer o medo. É a amígdala que confere conteúdo emocional às memórias, que são ativadas pelos agentes estressores. Um determinado elemento estressor pode não representar uma ameaça imediata, mas ser considerado uma ameaça por comparação com experiências passadas, mostrando que a ameaça virá no futuro. A partir também da amígdala, o chamado eixo hipotálamo-hipófise-adrenal (HHA) será ativado. Com isso, substâncias como a adrenalina serão secretadas pela glândula adrenal, e teremos, entre outras reações, as respostas periféricas do organismo ao estresse, como as palpitações e a palidez.

Sabe-se que a ocorrência de estresse no período pré-natal impacta o desenvolvimento de todos os componentes cerebrais, incluindo o eixo HHA do feto em formação. Causas comuns de estresse pré-natal são as síndromes de abstinência experimentadas por uma mãe dependente de drogas e a exposição à violência, fome, pobreza e abandono – situações que, infelizmente, são mais corriqueiras do que deveriam numa sociedade como a nossa, que atingiu tão alto grau de desenvolvimento tecnológico. Acredita-se que os efeitos do estresse pré-natal possam perdurar durante toda a vida do indivíduo – em animais de laboratório, o que se observa como sequela mais comum é o aumento da sensibilidade ao estresse na vida adulta.

O estresse infantil, especificamente, se manifesta de vários modos, desde a ocorrência de distúrbios físicos como obesidade, asma, úlceras e gastrites até a presença de fenômenos psicológicos como depressão, comportamento agressivo, ansiedade e abuso de substâncias químicas. Um detalhe importante é que a influência dos pais ou seus substitutos parece ser determinante na resistência ou vulnerabilidade da criança ao estresse, já que os pais têm grande importância não só na hereditariedade, mas também como modelos de comportamento para os filhos: a criança pode aprender com eles a lidar com o estresse de uma maneira positiva ou não, inclusive recorrendo a drogas para enfrentá-lo.

Muitos neurotransmissores estão envolvidos nos complicados processos cerebrais, mas podemos, para fins didáticos, simplificá-los, reduzindo-os aqui aos dois principais: a dopamina, que ativa o circuito da motivação, e a serotonina, que o deprime. As drogas agem exatamente elevando os níveis de dopamina nas estruturas cerebrais. A liberação repetida de dopamina por meio de drogas leva a mudanças neuronais, ocasionando a "sensibilização" do organismo. A chamada sensibilização – ou tolerância reversa – se manifesta pelo aumento dos efeitos da droga por meio de administrações repetidas em baixas doses. Assim, o indivíduo passa a exibir um comportamento compulsivo pela droga – o chamado *craving*, ou "fissura", que é um desejo duradouro, existente mesmo quando a motivação básica para consumir a droga já não é o prazer imediato ou a necessidade de evitar o desprazer da abstinência. Isso ocorre porque há um processo de adaptação neuronal: os estímulos motivacionais associados com os sistemas de recompensa do cérebro ficam cada vez mais fortes, na medida em que a experiência se repete. O comportamento se torna, assim, cada vez mais compulsivo.

Segundo a literatura médica sobre o assunto, os sistemas de reforço se revelam superativos na adolescência, ocorrendo nessa fase exatamente o oposto com os sistemas inibitórios que controlam o comportamento. Isso significa que as drogas de abuso, ao estimular os sistemas de recompensa no cérebro, são provavelmente sentidas pelo adolescente de modo muito mais intenso do que pelos adultos.

A maioria das evidências que corroboram essa teoria vem de estudos em animais de laboratório. Não temos, é claro, como pesquisar o sentimento de euforia em ratos e camundongos. Porém, na administração repetida de psicoestimulantes, a sensibilização comportamental – o aumento da resposta à droga, por meio de administrações repetidas – e a liberação de dopamina é bem maior em ratos jovens do que nos animais já adultos. Talvez em um futuro breve, com o avanço das técnicas de estudo do cérebro em funcionamento, essas evidências poderão ser comprovadas também no ser humano.

Mas o fato é que a maturação do sistema inibitório, mediado pela serotonina, não parece acompanhar na mesma medida a do sistema ativador, mediado pela dopamina. Isso pode ser uma base de ordem biológica para explicar por que o comportamento do adolescente é caracterizado pela busca de novidade – o célebre desejo juvenil por novas experiências, que no animal corresponde ao aumento do comportamento exploratório – e pela impulsividade.

O sistema de recompensa, em situações normais, deve ser controlado pelos sistemas inibitórios, de forma a gerar um comportamento adequado e adaptado à situação vivida pelo animal. O mesmo ocorre com os seres humanos em sociedade. Assim, tendem a ser inibidos os nossos comportamentos excessivamente impulsivos, aqueles em que não medimos as consequências e que são produzidos como resposta direta a uma situação imediata. Há situações, é evidente, em que os comportamentos extremados, a exemplo dos atos de coragem em nome de uma causa, são considerados socialmente positivos. Mas não é à toa que o sentimento de bravura e o idealismo são historicamente associados à juventude. Em culturas tradicionais, a demonstração de atos de bravura é inclusive uma exigência dos ritos de iniciação que marcam a passagem do fim da infância para a idade adulta.

Contudo, sabemos que o processo de socialização, que é lento e contínuo, precisa de repetições para consolidar a adequação de determinados comportamentos. Aqueles indivíduos que são incapazes de reconhecer os códigos sociais tendem a apresentar características disfuncionais. Não desenvolvem a habilidade de perceber a progressão das ações necessárias para atingir um fim determinado e, por isso, recorrem a ações violentas para impor a sua visão.

Na sociedade atual, o processo de socialização vem sendo cada vez mais estendido, adiando-se ao máximo a entrada do adolescente no mundo adulto. Não seria exagerado afirmar que a característica impulsividade do adolescente torna-se, muitas vezes, um instrumento para a ação criminosa. Recrutados para o crime, inclusive para o tráfico de drogas, os adolescentes seguem o impulso da recompensa imediata, seja ela dinheiro e prestígio – ou mesmo a simples excitação associada ao comportamento ilícito.

Sumarizando e simplificando: é o sistema inibitório, de natureza possivelmente serotonérgica, que garante a ponderação, inibindo os impulsos em contraposição ao sistema de recompensa, que é dopaminérgico. Ambos não estariam totalmente amadurecidos na adolescência para exercer seu papel adaptativo de possibilitar a ponderação e o controle. Haveria, durante essa fase, predomínio do sistema dopaminérgico sobre o serotonérgico.

Por sua vez, os sistemas serotonérgicos, que são os moderadores do comportamento impulsivo, podem também gerar sentimentos de ansiedade, que tendem a levar à automedicação de drogas ansiolíticas, os chamados "tranquilizantes". Tem sido apontado, por alguns autores, que crianças e adolescentes incapazes de vivenciar o medo e a ansiedade produzidos por situações desagradáveis são predispostos a repetir erros e a desenvolver transtornos antissociais. A evidência desses transtornos de conduta permitiria que fosse providenciado, precocemente, um processo específico de educação e socialização que respeitasse tais particularidades, da mesma forma como se prescrevem dietas e se buscam padrões alimentares adequados àqueles jovens que apresentam tendência a engordar.

No entanto, por que nascem crianças com temperamento resistente ao reconhecimento da ansiedade e da punição e, portanto, difíceis de serem educadas nos preceitos da sociedade em que nasceram, isso é ainda um mistério. Por um lado, há evidências de que o temperamento é constitucional, ou seja, os bebês com esse tipo de problema já nascem diferentes no seu temperamento e apenas desencadeiam, nas próprias mães, respostas que intensificam os seus aspectos disfuncionais. Uma mesma mãe, ao cuidar de outro bebê mais dócil, controlará melhor a sua ansiedade e não reforçará a inquietação da criança. Acontece que aquilo que é congênito – isto é, observado já ao nascimento – não é necessariamente constitucional, geneticamente determinado. Muitas influências intrauterinas de origem ambiental têm sido mostradas, e, entre elas, particularmente relevante é a exposição intrauterina às drogas psicoativas, como o tabaco e o álcool. No caso do álcool, comportamentos alterados dos bebês têm sido também sistematicamente detectados, inclusive em sua forma mais grave, o retardo mental.

Concluindo esse tópico, poderíamos supor que adolescentes normais teriam predisposição à impulsividade por um desequilíbrio no ritmo de desenvolvimento no sistema de recompensa em contraposição com o sistema inibitório. Esse processo tornaria todos os adolescentes vulneráveis à ação de drogas. Para o adolescente essas drogas talvez sejam mais prazerosas do que para o adulto e as razões aprendidas que levam o adulto a se controlar e moderar o comportamento não estão ainda amadurecidas. Por outro lado, teríamos os adolescentes que já nasceram com os sistemas inibitórios prejudicados e que tiveram essa deficiência agravada pelo modo com que foram educados. Esses estariam então sob risco ainda maior. Embora essas considerações sejam em parte teóricas, já que as evidências muitas vezes são indiretas, reforça essa hipótese a constatação de que adolescentes com problemas de abuso de substância têm muitas vezes como comorbidade um transtorno de conduta (veja capítulo de Marco Antonio Bessa, neste volume), distúrbio associado ao prejuízo dos sistemas cerebrais inibitórios.

O INÍCIO DO USO:
SIMPLES EXPERIÊNCIA OU INDICAÇÃO DE VULNERABILIDADE?

A adolescência é um período da vida em que, naturalmente, há dificuldades para se suportar as recorrentes condições de estresse inerentes a ele. Afinal, há nessa idade uma forte carga de pressão social a exigir que os jovens, ao deixarem a infância, tornem-se menos dependentes de proteção e cuidados. Cabe aos adultos encontrar o ponto exato de equilíbrio para não impedir esse gradativo e necessário processo de autonomia pessoal e, ao mesmo tempo, evitar que em nome de uma pretensa liberdade o adolescente se torne, por exemplo, presa fácil da droga.

A transição de um estado de dependência absoluta para uma condição de autonomia pessoal deve ser um processo assistido, no qual o jovem receba todo o apoio necessário dos pais, educadores ou responsáveis. Só assim ele será capaz de suportar as dificuldades típicas da idade, de superar e aprender a conviver com suas próprias incertezas e, principalmente, de tomar suas próprias decisões de forma responsável, sem que os adultos tenham que decidir tudo por eles. Com efeito, a observação clínica de crianças que iniciam o uso de drogas antes mesmo da adolescência mostra que, na maioria das vezes, são indivíduos desprotegidos e expostos, antes do que deveriam, a situações nas quais devem decidir e responder sozinhos por seus atos.

Estudos científicos recentes indicam que a idade mais precoce em que se registra o de uso de substâncias psicoativas gira em torno de sete anos, isso em uma população em tratamento. Verificou-se também que a iniciação ao uso dessas substâncias ocorre, em média, um ano mais cedo entre adolescentes que vivem apenas com as mães, quando comparados com aqueles que vivem com ambos os pais e, ao menos teoricamente, seriam mais protegidos pelo ambiente familiar. É importante deixar claro, contudo, que as mães não devem ser responsabilizadas em tais circunstâncias, quando são obrigadas a assumir também o papel do pai ausente e, com isso, deixam de oferecer maior proteção aos filhos: caso o Estado oferecesse creches e escolas de boa qualidade, provavelmente nossas crianças estariam perfeitamente protegidas e assistidas mesmo na ausência de um dos pais.

Além de ser um período caracterizado por conflitos psicossociais, pela necessidade de integração social, pela busca da autoafirmação e da independência individual, a adolescência coincide ainda com a consolidação da identidade sexual, outra fonte de emoções conflitantes, decorrentes das mudanças que se processam no próprio corpo. Se todo esse processo ocorre de forma protegida e assistida, uma possível experimentação de drogas psicoativas nessa época tenderá a se resolver com a maturidade. Há evidências de que a maioria dos jovens que experimentam drogas e delas fazem uso esporádico deixam de fazê-lo por volta dos 25 anos – época em que o indivíduo assume papéis adultos, na profissão e na família, estabelecendo vínculos afetivos e profissionais mais duradouros.

O momento de corte que separa o adolescente do jovem adulto é definido, pela lei, aos dezoito anos. Naturalmente, não existe uma correspondência exata nos níveis de amadurecimento entre a idade cronológica e a mental, que também pode variar de acordo com as peculiaridades de cada indivíduo. Em função dessa indeterminação etária, alguns programas governamentais, como ocorre por exemplo em Québec, no Canadá, realizam trabalhos de prevenção incluindo os adultos jovens, estendendo a faixa etária de intervenção até os 24 anos. Afinal, interromper tratamentos ou excluir dos programas preventivos aqueles que atingiram a considerada maioridade pode representar a interrupção de um processo que, muitas vezes, será muito difícil retomar.

Nesse sentido, também no Brasil, os serviços assistenciais deveriam seguir critérios clínicos e não simplesmente cronológicos, baseados numa interpretação burocrática de limite de idade. Devemos lembrar que uma das condições de sucesso do tratamento contra drogas relaciona-se ao fortalecimento dos vínculos entre o paciente e uma mesma instituição. Assim, enviar o adolescente para uma outra instituição sem que os problemas estejam devidamente encaminhados é investir contra o próprio tratamento. Além disso, no caso do Brasil, devemos considerar que as classes menos favorecidas vivem maior exposição aos fatores de risco por um tempo mais extenso, sofrendo ainda, por exemplo, as consequências da falta de qualificação. Logo, um programa preventivo que busque reinserir o jovem dependente na sociedade não pode ser bruscamente interrompido pelo fato de ele ter completado dezoito anos, quando os próprios programas governamentais de colocação profissional, do tipo "primeiro emprego", abrangem jovens de até 24 anos.

De todo modo, no estágio atual do conhecimento científico, é ainda difícil prever quais os adolescentes que, uma vez tendo experimentado drogas nessa idade, serão futuros dependentes. É certo, porém, que os futuros dependentes estão inevitavelmente entre eles – daí a importância de não só se oferecer tratamento adequado aos usuários, mas também de se construir programas preventivos (veja capítulo de Zili Sloboda, neste volume). É muito provável que, ao ultrapassarem a fase da simples experimentação, os adolescentes que fazem uso ocasional de drogas fiquem expostos a um risco maior de serem adultos dependentes.

Isso pode ocorrer tanto pela própria ação farmacológica da droga, que age no organismo de forma a torná-la necessária para o seu funcionamento, quanto pela possibilidade da pessoa condicionar-se a utilizar a droga como lazer único ou como solução e válvula de escape para seus problemas. Pode-se também deduzir que o simples fato de se estar usando a droga de forma abusiva nessa idade seja indicativo de dificuldades de amadurecimento emocional, o que impedirá que ela seja espontaneamente abandonada na faixa estatística dos 25 anos.

Estudos científicos sugerem que o uso regular de drogas entre adolescentes é favorecido por certos fatores considerados de risco, entre os quais está o uso de drogas por parte dos pais. Entre os adolescentes que fazem uso abusivo de substâncias psicoativas, a taxa de alcoolismo dos pais pode ser de até quatro vezes a esperada para a população geral. Esse fator de risco, ou seja, a aparente maior vulnerabilidade de filhos de alcoólatras às drogas psicoativas, pode ser interpretado sob vários ângulos.

O primeiro, biológico, seria a hipótese da vulnerabilidade genética, ou seja, a dependência ao álcool seria geneticamente determinada e transmitida entre gerações. Vários estudos comprovaram tal hipótese. Entretanto, maior vulnerabilidade não implica em determinação definitiva do comportamento. Outra teoria para explicar a maior vulnerabilidade dos filhos de alcoólatras e usuários de outras drogas é a do aprendizado social. De acordo com ela, a criança aprenderia a enfrentar situações difíceis na vida usando drogas por ter observado os adultos à sua volta agindo dessa forma.

O mau desempenho escolar tem sido apontado como um indicativo de risco para o desenvolvimento da dependência a substâncias psicoativas. Há, porém, nesse caso, dificuldades metodológicas em definir quais são as causas e quais são os efeitos: seria o uso da droga responsável pelo mau desempenho ou o mau desempenho provocaria o uso da droga? Ou, ainda, haveria outros fatores que levariam aos dois resultados? Estudo recente apontou para um efeito da *cannabis* sobre o desempenho universitário, mesmo quando se controlaram outras variáveis, o que fortalece a hipótese de que o uso da droga prejudica o desempenho escolar, por seu efeito farmacológico.

Devemos considerar que, em todas as circunstâncias, há uma imbricação de causas para a dependência, algumas mais urgentes e que precisam de solução imediata. Outras, embora não tão urgentes, são igualmente importantes para a solução definitiva do conflito. Uma situação de risco de vida, por exemplo, exige uma solução urgente; porém mesmo o uso eventual de droga deve ser encarado, desde o início, como um problema significativo.

Quando uma criança tem medo de dormir sozinha, basta que o pai ou a mãe a tranquilize para que haja um alívio imediato da fonte do sofrimento. Os pais, nessa hora, se sentem igualmente reconfortados, por disporem de recursos para encontrar, facilmente, a solução para o problema do filho. O mesmo já não se repete na adolescência. Nessa fase, os problemas são mais concretos e ultrapassam a esfera familiar, não permitindo que a solução dos pais se restrinja à relação direta com os próprios filhos. É o caso, por exemplo, de um possível flagrante por uso de drogas ou a constatação de uma gravidez precoce e indesejada, fatos que envolvem a administração de conflitos mais complexos. Frequentemente, pais de adolescentes experimentam um doloroso sentimento de fracasso quando são expostos a situações do gênero. Fica, neles, apenas a angústia, o sentimento de impotência e a pergunta célebre: em que erramos na educação de nossos filhos?

O fato é que as mudanças socioeconômicas do mundo atual alteraram as exigências frente aos adolescentes. Para se iniciarem na vida adulta, sempre lhes foi exigido apenas que tivessem condições de ter rendimentos próprios e meios psicológicos de estabelecer vínculos afetivos estáveis para constituir uma família. Muitos dos nossos avós casaram em plena adolescência, constituíram família, geralmente numerosa, sem que precisassem de qualquer espécie de formação profissional.

Contudo, atualmente, em troca de uma melhor qualificação que os permitem entrar na vida profissional, é pedido aos jovens que prorroguem a entrada no mundo adulto. Cabe, portanto, aos adultos a responsabilidade de lhes oferecer os recursos para obterem a devida e exigida formação. Mas quando os pais não dispõem de meios suficientes e o Estado é incapaz de cumprir com sua tarefa, torna-se inevitável encontrarmos adolescentes desamparados, sem qualquer esperança de um futuro melhor. Os apelos do tráfico de drogas acenam com promessas de poder e dinheiro, obtidos de modo fácil e rápido, sem a necessidade de que cumpram o ritual de formação pessoal e profissional que a sociedade lhes exigiu, prometeu e não conseguiu oferecer.

Falta de relações empáticas e de apoio familiar, pressão do grupo, violência doméstica e a baixa autoestima têm sido relatados como fatores preponderantes de risco. Por outro lado, fatores como religiosidade, estrutura familiar empática, inteligência, conhecimento sobre os efeitos das drogas e a capacidade de enfrentar situações adversas, por meio de comportamentos mais adaptativos, têm sido citados como fatores protetores, até mesmo quando a oferta das drogas é excessiva e barata. Isso nos leva a refletir sobre a importância de atividades que favoreçam o desenvolvimento dos componentes cognitivos e morais do jovem, sempre por meio de ações preventivas. Nesse aspecto, portanto, cabe um importante papel aos pais, educadores e profissionais de saúde, cuja postura pessoal e profissional deve funcionar, para o adolescente, como um exemplo, um modelo de conduta para se enfrentar conflitos e situações adversas.

Sumarizando: evitar o contato com as drogas durante o período de maior vulnerabilidade dá tempo ao cérebro de completar seu amadurecimento e de serem implementadas medidas de fortalecimento para o enfrentamento de situações ambientais, possibilitando que a pessoa encontre formas alternativas de satisfação na vida, não restritas às drogas. Por essa conjunção de fatores devemos considerar a adolescência como uma etapa a ser, idealmente, protegida dos riscos e do envolvimento com substâncias psicoativas.

BIBLIOGRAFIA

ALMEIDA, O.M.M.S. "A resposta neurofisiológica ao *stress*". In: LIPP, M.E.N. *Mecanismos neuropsicofisiológicos do stress: teoria e aplicações clínicas.* São Paulo: Casa do Psicólogo, 2003.

BRENNAN, P.A., GREKIN, E.R. & MEDNICK, A.S. "Maternal smoking during pregnancy and adult male criminal outcomes". *Arch.Gen.Psychiatry*, 1999, 56.

BEAR, M.F., CONNORS, B.W. & PARADISO, M.A. *Neurociências. Desvendando o sistema nervoso.* 2 ed. Porto Alegre: Artmed, 2002.

CHAMBERS, R.A.; TAYLOR, J.R.; POTENZA, M.N. "Developmental neurocircuitry of motivation in adolescence: a critical period of addiction vulnerability". *Am.J.Psychiatry*, 2003, 160: 1041-1052.

DA SILVA, E.A.T. "A influência do *stress* no pré-natal em seres humanos". In: LIPP, M.E.N. *Mecanismos neuropsicofisiológicos do stress: teoria e aplicações clínicas.* São Paulo: Casa do Psicólogo, 2003.

DA SILVA, V.A.; AGUIAR, A.S.; FELIX, F, REBELLO; G.P., ANDRADE, R.C. & MATTOS, H.F. "Brazilian study on substance misuse in adolescents: associated factors and adherence to treatment". Revista Brasileira de Psiquiatria, 2003. 25: 133-138

DICKERSON, J.W.T. & MCGURK, H.. *Brain and Behavioural Development.* Surrey University Press: UK, 1982.

DONATI, R.J. & RASENICK, M.M. "G protein signaling and the molecular basis of antidepressant action". *Life Sciences*, 2003. 73: 1-17.

DURSTON, S.; POL, H.E.H.; CASEY, B.J.; GIEDD, J.N.; BUITELAAR, J.K. & VAN ENGELAND, H. "Anatomical MRI of the developing human brain: what have we learned?" *J.Am.Acad. Child.Adolesc.Psychiatry* 2001. 40: 1012-1020.

ROBINSON, T.E. & BERRIDGE, K.C. "The psychology and neurobiology of addiction: an incentive- sensitization view". *Addiction*, 2000. 95 (suppl 2): 91-117.

SANJUAN, P.M. & LANGENBUCHER, J.W. "Age-limited populations: youth, adolescents and older adults". In: MCCRADY, B.S. & EPSTEIN, E.E.: *Addictions.* Oxford University Press, 1999.

SMART, J.L. "Vulnerability of Developing Brain to Undernutrition". *Upsala J.Med.Sci*, 1990. 48: 21-41.

SWADI, H. "Substance misuse in adolescents". *Advances in Psychiatric Treatment*, 2000. 6: 201-210.

TAUSSIG, H.B. "A study of the german outbreak of phocomelia". *Journal of American Medical Association*, 1962. 30: 80-88.

TEIXEIRA, N.A. "*Stress* pré-natal e sua influência sobre o comportamento de animais de laboratório". In: LIPP, M.E.N. *Mecanismos neuropsicofisiológicos do stress: teoria e aplicações clínicas.* São Paulo: Casa do Psicólogo, 2003.

Os índices de consumo de psicotrópicos entre adolescentes no Brasil

Ana Regina Noto

A epidemiologia estuda a distribuição dos acontecimentos relacionados à saúde de uma determinada população. Assim, os levantamentos epidemiológicos buscam obter informações por intermédio de uma grande amostra de pessoas, com o objetivo de quantificar fenômenos específicos. Tais informações fornecerão uma visão panorâmica sobre a questão estudada, sendo de grande importância para o direcionamento das políticas de saúde.

Essa importância é ainda maior em relação a temas polêmicos, como o uso de drogas entre adolescentes, assunto que frequentemente demanda posicionamentos especulativos e emocionais, muitas vezes fundamentados em casos particulares. Desse modo, a disponibilidade de informações mais amplas e realistas possibilita avaliar o contexto de forma mais isenta, aumentando a chance de serem adotadas políticas adequadas às prioridades de saúde.

No Brasil, a epidemiologia sobre o uso de drogas começou a ganhar força a partir da década de 1980, quando surgiram os primeiros estudos epidemiológicos mais abrangentes, realizados pelo Centro Brasileiro de Informações sobre Drogas Psicotrópicas – CEBRID. Esses estudos mostraram que, naquela ocasião, havia uma grande diferença entre o perfil epidemiológico e as especulações extremamente alarmistas divulgadas pela imprensa sobre o consumo de drogas ilícitas. Os levantamentos foram repetidos ao longo da década de 1990, permitindo o acompanhamento das mudanças que ocorreram ao longo dos anos.

Atualmente, os adolescentes representam, sem dúvida, a população mais estudada em relação ao uso de drogas. Nas últimas décadas, foram realizados inúmeros levantamentos epidemiológicos sobre drogas com jovens, especialmente entre estudantes. Esses estudos, elaborados por diferentes instituições, têm contribuído significativamente para a avaliação de realidades específicas e regionalizadas. No entanto, quando se trata da avaliação do contexto brasileiro, os estudos mais abrangentes ainda são os realizados pelo CEBRID, a saber:

• Os levantamentos entre estudantes, realizados em 1987, 1989, 1993 e 1997, enfocaram alunos de do Ensino Médio e Fundamental da rede pública de ensino, de dez capitais brasileiras – Belém, Belo Horizonte, Brasília, Curitiba, Fortaleza, Porto Alegre, Recife, Rio de Janeiro, Salvador e São Paulo. Os dados foram coletados, por meio de amostras aleatórias, com a utilização de questionário adaptado da OMS, de autopreenchimento, anônimo, com aplicação coletiva em sala de aula.

• Entre crianças e adolescentes em situação de rua, também foram realizados quatro levantamentos (1987, 1989, 1993 e 1997), envolvendo seis capitais brasileiras – Brasília, Fortaleza, Porto Alegre, Recife, Rio de Janeiro e São Paulo. As amostras foram compostas a partir das instituições de assistência a essa população Os dados foram coletados por meio de entrevistas individuais e anônimas, tendo como referência um questionário da OMS adaptado para a nossa realidade.

• Apenas recentemente, no ano de 2001, foi realizado o primeiro levantamento domiciliar nacional, que incluiu a população geral, entre 12 e 65 anos. Esse estudo envolveu os 107 municípios brasileiros com mais de duzentos mil habitantes, compondo amostras representativas das cinco regiões do país. A coleta de dados foi realizada por meio de entrevistas individuais, com garantia de anonimato.

Álcool e cigarro (tabaco): as drogas permitidas

Em todos os levantamentos, o álcool e o tabaco aparecem com papel de destaque, sendo, sem sombra de dúvidas, as drogas mais consumidas no Brasil – e as que provocam o maior número de consequências à saúde da população. No entanto, em função da grande diferenciação social que é feita entre as drogas, principalmente a “permissão” legal para o seu uso, a população quase não percebe o álcool e o tabaco como drogas psicotrópicas.

O consumo de bebidas alcoólicas está inserido na nossa cultura há muitos anos. Esse comportamento conta, de fato, com ampla aceitação social e, inclusive, é valorizado em vários aspectos socioculturais. Para grande parte dos jovens brasileiros, o início do consumo de bebidas alcoólicas pode ocorrer ainda na infância, em ambiente familiar, como um comportamento natural. No levantamento realizado entre estudantes brasileiros em 1997, nada menos de 50% das crianças de 10 a 12 anos já havia consumido algum tipo de bebida alcoólica. Entre os estudantes pesquisados, 28,9% relatou ter experimentado o álcool pela primeira vez no ambiente residencial, propiciado pelos pais (21,8%).

A convivência entre amigos é outro cenário importante de início, relatado por 23,8% dos estudantes, sobretudo para os que iniciam o consumo nas faixas etárias mais avançadas. O consumo, em particular o de cerveja, é visto como um comportamento comum, e até mesmo valorizado, entre muitos adolescentes brasileiros. Em 1997, cerca de 75% dos estudantes relatou já ter consumido alguma bebida alcoólica pelo menos uma vez na vida. O uso frequente (seis ou mais vezes no mês que antecedeu a pesquisa) foi relatado por 15% dos estudantes, variando entre 10,7% (em Belém) a 17,1% (em Salvador).

Dentro do cenário internacional, os estudantes brasileiros apresentam índices de consumo semelhantes ao observado em vários outros países. No entanto, nos Estados Unidos, por exemplo, o consumo atualmente é menor. Naquele país, no ano de 2002, de 47% a 78,4% dos estudantes, de acordo com a faixa etária, já haviam usado álcool pelo menos uma vez na vida. Comparada aos números brasileiros, a diferença não é tão significativa, se considerarmos a existência de um controle norte-americano muito mais intenso do consumo de bebidas alcoólicas, especialmente entre jovens. No entanto, tem sido observada tendência à diminuição desses índices, situação oposta ao cenário brasileiro apresentado nos últimos levantamentos epidemiológicos.

No Brasil, o consumo pesado (vinte ou mais vezes no mês que antecedeu a pesquisa) de álcool foi declarado por 7,4% dos estudantes em 1997. Esse valor foi superior ao observado em anos anteriores, indicando a intensificação do consumo de bebidas alcoólicas entre adolescentes no país. Também são notadas diferenças entre as classes socioeconômicas. No ano de 1997, foi maior a frequência de consumo pesado entre os estudantes das classes de maior poder aquisitivo, chegando a 9,1% na classe B e 10,7% na classe A.

Para os adolescentes brasileiros que fazem uso pesado, o principal contexto de uso ocorre em bares ou danceterias, na convivência com amigos ou colegas. Cerca de 30% dos estudantes entrevistados no levantamento de 1997 relataram já ter "tomado um porre". A percepção de riscos associados ao consumo é muito baixa e, por consequência, a violência e os acidentes, especialmente os de trânsito, representam os principais riscos associados ao consumo de álcool entre jovens.

Na comparação de gêneros, embora os índices de consumo tenham sido semelhantes, o padrão de uso parece ser diferenciado entre os sexos. O psiquiatra Flávio Pechansky, analisando uma amostra de adolescentes em Porto

Alegre, observou que os meninos tendem a beber mais fora de casa, consumir quantidades maiores por episódio e, dessa forma, apresentar mais problemas associados. Nesse estudo, os índices de uso abusivo e frequência diária de consumo ocorreram com maior intensidade na faixa entre 16 a 18 anos.

Ao contrário do que muitos imaginam, o abuso e a dependência também devem ser ponderados entre adolescentes. No levantamento domiciliar, foi observado um índice de 11,2% de casos de dependência na população brasileira (entre 12 e 65 anos). Apesar de ocorrer predominantemente na idade adulta, a dependência demora cerca de dez anos para se instalar e, para muitos casos, tem início vinculado aos períodos da infância e adolescência.

Em relação ao cigarro (tabaco), o consumo também parece ser um comportamento relativamente comum entre os adolescentes. No ano de 1997, o uso frequente (seis ou mais vezes no mês que antecedeu a pesquisa) foi relatado por 6,2% dos estudantes pesquisados. A variação entre as capitais foi considerável, tendo sido observados maiores índices nas capitais do sul do país (10,5% em Porto Alegre e 10,2% em Curitiba). Também vale ressaltar a crescente participação feminina nesse cenário.

No entanto, é possível que muitos aspectos relacionados ao cigarro apareçam modificados nos próximos levantamentos. Afinal, nos últimos anos, foram consideráveis as mudanças do "clima social" frente ao consumo de tabaco. Os meios de comunicação começaram a divulgar um número crescente de matérias sobre os danos decorrentes do tabaco, ao mesmo tempo em que foram adotadas várias políticas antitabagistas e a população assumiu uma postura menos tolerante em relação aos fumantes.

Apesar do álcool e do tabaco representarem prioridades de saúde pública, merecendo amplo debate nacional, é importante ressaltar o fato de que a maior parte dos jovens não fuma e atravessa a adolescência mantendo consumo esporádico de bebidas alcoólicas. Portanto, as avaliações particulares devem sempre levar em conta suas especificidades, bem como os contextos nos quais ocorrem.

AS DROGAS ILÍCITAS: MACONHA, COCAÍNA, *CRACK* E OUTRAS

Assim como acontece na maior parte dos países, a maconha e a cocaína, entre outras drogas ilícitas, representam os maiores temores da sociedade brasileira, principalmente quando se trata de consumo na adolescência. Embora os alardes da mídia na década de 1980 não representassem a situação epidemiológica daquela época, nos anos subsequentes o consumo dessas drogas realmente se intensificou.

Entre as drogas ilícitas, a maconha é a mais usada no Brasil. No levantamento de 1997, 7,6% dos estudantes relataram já ter experimentado maconha ao menos uma vez. As capitais que apresentaram maior consumo estavam situadas na região Sul (11,9% em Curitiba e 14,4% em Porto Alegre). Comparando os quatro levantamentos brasileiros, o número de estudantes que relataram já ter experimentado maconha ao menos uma vez praticamente triplicou (de 2,8% em 1987 para 7,6% em 1997). Apesar do crescimento gradativo e da relevância dessa questão, o panorama continua longe de algumas especulações da imprensa, que muitas vezes apresenta manchetes alarmistas como "A questão não é mais saber se um jovem vai usar a erva. A pergunta é quando ele fará isso". Mesmo no ano de 1997, que apresentou o maior consumo, a grande maioria dos estudantes (96,4%) nunca havia sequer experimentado maconha.

Dessa forma, os exageros da mídia ainda continuam em considerável descompasso com a epidemiologia, merecendo um olhar mais cuidadoso da população, especialmente dos profissionais que trabalham com essa questão. Dentro do cenário internacional, os índices brasileiros de uso de maconha entre estudantes são próximos ao observado em vários outros países. Apesar de crescentes, os índices brasileiros ainda permanecem muito abaixo dos observados nos Estados Unidos, onde, nesse mesmo ano de 1997, o número daqueles que já haviam experimentado a droga pelo menos uma vez variou entre 22,62% e 49,6%, de acordo com a faixa etária estudada.

Em relação à cocaína, 2% dos estudantes brasileiros entrevistados em 1997 relataram já ter experimentado essa droga (ou derivados, como *crack* e merla). As diferenças regionais foram consideráveis, variando entre 0,3% (em Recife) a 4,5% (em Porto Alegre) e, surpreendentemente, Rio de Janeiro (1,1%) e São Paulo (1,8%), as capitais mais alardeadas, apresentaram índices abaixo da média brasileira.

Comparado aos anos anteriores, quadruplicou o número de estudantes que relataram já ter experimentado cocaína (de 0,5% em 1987 para 2% em 1997). Nesse período, além do aumento, começaram a ser usados outros derivados da coca, predominantemente em populações jovens: o *crack* (em São Paulo) e a merla (em Brasília). Os padrões de uso desses derivados passaram a ser alvo de grande preocupação dos profissionais de saúde, em função da rápida instalação da dependência.

Dentro do cenário internacional, os índices de consumo de cocaína entre estudantes brasileiros são, por exemplo, maiores do que os observados em vários países da Europa, como Portugal (1%) e França (1,1%), mas estão muito abaixo dos observados nos Estados Unidos, onde variou entre 4,4% e 8,7% no ano de 1997. Essas diferenças continentais (e as regionais, no Brasil) estão relacionadas a uma série de fatores socioculturais mas, sobretudo, ao local de cultivo, rotas de tráfico e interesses econômicos.

Nos últimos anos, novas drogas e novos contextos de uso começaram a surgir entre os jovens de vários países, inclusive no Brasil. O *ecstasy*, a ketamina e o GHB são alguns exemplos de drogas que começaram a ser consumidas, associadas à cultura *dance*. Entre os estudantes norte-americanos, o percentual dos que utilizaram o *ecstasy* pelo menos uma vez na vida variou entre 4,3% a 10,5%, no ano de 2002. A Europa, além de grande consumidora, também é a maior produtora dessa droga, abastecendo países de todos os continentes, inclusive o Brasil. Embora de uso restrito a alguns segmentos populacionais e, portanto, não quantificáveis pelos levantamentos, o uso dessas drogas tem sido descrito em alguns estudos qualitativos brasileiros.

As drogas "invisíveis": os solventes e os medicamentos psicotrópicos

Ao contrário do que acontece com a maconha e com a cocaína, algumas drogas, apesar de consumidas por muitos jovens, passam praticamente "invisíveis" aos olhos das políticas públicas e da população. Nesse grupo se incluem os solventes e vários medicamentos psicotrópicos, especialmente os ansiolíticos e as anfetaminas.

No ano de 1997, 13,8% dos estudantes pesquisados relataram já ter feito uso de algum tipo de solvente, valor muito superior ao observado para a maconha (7,6%) e para a cocaína (2%). Trata-se de um grupo de drogas muito citado nos quatro levantamentos, em todas as capitais pesquisadas, com diferenças regionais em relação ao tipo de solvente mais usado pelos adolescentes (lança-perfume, "cheirinho da loló", cola, acetona, esmalte, *thinner* entre outras). No entanto, são poucos os registros dos eventos e/ou consequências relacionadas, fato este que pode ser reflexo da pouca consideração que vem sendo destinada ao tema na última década.

Em relação aos medicamentos psicotrópicos, 5,8% dos estudantes pesquisados em 1997 relatou já ter consumido sem receita médica algum tipo de ansiolítico, especialmente alguns benzodiazepínicos (Diazepam, Lexotan, Lorax, entre outros). Esses medicamentos são usados na clínica para diminuir a ansiedade ou induzir ao sono e, em função do potencial para desenvolver dependência, são de venda controlada ("faixa preta").

Curiosamente, o uso desses medicamentos é relatado com maior frequência entre as meninas. No levantamento domiciliar (2001), entre a faixa etária 12-17 anos, 2,2% das meninas relataram já ter usado sem receita, valor cerca de cinco vezes superior ao observado entre meninos (0,4%). Essa diferença de gêneros permanece nas faixas etárias subsequentes, sobretudo acima dos 35 anos, quando a dependência chega a ser observada em 2,3% das mulheres brasileiras – várias delas com histórico de muitos anos de uso de tais medicamentos, sem perceber o fato como um problema, mas relatando grande dificuldade em parar de usá-los.

O consumo abusivo de anfetaminas é outro comportamento de pouca visibilidade, mas frequentemente detectado nos levantamentos epidemiológicos brasileiros. Essas substâncias são usadas como moderadores de apetite, em tratamento de emagrecimento (Inibex, Moderex, entre outros). Apesar do controle desses medicamentos, nas farmácias, drogarias e postos de saúde, em 1997, 4,4% dos estudantes relatou já ter feito uso de alguma anfetamina sem receita médica.

Comparando os quatro levantamentos entre estudantes, o consumo de anfetaminas, que estava relativamente estável até 1993 (em torno de 3,1%), aumentou para 4,4%, em 1997. Esse comportamento também tem sido relatado com maior frequência entre os adolescentes do sexo feminino. As anfetaminas têm entrado predominantemente no universo feminino, em função das pressões sociais contemporâneas que idealizam a magreza.

O problema relacionado ao consumo de medicamentos psicotrópicos envolve uma série de fatores, incluindo a cultura familiar, bem como o descuido dos profissionais de saúde na prescrição e dispensação desses medicamentos no Brasil.

Crianças e adolescentes em situação de rua

Entre crianças e adolescentes em situação de rua, os estudos denunciam uma realidade diferenciada, na qual são observados índices muito elevados de consumo. No estudo realizado no ano de 1997, 88,1% dos entrevistados declararam já ter experimentado ao menos alguma droga, e 48,3% faziam uso diário. Essa realidade tem sido observada em diferentes países do mundo como México, Colômbia e Honduras, mas também em países considerados mais desenvolvidos como Estados Unidos, Canadá, Austrália e Holanda.

A fragilidade dos vínculos familiares, a disponibilidade de drogas nas ruas, a cultura do grupo, bem como uma série de outros fatores psicossociais parecem favorecer o consumo de drogas entre os adolescentes. No entanto, a diversidade de casos é muito grande, bem como as peculiaridades regionais brasileiras.

Entre as drogas mais usadas, destacam-se os solventes (especialmente cola e "loló") e a maconha. No levantamento de 1997, 53% dos entrevistados relataram já ter experimentado algum solvente e 50%, maconha. Para as demais drogas, as diferenças regionais foram marcantes, com a cocaína e o *crack* aparecendo em destaque nas capitais do Sul e do Sudeste, e os medicamentos psicotrópicos, como Rohypnol e Artane, nas capitais do Nordeste.

Apesar do intenso consumo para grande parte dessa população, é importante lembrar que uma outra parte, apesar de todo o contexto de vulnerabilidades, não desenvolve problemas relacionados ao uso de drogas. Assim, estudos que busquem acompanhar esse grupo de jovens resilientes podem contribuir ainda mais para a compreensão sobre o uso de drogas entre adolescentes.

Considerações finais

É importante considerar que a epidemiologia é um parâmetro para avaliação de saúde pública, útil para o direcionamento de políticas e para fornecer uma visão geral para os profissionais que lidam com a questão. No entanto, essa visão panorâmica não deve ser generalizada para todos os contextos e pessoas, uma vez que é enorme a diversidade de situações.

Uma limitação, por exemplo, diz respeito à pouca informação sobre uso de drogas entre adolescentes de escolas particulares, uma vez que os levantamentos brasileiros, por questões de acessibilidade, incluem predominantemente escolas da rede pública. No entanto, os poucos dados disponíveis sugerem um consumo consideravelmente maior entre os estudantes das escolas particulares. Levantamentos sobre comportamento de risco entre estudantes em São Paulo apontaram o uso de psicotrópicos como o principal risco entre os estudantes das escolas particulares, situação diferente das públicas, para as quais prevaleceram outros comportamentos de risco (uso de motocicleta sem capacete, relações sexuais sem preservativos, tentativa de suicídio e andar armado).

Segundo esses estudos, há uma série de razões para tal diferença, entre elas o maior poder aquisitivo como um fator de estímulo ao consumo de uma forma geral. Outra explicação estaria fundamentada nas características do ensino público brasileiro, que favorece a evasão, principalmente dos jovens mais vulneráveis e, nesse grupo, pode estar grande parte dos usuários de drogas. Apesar das particularidades dos diversos segmentos da população de adolescentes, é possível levantar algumas inferências gerais sobre o consumo de psicotrópicos entre jovens brasileiros nos últimos anos.

Embora seja evidente a preponderante participação do álcool entre os jovens, ainda são raras e incoerentes as políticas públicas de saúde no sentido de prevenir ou minimizar os problemas associados. Por outro lado, nos últimos anos tem-se observado um aumento de debates no país sobre políticas públicas relacionadas ao consumo de álcool. Em relação às demais drogas, as mudanças não foram muitas – e as que aconteceram, em geral, foram para pior, particularmente no que se refere às drogas ilícitas. Esse quadro indica que as medidas adotadas nesses últimos anos, predominantemente repressivas, não tiveram a eficácia esperada e, assim, torna-se essencial estudar formas alternativas de se lidar com a questão.

Vale salientar ainda que nos Estados Unidos, onde havia uma tendência ao crescimento do consumo de drogas ilícitas entre estudantes até final da década de 1990, foi observada uma diminuição a partir dos anos 2000. No Brasil, a carência de dados recentes não permite uma avaliação das tendências mais atuais, impossibilitando, por exemplo, a comparação com o processo observado nos EUA. No entanto, entre os anos 2003 e 2004, o CEBRID realizou, em parceria com a Secretaria Nacional Antidrogas (SENAD), novos levantamentos entre estudantes e também entre crianças e adolescentes em situação de rua, cujos dados deverão apontar as tendências brasileiras para esse início de século.

Paralelamente, os dados epidemiológicos disponíveis no Brasil ainda são insuficientes para uma avaliação ideal da situação. Apesar da tendência de mudança no quadro brasileiro, a carência de estudos e de debates fundamentados em dados, entre outros fatores, continua deixando aberto espaço para posturas mais emotivas e menos realistas, desfavorecendo o planejamento de políticas públicas mais adequadas.

Bibliografia

Batista, M.C.; Noto, A.R.; Nappo, S.A.; Carlini, E.A. "O uso de êxtase em São Paulo e imediações: um estudo etnográfico". *Jornal Brasileiro de Psiquiatria*, 51(2): 81-89, 2002.

Beaglehole, R.; Bonita, R.; Kjellstrom, T. *Epidemiología básica.* Organización Panamericana de la Salud, Washington, 1994.

Carlini, E.A.; Carlini-Cotrim, B.; Silva-Filho, A.R.; Barbosa, M.T.S. *II Levantamento nacional sobre o uso de psicotrópicos entre estudantes de 1º e 2º graus – 1989.* Centro Brasileiro de Informações sobre Drogas Psicotrópicas. Departamento de Psicobiologia da Escola Paulista de Medicina, 1990.

Carlini, E.A.; Galduróz, J.C.F.; Noto, A.R.; Nappo, S.A. *I Levantamento Domiciliar sobre o uso de drogas psicotrópicas no Brasil – 2001.* Centro Brasileiro de Informações sobre Drogas Psicotrópicas. Departamento de Psicobiologia. Escola Paulista de Medicina, 2002.

Carlini-Cotrim, B.; Gazal-Carvalho, C.; Gouveia, N. "Comportamentos de saúde entre jovens estudantes da rede pública e privada da área metropolitana do Estado de São Paulo". *Revista de Saúde Pública* 34(6): 636-45, 2000.

Carlini-Cotrim, B.; Silva-Filho, A.R.; Barbosa. M.T.S.; Carlini, E.A. *Consumo de drogas psicotrópicas no Brasil em 1987.* Estudos e projetos. Ministério da Saúde/Ministério da Justiça, Brasília, 1989.

Galduróz, J.C.F.; D'Almeida, V.; Carvalho, V.; Carlini, E.A. *III Levantamento sobre o uso de drogas entre estudantes de 1º e 2º graus em 10 capitais brasileiras – 1993.* Centro Brasileiro de Informações sobre Drogas Psicotrópicas. Departamento de Psicobiologia da Escola Paulista de Medicina, 1994a.

Galduróz, J.C.F.; Noto, A.R.; Carlini, E.A. *IV Levantamento sobre o uso de drogas entre estudantes de 1º e 2º graus em 10 capitais brasileiras – 1997.* Centro Brasileiro de Informações sobre Drogas Psicotrópicas. Departamento de Psicobiologia da Universidade Federal de São Paulo. Escola Paulista de Medicina, 1997.

Galduróz, J.C.F. & Noto, A.R. "Uso pesado de álcool entre estudantes de 1° e 2° graus da rede pública de ensino em dez capitais brasileiras". *Jornal Brasileiro de Dependência Química* 1(1): 25-32, 2000.

INCB (International Narcotic Board Control). *Report of the International Narcotics Control Board for 2003.* United Nations Publication E.04.XI.1. New York, 2004.

NIDA (National Institute on Drug Abuse). *Monitoring the future: national results on adolescents drug use – Overview of key findings – 2002.* U.S.Departament of Health and Human Services. Public Health Service. National Institute of Health, NIH Publication 03-5374, 2003.

Noto, A.R.; Nappo, S.A.; Galduróz, J.C.F.; Mattei, R.; Carlini, E.A. *III Levantamento sobre o uso de drogas entre meninos e meninas em situação de rua de cinco capitais brasileiras – 1993.* Centro Brasileiro de Informações Sobre Drogas Psicotrópicas. Departamento de Psicobiologia. Escola Paulista de Medicina, 1994.

Noto, A.R.; Nappo, S.A.; Galduróz, J.C.F.; Mattei, R.; Carlini, E.A. *IV Levantamento sobre o uso de drogas entre crianças e adolescentes em situação* de rua de seis capitais brasileiras – 1997. Centro Brasileiro de Informações Sobre Drogas Psicotrópicas. Universidade Federal de São Paulo. Escola Paulista de Medicina, 1998.

Pechansky, F. *O uso de bebidas alcoólicas em adolescentes residentes na cidade de Porto Alegre: características de consumo e problemas associados.* Tese de Mestrado e Doutorado. Universidade Federal do Rio Grande do Sul, 1993.

A influência da mídia e o uso das drogas na adolescência

Paula Inez Cunha Gomide
e Ilana Pinsky

Há cerca de três décadas, todos os estudos realizados sobre a influência da televisão no comportamento infanto juvenil estão de acordo em um ponto: programas e filmes de tevê com conteúdo violento incentivam o comportamento agressivo dos adolescentes e crianças. Muitos pesquisadores têm inclusive elaborado teorias que relacionam a influência da mídia ao processo de aprendizagem infantil e à aquisição e manutenção de hábitos agressivos.

O psicólogo canadense Albert Bandura, por exemplo, desenvolveu a Teoria da Aprendizagem Social ou de Reforçamento Vicário, na qual afirma que crianças podem aprender comportamentos complexos observando um modelo e que, ao mesmo tempo, essa aprendizagem dificilmente é revertida. Dolf Zillmann, da Universidade do Alabama, por sua vez, desenvolveu a teoria da Transferência da Estimulação e Excitação, na qual defende que a excitação provocada pela violência exibida na tevê aumenta a propensão dos indivíduos de vir a se comportar agressivamente.

O psicólogo L. Rowell Huesmann, da Universidade de Michigan, afirma que as crianças não só aprendem comportamentos com a tevê, mas também atitudes, valores e crenças. Em sua teoria de Aprendizagem Observacional Cognitiva, ele acrescenta que pessoas agressivas gostam de ver violência na mídia porque isso pode justificar seus próprios atos, uma vez que a violência na televisão e em filmes raramente é punida – ou, quando a punição ocorre, ela se dá em momento posterior, muito distante do ato agressivo. Por fim, Leonard Berkowitz, da Universidade de Wisconsin, propõe a Teoria Cognitiva Neoassociativa ou Teoria das Pistas Cognitivas, para explicar como hábitos agressivos aprendidos no passado podem ser desencadeados por exposição a cenas violentas.

As pesquisas sobre mídia tratam basicamente da televisão por ser ela o veículo de comunicação a que a população infanto juvenil mais tem acesso. Assim, a American Psychological Association (APA) publicou, em 1985, um relatório sobre os principais estudos e conclusões acerca dos perigos que os filmes violentos oferecem para crianças e adolescentes. As pesquisas apontam três grandes efeitos desse tipo de filmes:

- Eles tornam os espectadores menos sensíveis à dor e ao sofrimento dos outros. Ver programas com violência faz com que crianças e adolescentes sejam menos solidárias e mais distantes e, ainda, tolerantes à agressão. Na medida em que a agressão é vista como uma solução para os conflitos, ela é fortemente reforçada;
- Filmes violentos fazem as pessoas sentirem-se mais amendrontadas em relação ao mundo ao seu redor. A APA relata que os programas infantis têm, em média, vinte cenas violentas a cada hora. Assim, a criança que assiste tevê em excesso pode vir a considerar o mundo um lugar demasiadamente perigoso de se viver;
- Os programas de tevê violentos incentivam comportamentos agressivos. Crianças e adolescentes que assistem a filmes violentos tendem a bater mais em seus companheiros, desobedecer a regras e deixar tarefas inacabas, assim como estão menos dispostos a esperar do que as crianças que não assistem a tais programas.

Segundo o psicólogo L. Rowell Huesmann, especialista em estudos sobre violência, as pesquisas nessa área têm demonstrado a capacidade inequívoca da tevê em transmitir informações e moldar atitudes sociais. "Os hábitos agressivos parecem ser aprendidos cedo na vida, são resistentes a mudanças e predizem um acentuado comportamento antissocial no adulto", afirma. "Se a observação da violência nos meios de comunicação promover a aprendizagem de hábitos agressivos, isto pode ter consequências prejudiciais durante toda a vida de uma criança", diz o autor, em artigo publicado em 1986 pelo *Journal of Social Issues.*

Os primeiros escritos de Albert Bandura enfatizavam que os meninos imitavam modelos agressivos, porém as meninas, não: meninos são desde cedo incentivados e reforçados a apresentarem comportamento de luta e, portanto, os adquirem na infância. Já com as meninas ocorreria o contrário, pois esses são comportamentos considerados socialmente não desejados para elas e, por isso, não reforçados no sexo feminino. No Brasil, em experimentos realizados com crianças e adolescentes, conforme descrito no artigo intitulado "Efeitos de filmes violentos em comportamento agressivo de crianças e adolescentes", publicado em 2000 na revista *Psicologia – Reflexão e Crítica,* constatou-se que, de fato, após assistirem a filmes violentos com heróis, crianças e adolescentes do sexo masculino têm seu comportamento agressivo elevado a níveis estatisticamente significativos. No entanto, quando expostos a filmes que retratam abusos físicos, uso de drogas e violência sexual, os adolescentes também tendem a manifestar comportamentos agressivos, mas nesse caso tais reações independem do sexo dos telespectadores.

Alguns críticos desse tipo de pesquisa sobre a influência da tevê na agressividade infantil afirmam que todos os indivíduos têm liberdade de escolher o programa que querem assistir e, eventualmente, de não seguirem os modelos e valores apresentados pela mídia. Mas não há como negar que as modas e costumes hoje são ditadas massivamente pelos programas de tevê. As novelas, reportagens e programas de variedades apresentam modelos de comportamento ao grande público, que procura se inspirar no exemplo e no estilo de vida dos artistas, personagens e apresentadores.

Quanto à violência, os diretores de programas de tevê contra-argumentam que apenas estão mostrando "a realidade como ela é" e que precisam "retratar os problemas sociais". Todavia, a pesquisadora Argentina Merlo-Flores descobriu que crianças que têm pouco ou nenhum acompanhamento em casa (pais ausentes, negligentes ou doentes) irão particularmente se identificar com os modelos negativos oferecidos pela televisão. Ou seja: essas crianças não querem ser iguais à Branca de Neve; preferem se comportar como a Bruxa Má.

Tal ocorre porque a criança pequena não é capaz de apreender a chamada "moral da história", que vem apenas ao final do filme ou no último capítulo da novela. A aprendizagem, nessa faixa etária, decorre da observação das consequências imediatas do comportamento a que a criança é exposta. Isso significa que se quem leva vantagem ao longo da trama é o malvado, o desonesto, o violento, será com este modelo que a identificação será feita – e não com o mocinho que somente será recompensado no fim e cuja glória será de poucos e fugazes minutos.

É importante lembrar, porém, que a maior influência da tevê no comportamento humano é feita de forma indireta, sutil e cumulativa – e não imediata e direta. Assim, quando não é exercida plenamente pela família, a tarefa de formar conceitos e atitudes pode estar sendo providenciada, de forma questionável, pela tevê. "Toda televisão tem fins educativos – a única questão é o que ela está ensinando", afirma, com propriedade, Victor C. Strasburger, professor da Universidade do Novo México.

Não se trata, contudo, de "satanizar" a televisão. Segundo Albert Bandura, crítico rigoroso da influência da mídia sobre crianças e jovens, a tevê é também uma importante fonte de informações para os adolescentes, principalmente em relação a questões tão controvertidas como sexo e drogas, por exemplo. Para Bandura, a televisão inclusive pode vir a ser, em alguns casos, o principal – se não o único – veículo de esclarecimento sobre tais assuntos para os jovens. Contudo, os estudos demonstram claramente que a tevê tende a privilegiar os conteúdos violentos em detrimento dos conteúdos educativos, exibindo, aliás, uma carga de violência ainda maior do que a de fato já existe no mundo real.

Isso nos remete a um outro problema: o número de horas que nossas crianças e adolescentes permanecem em frente à tevê diariamente. A Câmara Internacional da Unesco para as Crianças elaborou um estudo internacional para avaliar o tempo que as crianças veem tevê por dia. Constatou-se, em dez diferentes países, que elas assistem em média a 146 minutos (duas horas e 26 minutos) de tevê por dia e os adolescentes, 155 minutos diários (duas horas e 35 minutos).

Em trabalho publicado na revista *Argumento* (Gomide, 2003), intitulado "Crianças e adolescentes em frente à tevê: o que e quanto assistem de televisão", avaliaram-se os hábitos de 825 estudantes curitibanos, de sete a 17 anos, e verificou-se que eles ficam em média 26h46 min diante da tevê por semana. Nesse ponto, existe uma diferença significativa entre os resultados pesquisados em diferentes classes sociais: os dados mostraram que 75% dos estudantes de colégios particulares assistem até trinta horas de tevê semanalmente e 25% assistem de 31 a setenta horas semanais. Por outro lado, entre os estudantes de escolas públicas, a tendência se inverte: 40% dos estudantes assistem a até trinta horas semanais e 60% assistem entre 31 e setenta horas por semana de tevê. Na pesquisa, o tempo gasto com videogames, vídeos e DVDs não entrou na estatística.

Em 2000, numa pesquisa anterior, já se havia constatado que o filme mais retirado das locadoras pelas crianças era, sintomaticamente, *Mortal Kombat*, longa-metragem de luta recheado de brutalidades e mortes, no qual o herói – vivido pelo ator Jean-Claude Van Damme – justifica o uso da violência como estratégia para "salvar o mundo". Um detalhe não menos significativo: os estudos demonstraram que, quando o herói do filme comete atrocidades com uma justificativa "politicamente correta" – libertar uma aldeia, resgatar a família ou "salvar o mundo", como Van Damme –, apenas os meninos tendem a copiar o modelo agressivo. No entanto, quando há violência sexual ou física (como a exibida no filme *Kids*), meninos e meninas, indistintamente, têm o comportamento agressivo aumentado após a exposição ao filme.

Buscando verificar o impacto dos programas televisivos sobre as famílias, foram entrevistados também mais de quatrocentos estudantes e pais sobre os hábitos domésticos durante os horários das refeições. Nesse estudo, "A influência da tevê e dos estilos parentais nos horários de refeições das famílias", publicado na revista *Argumento* (Gomide e cols, 2003), procurou-se verificar se as famílias faziam costumeiramente refeições em conjunto, se viam televisão durante esse período, se alguém se afastava da mesa para ver televisão sozinho ou se conversavam enquanto comiam juntos. Os resultados mostraram que mais de 50% dos filhos, 40% dos pais e 31% das mães sempre veem tevê durante as refeições. Isto, é claro, resulta em uma forte diminuição da comunicação entre os membros de uma família.

Quando as pessoas estão com a atenção fixa na tevê, elas automaticamente se indispõem para um contato familiar: o pai está vendo o telejornal e não quer ser interrompido, o filho sai com o prato da mesa para ver o desenho e a mãe fica "falando sozinha". A tevê, nos horários de refeição, realmente compete com a comunicação familiar de forma negativa. Nesses horários, os pais deveriam se interessar pelas atividades dos filhos – saber o que fizeram pela manhã e o que farão à tarde; como estão se sentindo; parabenizar pelas conquistas; ouvir as queixas; dar orientações; enfim, fazer um acompanhamento positivo da vida do filho e, também, comunicar seus valores, dar exemplos.

Vale aqui relatar uma história real e interessante, testemunhada por nós nos EUA: em uma casa de família norte-americana, a tevê quebrou. A mãe, sem tempo e sem recursos, não pôde mandá-la para o conserto imediatamente. No primeiro dia, os filhos adolescentes reclamaram da falta de assunto no colégio, pois, como não haviam acompanhado a programação normal da tevê, disseram que não tinham o que conversar com os amigos. A mãe sugeriu que o filho pegasse o violão que estava encostado e voltasse a tocar e, ainda, que a filha procurasse seu material de pintura para retornar a pintar. Mesmo relutantes, os filhos foram buscar seus antigos entretenimentos e começaram a reaprender a usar o tempo livre. Dias depois, a mãe percebeu que eles não mais falavam sobre a tevê e que o horário de almoço tinha mudado muito. Os três conversavam e discutiam suas ideias e faziam planos coletivos. A tevê foi definitivamente esquecida no porão da casa.

Educação para a Mídia

A convenção da ONU sobre os direitos das crianças reconhece a influência na mídia no processo de educação infantil e determina, no Artigo 17, que a criança "tem direito à informação que objetive a promoção de seu bem-estar social, espiritual e moral, e sua saúde física e mental". No entanto, esse artigo não tem força de lei e, assim, não garante que as emissoras privadas ofereçam programas infantis de qualidade em sua programação.

Por isso mesmo, em países como Finlândia, Suécia, Reino Unido, Austrália, Nova Zelândia e EUA, é bastante comum a existência do que se convencionou chamar de "Educação para a mídia" – programas que procuram ensinar crianças e adolescentes a escolherem e criticarem as atrações da tevê em função da qualidade. No Brasil, tem sido dada pouca importância a iniciativas do gênero. Assim, por omissão da sociedade e também por falta de um controle institucional mais rigoroso, programas sem nenhum conteúdo educativo são apresentados como tal, e pais desavisados permitem que seus filhos os assistam sem reservas.

Em 2003, foi desenvolvido um programa de Educação para a Mídia numa escola pública paranaense (Gomide e cols, 2003). Os estudantes tinham como tarefa de casa selecionar e assistir programas educativos e identificar a violência que ocorria em suas atrações favoritas. Após essas tarefas, os alunos montaram um jornal comparando programas educativos a programas violentos. Além disso, exibiu-se o filme *Kids* para os estudantes e fez-se um teste de comportamento agressivo antes e após eles assistirem ao filme. Os próprios estudantes puderam verificar o efeito do filme em seu comportamento e comentaram que, antes, não acreditavam na possibilidade de terem seus atos influenciados pelo que assistiam na tevê.

Mídia e Drogas

Comparadas com os estudos sobre violência, as pesquisas relacionadas ao impacto dos meios de comunicação e o consumo de substâncias psicoativas entre os jovens são bem mais recentes e seus resultados, por consequência, menos definitivos. No entanto, já há uma série considerável de estudos relativos à influência exercida, sobre os adolescentes, pelas propagandas de álcool e cigarro na televisão. Há, por exemplo, evidências de que, se por um lado, os resultados da maioria das campanhas educativas são bastante frágeis; por outro, a propaganda de bebidas alcoólicas influencia, de fato, o aumento do consumo do álcool por parte dos jovens.

Por muitos anos, investigações que procuraram estabelecer uma relação direta entre a propaganda de álcool e seu consumo pelos usuários produziram dados contraditórios. Apesar de parecer evidente que os milhões de dólares gastos anualmente na promoção desses produtos têm por objetivo o consequente aumento do consumo, é difícil comprovar cientificamente tal correlação. As indústrias de bebida, por exemplo, alegam que o investimento milionário em propaganda tem como objetivo simplesmente promover a fidelidade ou a troca de marcas, sem aumento do consumo total dos produtos.

Uma das razões da dificuldade de se obter resultados mais claros nesse território deve-se à própria natureza da propaganda, cujo efeito dá-se em decorrência da contínua exposição do indivíduo. Como já foi dito aqui, a influência da televisão e da mídia é, de maneira geral, indireta, sutil e cumulativa. O pesquisador Victor C. Strasburger, não por acaso, refere-se a essa característica como um "efeito estalagmite": "depósitos cognitivos acumulados quase que imperceptivelmente, gota a gota".

Apesar disso, estudos mais recentes e utilizando melhor metodologia têm conseguido mostrar associações importantes entre a propaganda de bebidas alcoólicas e o consumo de álcool entre os jovens. Uma das pesquisas mais interessantes, realizada pelos pesquisadores Jia Fang Zhang e Sally Casswell, na Nova Zelândia, constatou longitudinalmente, ou seja, por diversos anos, o impacto das propagandas de cerveja no consumo de álcool entre adolescentes de dezoito anos, bem como o comportamento agressivo relacionado ao uso do álcool por jovens de 21 anos. Outros dois estudos, transversais, ou seja, feitos em um único período, com diferentes indivíduos, verificaram, através de modernas análises estatísticas, respostas às propagandas na tevê de bebidas alcoólicas entre jovens de 10 a 17 anos. Ambas as pesquisas encontraram correlações seguras entre as propagandas e o incentivo ao hábito de beber.

O primeiro estudo sugeriu que a frequência de exposição às propagandas aumentou também a frequência do hábito de beber, bem como a expectativa de que o indivíduo venha a beber no futuro. Muitos dos entrevistados afirmaram que as propagandas de álcool os encorajavam a beber, especialmente os meninos de 10 a 13 anos, que mais aceitavam as propagandas como realísticas. A segunda pesquisa concluiu que o fato de se apreciar as propagandas de cerveja na tevê contribui para a quantidade de álcool consumida – o que por sua vez tem resultados no nível de problemas relacionados ao álcool entre jovens. A conclusão desse estudo dá sustentação à hipótese que aponta a relação direta ou indireta entre a atração exercida pelas propagandas de cerveja com a quantidade de álcool consumido pelos usuários.

Um livro atual (Babor e cols, 2003), escrito pelos maiores especialistas internacionais na área de saúde pública e álcool, também sustenta que há evidências concretas da relação entre a propaganda e o aumento do consumo de bebidas alcoólicas. Os autores concluem que, de maneira geral, os indivíduos, principalmente jovens, mais expostos à promoção de bebidas acabam tendo uma visão mais positiva do "típico" consumidor de álcool, bem como alimentam atitudes mais favoráveis em relação ao beber, maiores expectativas de beber quando adulto ou, por fim, bebem mais frequentemente.

As evidências em relação à propaganda e o uso do cigarro são ainda mais contundentes. Vários estudos nessa área seguem a mesma linha dos estudos sobre propaganda e álcool, concluindo que quanto mais os adolescentes prestam atenção e lembram-se dos comerciais de cigarro, maior é o risco de eles considerarem o hábito de fumar algo positivo e, por consequência, de se tornarem fumantes. Cabe apontar aqui que, enquanto a relação da sociedade com a indústria do álcool pode ser qualificada de ambivalente, a imagem pública da indústria do tabaco é francamente negativa. Isso se deve a uma série de fatores. Entre eles, o fato de o consumo de cigarro ser diretamente associado aos prejuízos que causa à saúde e, também, porque a indústria do tabaco já foi flagrada, no passado recente, em uma série de comportamentos antiéticos.

Um estudo recente, por exemplo, elaborado pelos pesquisadores norte-americanos John P. Pierce, Won S. Choi e Elizabeth A. Gilpin, estimou que, entre 1988 e 1998, houve 7,9 milhões de novos "experimentadores" de tabaco nos EUA devido à propaganda e às promoções em geral. Desses, estima-se que 1,2 milhão morrerá por doenças relacionadas ao fumo. O estudo, intitulado *Sharing the blame: smoking experimentation and future smoking attributable mortality due to Joe Camel and Marlboro advertising promotions*, chega a apontar quantas dessas mortes estarão associadas a marcas específicas de cigarro.

Outro estudo – realizado entre estudantes de 12-15 anos em Hong Kong, cidade em que o uso de tabaco entre os jovens é um grave problema de saúde pública – analisou a relação entre o hábito de fumar e uma série de fatores, entre eles a propaganda de tabaco. Os autores do trabalho, publicado no *American Journal of Preventive Medicine*, concluíram que a propaganda contribui efetivamente para o envolvimento dos estudantes com os cigarros, e propõem a proibição de toda e qualquer forma de publicidade por parte da indústria do tabaco.

Se, por um lado, os estudos parecem comprovar que a propaganda de cigarro tem um evidente impacto negativo em termos de saúde pública; por outro, as campanhas educativas contra o fumo nem sempre atingem seu objetivo. Uma das poucas campanhas educativas que, comprovadamente, parece ter atingido seu alvo foi desenvolvida pelo governo americano. Intitulada "Verdade", a campanha foi criada para mudar as atitudes dos jovens em relação ao cigarro e reduzir o consumo de cigarros na Flórida. Verificou-se que os jovens mais expostos à campanha apresentaram menor risco de iniciar-se no consumo de tabaco.

Enquanto isso, no Brasil...

Estudos científicos sobre a propaganda de bebidas alcoólicas no Brasil são bastante raros. Uma pesquisa que coletou dados entre 1992 e 1994 observou que a frequência da propaganda de álcool na televisão é bem maior que a de outros produtos, como cigarros e bebidas não alcoólicas. Entre os temas mais frequentemente exibidos nesses comerciais, estão o apelo a "símbolos nacionais" – como o carnaval e o futebol –, ao espírito de grupo, à sensação de relaxamento e ao senso de humor.

A preocupação mundial com o impacto da propaganda da indústria do álcool no consumo dos jovens deu origem a um encontro internacional, organizado pela OMS, que contou com a presença de especialistas de mais de trinta países em Valência, na Espanha, em maio de 2002. Nesse encontro, foi apresentada uma análise inicial sobre a situação das indústrias de álcool e da propaganda de bebidas alcoólicas no Brasil, principalmente no que se refere à influência que exercem sobre os jovens bebedores (Pinsky e Araújo, 1999).

Entre outros achados, a pesquisa observou que, embora alguns avanços tenham sido feitos em relação ao desenvolvimento de leis mais rígidas sobre a publicidade no país, milhões continuaram sendo gastos em 2001 com comerciais de bebidas alcoólicas, sem contar os investimentos em *marketing*. O fato é que a grande maioria das indústrias de bebidas, nacionais ou multinacionais, demonstra pouca preocupação quanto aos problemas de saúde pública relacionados ao álcool. No que se refere aos jovens, a indústria de bebidas alcoólicas chega a assumir abertamente que eles são um público-alvo essencial para os seus negócios – o que aliás pode ser facilmente verificado assistindo-se às próprias propagandas veiculadas, boa parte delas protagonizadas por atores e modelos juvenis.

Além disso, novos produtos voltados especificamente para essa faixa etária têm sido desenvolvidos nos últimos anos pela indústria de bebidas. Um exemplo disso é o lançamento das *alcopops*, as chamadas bebidas *ice*. Com teor alcoólico entre 5 e 7 GL (ou seja, um pouco superior ao das cervejas), compostas de uma mistura de refrigerantes ou sucos de fruta com vodca, uísque, cachaça ou rum, essas bebidas são identificadas com o público jovem por meio de uma agressiva estratégia de *marketing* e se tornaram fenômeno de vendas em todo o mundo.

A propaganda de bebidas alcoólicas no Brasil é regulada pela Lei 9.294, de 1996. Segundo a legislação, que também regulamenta a publicidade de cigarros e outros produtos, é considerada bebida alcoólica somente aquela com mais de 13 GL, o que exclui cervejas, vinhos e os *drinks* do tipo *ice* dessa conceituação. A principal restrição que a lei apresenta é a redução do horário de propaganda na televisão e no rádio, permitindo propagandas de álcool somente entre as 21h e 6h. No entanto, são permitidas chamadas de poucos segundos, de qualquer tipo de bebida, a qualquer horário.

Enquanto isso, em 2000, a legislação brasileira (Lei 10.167) praticamente proibiu qualquer propaganda de cigarro no país, exceto aquela exibida em cartazes e similares, dentro dos próprios locais de venda. Apesar de semelhante proibição não atingir o álcool, o clima político parece ter se alterado um pouco em relação à permissividade das propagandas de bebidas: em janeiro de 2002 havia mais de cinquenta projetos de lei propondo maiores restrições às propagandas de álcool.

No início de 2003, finalmente, o governo introduziu novas e mais profundas restrições para tentar reduzir os problemas relacionados ao consumo de bebidas alcoólicas. Foi criado um grupo interministerial (GTI), sob a coordenação do Ministério da Saúde, para estabelecer parâmetros em relação à regulamentação da indústria de bebidas alcoólicas, incluindo publicidade e propaganda. No entanto, concluído o relatório final do GTI, as recomendações ali registradas não foram colocadas em prática por discordâncias entre os próprios ministérios – alguns priorizam a saúde pública, mas outros se preocupam com questões econômicas mais imediatas ou sofrem pressão direta e indireta da poderosa indústria do álcool.

Em relação à promoção de tabaco, inexistem estudos mais consistentes publicados sobre o assunto no Brasil. Mas a psicóloga Solange Lucie Machado, em sua dissertação de mestrado pela Universidade Federal do Paraná, avaliou o resultado de duas estratégias diferentes para a diminuição do tabagismo, e o efeito causado em 320 adolescentes, de ambos os sexos, fumantes e não fumantes. A pesquisa analisou as consequências da proibição de fumar em locais públicos e o impacto das fotografias de advertência que passaram a ser obrigatoriamente impressas nas carteiras de cigarros. Os resultados indicaram que a lei que restringe os locais onde é permitido fumar tem sido mais eficaz para diminuir o tabagismo entre adolescentes do que as fotografias dos maços de cigarro.

Constatou-se também que a lei que regulamenta o fumo em locais públicos é bem recebida por não fumantes, que a consideram não discriminatória. Os próprios jovens fumantes são ambíguos em relação à legislação, não a rejeitando diretamente, o que talvez esteja relacionado ao fato de o "clima social" em relação ao cigarro ter se tornado mais rigoroso no país. As fotografias de advertência foram consideradas "impactantes" pelos entrevistados – a de maior impacto para todos os grupos, independentemente do sexo e de serem ou não fumantes, é a do bebê prematuro, vindo em seguida a que adverte sobre o risco de câncer no pulmão.

Contudo, verificou-se ainda, na mesma pesquisa, que os jovens têm pleno conhecimento dos riscos envolvidos no hábito de fumar, mas que isso não muda o comportamento dos fumantes em relação ao cigarro. A autora do estudo encontrou também uma forte crença entre fumantes e não fumantes de que fumar é uma questão de "liberdade de escolha", embora os que fumam reconheçam sua dependência e incapacidade de abandonar o vício. Um dado interessante obtido nesse estudo foi o de que ambos os grupos, independentemente do sexo, rejeitaram o fumo como um fator de atração para homens e mulheres, admitindo que o cigarro inclusive contribui para a rejeição de parceiros amorosos. A autora, por fim, enumera doze recomendações para campanhas antitabagistas na mídia de massa, que vão desde substituir periodicamente as fotos das carteiras de cigarros para evitar a banalização de seu efeito até apresentar o fumo como fator de rejeição de eventuais parceiros amorosos.

A INFORMAÇÃO COMO ARMA CONTRA AS DROGAS

Uma outra importante linha de pesquisa procura observar como as informações sobre substâncias psicoativas são passadas ao público pelos meios de comunicação, em especial pela mídia escrita – jornais e revistas. Embora a imprensa, por si só, não seja capaz de determinar o comportamento da população, ela pode atuar reforçando conceitos fundamentais que legitimam as políticas de saúde, de repressão e de ação social frente ao consumo e ao comércio de drogas.

Existem vários estudos internacionais sobre o tema. Uma pesquisa nos Estados Unidos, por exemplo, examinou frequência, posicionamento e maneira de apresentação de artigos sobre o tema "álcool" em jornais da Califórnia. O principal interesse dos autores era averiguar o efeito que a cobertura da mídia sobre bebidas alcoólicas poderia ter sobre o reconhecimento público dos prejuízos do uso inadequado do álcool, bem como a possibilidade de desenvolvimento de políticas mais severas em relação ao assunto. Os autores da pesquisa constataram que artigos sobre álcool apareciam, nos nove jornais analisados, ao menos uma vez por dia, durante as 44 semanas de estudo. Porém, a maioria desses artigos traziam histórias curtas e episódicas, sem maiores contextualizações e sem aprofundar a questão.

Outra pesquisa do gênero analisou os editoriais de seis jornais diários da Finlândia, entre 1993 e 2000. Os pesquisadores observaram que, durante os primeiros anos, os editoriais tinham conteúdo liberal em relação à dura política restritiva do país sobre as bebidas alcoólicas. No entanto, à medida em que os controles do país foram relaxados, observou-se um aumento significativo nos problemas relacionados ao consumo de álcool, tais como arruaças e atos de violência. Como consequência, os editoriais mudaram o foco e passaram a discutir a ordem pública como um valor mais relevante do que as questões relacionadas à liberdade individual. Os autores concluíram que os editoriais refletiram sobretudo o ponto de vista da classe média, inicialmente ansiosa por menos restrições em relação ao álcool, mas depois temerosa das consequências negativas do consumo abusivo dele.

Por sua vez, uma análise dos principias jornais canadenses verificou como os benefícios e os prejuízos dos medicamentos eram relatados pela imprensa. A análise se justificava pelo fato de que muitos pacientes citavam os meios de comunicação como uma fonte importante de informações sobre o uso de remédios. Os autores da pesquisa centraram o foco em cinco novos medicamentos lançados pela indústria farmacêutica e sua cobertura em 24 jornais diários no ano de 2000. O estudo concluiu que, apesar da grande cobertura dada a esses medicamentos, a qualidade e, portanto, o potencial informativo, foi significativamente baixo.

E no Brasil?

Os poucos estudos brasileiros relativos à cobertura da mídia sobre as substâncias psicoativas também se dirigiram prioritariamente à imprensa escrita. Uma pesquisa, por exemplo, investigou arquivos jornalísticos de um dos principais jornais do país durante o período de 1960-1989 (Carlini-Cotrim e cols., 1994). Esse trabalho constatou que a imprensa, via de regra, prefere focar em reportagens que mais provocam pânico na população do que informam.

Um estudo mais recente, publicado no *Caderno de Saúde Pública*, investigou uma amostragem de mais de quinhentos artigos sobre drogas e saúde, editados ao longo do ano de 1998 em vários jornais e revistas de abrangência estadual e nacional. Os autores da pesquisa verificaram que as drogas mais presentes nas manchetes eram, pela ordem, cigarro, cocaína, *crack*, maconha, bebidas alcoólicas e anabolizantes – evidenciando assim um descompasso com os dados epidemiológicos nacionais.

Por último, uma investigação de grande abrangência (Noto e cols., no prelo) pesquisou mais de duzentos diferentes veículos de comunicação, encontrando 4.669 matérias que apresentavam o tema drogas como foco central. Da amostra aleatória composta por 964 matérias que foi submetida à análise de conteúdo, cerca de metade delas (49,6%), predominantemente de jornais, trataram temas relacionados ao tráfico e à repressão. As demais matérias (50,4%) abordaram saúde, legislação e políticas públicas. As drogas mais retratadas pelas matérias mais uma vez confirmaram o descompasso entre a mídia e os dados obtidos pelos estudos de epidemiologia, mas também apontaram a tendência, ao longo das últimas décadas, de matérias sobre tabaco e álcool manterem-se em pauta na imprensa brasileira.

A análise mostrou também as diferenças de enfoques trabalhados para cada droga, permitindo uma melhor compreensão do "clima social" brasileiro sobre elas: enquanto as matérias sobre tabaco tratavam quase exclusivamente dos prejuízos causados por seu consumo, os artigos sobre maconha continham uma percentagem significativa de apontamentos sobre o uso terapêutico e discriminalização dessa droga.

Considerações finais

As pesquisas aqui citadas demonstram claramente que a mídia pode influenciar, de maneira direta ou indireta, o comportamento de crianças e adolescentes, positiva ou negativamente. Infelizmente, porém, a carga maior dessa influência parece ser negativa. Por isso, é importante que nossa sociedade seja advertida sobre a influência da televisão e dos meios de comunicação nos hábitos individuais. Em que pese o direito à liberdade de programação e de imprensa, vale a pena pensar em movimentos sociais e até numa legislação que discuta, entre outros temas, os seguintes aspectos: a) quais programas devem ser considerados desaconselháveis ou proibidos para menores de idade; b) a obrigatoriedade de transmissão de um número mínimo de horas de programas educativos por dia; c) maior restrição ou proibição total da publicidade de bebidas alcoólicas.

Além disso, programas de "Educação para Mídia" podem ser um outro caminho para ajudar nossas crianças e adolescentes a evitarem os programas de má qualidade e, na mesma medida, ajudar a reduzir o efeito da promoção indiscriminada de substâncias psicoativas pelos meios de comunicação de massa, como hoje ocorre.

BIBLIOGRAFIA

AITKEN, P.P. e EADIE, D.R. (1990) Reinforcing effects of cigarette advertising on underage smoking. *British Journal of Addiction*, 85, 399-412.

BANDURA, A. (1986). *Social foundations of thought and action: A social cognitive theory.* Englewood Cliffs: Prentice Hall.

BANDURA, A. (1977). *Social Learning theory.* Englewood Cliffs, NJ: Prentice Hall.

BERKOWITZ, L. (1984). Some effects of thoughts on anti- and prosocial influences of media events: a cognitive-neoassociation analysis. *Psychological Bulletin*, 95 (3), 410-427.

CARLINI-COTRIM, B.; GALDURÓZ, J.C.; NOTO, A.R. e PINSKY, I. (1995) A mídia na fabricação de pânico de drogas: um estudo no Brasil. *Comunicação e Política*, 1: 271-230.

CENTERS FOR DISEASE CONTROL (1992) Accessibility of cigarettes to youths aged 12-17 years – United States, 1989. *Morbidity & Mortality Weekly Report*, 41, 485-488.

DAVID, P. (2002). Os direitos da criança e a mídia conciliando proteção e participação. Em C. Von Feilitzen e U. Carlsson (orgs). *A Criança e a mídia: imagem, educação, participação.* São Paulo: Cortez.

FARRELLY, M.C.; HEALTON, C.G.; DAVIS, K.C.; MESSERI, P.; HERSEY, J.C. e HAVILAND, M.(2002) Getting the truth: evaluating national tobacco counter marketing campaigns. *American Journal of Public Health*, 92(6): 901-7.

FEILITZEN, C. Von. (2000). Quantidade de tempo que as crianças passam vendo tevê: estatística de dez países. Em C. Von Feilitzen e U. Carlsson (orgs). *A criança e a mídia: imagem, educação, participação.* São Paulo: Cortez.

FEILITZEN, C, Von. e CARLSSON, U. (orgs) (2002). *A criança e a mídia: imagem, educação, participação.* São Paulo: Cortez.

FRIED, C.B. (1999). Who's afraid of rap: differential reactions to music lyrics. *Journal of Applied Social Psychology*, 29, p 705-721.

GOMIDE, P.I.C. (2000). Efeitos de filmes violentos em comportamento agressivo de crianças e adolescentes. *Psicologia Reflexão e Critica*, 13 (1), pp 127-141.

GOMIDE, P.I.C. (2002). Crianças e adolescentes em frente à tevê: o que e quanto assistem de televisão. *Argumento*, 30, p17-28.

GOMIDE, P.I.C. e SPERANCETTA, A. (2003) O efeito de um filme de abuso sexual sobre o comportamento de adolescentes do sexo feminino. *Interação*, 1, p1-11.

Gomide, P.I.C. (2003). A influência da tevê e dos estilos parentais nos horários de refeições das famílias. *Argumento*, 32, p27-36.

Huesmann, L.R. (1986) Psychological process promoting the relation between exposure to media violence and aggressive behavior by viewer. *Journal of Social Issues*, 42, 125-139.

LAM, T.H.; Chung, S.F.; Betson, C.L.; Wong, C.M. e Hedley, A.J. (1998) Tobacco advertisements: one of the strongest risk factors for smoking in Hong Kong students. *American Journal of Preventive Medicine*, 14(3): 217-223.

MACHADO, S. L. (2003). Avaliação do efeito de duas estratégias para a diminuição do tabagismo em adolescentes. Dissertação de Mestrado do Programa de Psicologia da Infância e da Adolescência da UFPR.

MERLO-FLORES, T. (1999). Por que assitimos à violência na televisão: pesquisa de campo argentina. In Ulla Carlsson e Cecilia von Feilitzen (orgs). *A criança e a violência na mídia.* Cortez. Brasilia: Brasil.

NOTO, A.R.; BAPTISTA, M.C.; FARIA, S.T.; NAPPO, S.A.; GALDURÓZ, J.C.F. e CARLINI, E.A. (2003) Drogas e saúde na imprensa brasileira: uma análise de artigos publicados em jornais e revistas. *Cadernos de Saúde Pública,* 19(1): 69-79.

NOTO, A.R.; PINSKY, I. e MASTROIANNI, F.C. Abordagem sobre bebidas alcoólicas, tabaco e outras drogas na imprensa brasileira.

PIERCE, J.P.; GILPIN, E.A. e CHOI, W.S. (1999) Sharing the blame: smoking experimentation and future smoking attributable mortality due to Joe Camel and Marlboro advertising promotions. *Tobacco Control.* 8(1): 37-44.

SILVERMAN-WATKINS, L. T. (1983). Sex in the contemporary media. In: J.Q.Maddock, G. Neubeck, & Sussman (Eds) *Human sexuality and the family.* (pp 125-140) New York: Haworth.

ZILLMANN, D. (1971). Excitation transfer in communication-mediated aggression behavior. *Journal of Experimental Social Psychology,* 7, 419-434.

STRASBURGER, V.C. (1999). *Os adolescentes e a mídia: Impacto Psicológico.* Porto Alegre: Artmed.

Parte II
Legislação e políticas públicas

As drogas e a legislação brasileira

Luiza Nagib Eluf

Nossa sociedade teme as drogas ao mesmo tempo em que as cultua. Embora se argumente que a humanidade sempre fez uso de substâncias entorpecentes – e que, por esse motivo, seu uso seria inevitável –, o assunto se torna grave quando o consumo é descontrolado e gera dependência em larga escala.

Por essa razão, o abuso de drogas tem sido alvo de preocupações em todo o mundo, encarado como um problema social, pois, além da deterioração pessoal que causa, ele rompe a estabilidade familiar, induz à criminalidade e enfraquece a capacidade laborativa de um país. Na sociedade brasileira, por exemplo, a criminalidade juvenil vem se agravando, entre outros fatores, pelo fato de o consumo de drogas ter aumentado sensivelmente e de se iniciar cada vez mais cedo, em todas as camadas da população, indistintamente.

Segundo os dicionários, droga é qualquer substância ou ingrediente que se aplica em farmácias. Utilizamos, também, o termo droga em outro sentido, para designar coisa de pouco valor ou um malogro. Mas a palavra droga, aqui, significará produto químico. A legislação brasileira escolheu o termo entorpecente para identificar substâncias proibidas, que causam dependência física ou psíquica, porém nossa terminologia técnica também admite as palavras droga, narcótico e tóxico, todas significando a mesma coisa.

Podemos dividir as substâncias objeto deste texto em *morfínicas*, como ópio, morfina, heroína; *barbitúricas*, como pentoberbital, secobarbital, meprobamate; *alcoólicas*, *cocaínicas*, como cocaína e crack; *cannabinoides*, como maconha, marijuana, haxixe; *anfetamínicas* e *alucinógenas*, como LSD e mescalina.

Como bem observam Tadeu Lemos e Marcos Zaleski no primeiro capítulo deste livro, algumas dessas substâncias tiveram e têm grande utilização na medicina, a exemplo da morfina, devido às suas propriedades analgésicas. Atualmente, discute-se a utilização da maconha no tratamento de pessoas com câncer ou AIDS, para acalmá-las e devolver-lhes o apetite. No entanto, como advertem os especialistas, essas drogas, mesmo quando usadas com finalidades curativas, podem causar dependência química.

Segundo Carlos Eduardo de Barros Brisolla, em artigo publicado na revista *Justitia* (ano XXXV, vol. 81, 1973), editada pelo Ministério Público do Estado de São Paulo,

> o risco de aparição de uma dependência num indivíduo resulta da ação conjugada de três fatores: características pessoais e antecedentes do agente; natureza de seu meio sociocultural geral e imediato; propriedades farmacodinâmicas da substância em causa, levando-se em conta a quantidade consumida, a frequência de utilização e as diferentes vias de administração (digestiva, respiratória, subcutânea ou endovenosa).

Com base nesses fatores, a Organização Mundial de Saúde, na esfera internacional, e o Ministério da Saúde, em território brasileiro, fixaram normas definidoras das substâncias entorpecentes lícitas e ilícitas, criando uma legislação que procura proteger a sociedade do abuso de drogas que causam dependência física ou psíquica.

Drogas lícitas

Álcool

As bebidas alcoólicas são de consumo permitido no Brasil, com algumas restrições. Há países em que esse tipo de bebida é terminantemente proibido, como aqueles que seguem a religião islâmica. Em outros, somente os maiores de 21 anos têm permissão para consumi-las, como ocorre nos Estados Unidos.

A legislação brasileira tolera a ingestão de bebidas alcoólicas desde que o indivíduo seja maior de dezoito anos e não dirija veículo automotor. O Estatuto da Criança e do Adolescente (ECA) estabelece, no Artigo 81, incisos II e III, que é proibida a venda, à criança ou ao adolescente, de bebidas alcoólicas e de produtos cujos componentes possam causar dependência física ou psíquica, ainda que por utilização indevida. O Artigo 2 do ECA esclarece que criança é a pessoa de até doze anos de idade incompletos, e adolescente, aquela entre doze e dezoito anos de idade.

O Código de Trânsito Brasileiro, em seu Artigo 165, considera que dirigir alcoolizado, apresentando nível de álcool superior a seis decigramas por litro de sangue, é infração gravíssima. O condutor está sujeito à multa e à suspensão do direito de dirigir, além da retenção do veículo até a

apresentação de condutor habilitado e recolhimento do documento de habilitação. O mesmo se aplica em caso de intoxicação por substância entorpecente ou que determine dependência física ou psíquica.
Para aferição do grau de embriaguez do condutor de veículo, é utilizado o exame de sangue ou um aparelho, conhecido como "bafômetro", que mede a concentração alcoólica pela expiração do indivíduo. O investigado pode se negar a submeter-se a qualquer exame, mas então haverá a suposição de que ele se encontrava, realmente, embriagado no momento do flagrante e, por essa razão, recusou-se a colaborar com a Justiça. Além disso, a falta do exame do hálito ou do sangue pode ser suprida pela prova testemunhal.
Do mesmo modo, o Artigo 306 do Código de Trânsito Brasileiro considera crime conduzir veículo automotor, na via pública, sob influência de álcool ou substância de efeitos análogos, expondo a dano potencial a incolumidade pública. A pena é de seis meses a três anos de detenção, multa e suspensão ou proibição de obter habilitação para conduzir veículo. Já o Código Penal considera que a embriaguez preordenada, isto é, intencional, é causa de agravamento da pena de quem comete um crime (Art. 61, II, l, do CP). Isso significa que se o sujeito ingere grande quantidade de bebida alcoólica para "criar coragem" de praticar um delito, merece pena maior.
Não há dúvida de que o álcool é fator de criminalidade, seja a embriaguez voluntária, preordenada ou decorrente de dependência química. Ignorando as leis e as recomendações feitas pelos meios de comunicação, são muitas as pessoas que assumem a direção de veículos automotores embriagadas, provocando acidentes, não raro, muito graves. Há os que ficam agressivos sob efeito de bebidas alcoólicas e espancam mulheres, amigos, inimigos ou parentes. Não é mera coincidência o fato de que os bares são os locais em que há mais incidência de agressões físicas, lesões corporais graves e homicídios. Os jovens, particularmente, têm sido vítimas da falta de fiscalização do comércio de bebidas. A proibição de venda de álcool a menores de dezoito anos quase não vigora na prática e os abusos têm se multiplicado, principalmente nos locais de lazer e nas imediações dos estabelecimentos de ensino.
O cigarro é, também, uma droga lícita que causa dependência e, a longo prazo, pode levar à morte por câncer, por problemas cardíacos ou por outras doenças. Mas é preciso reconhecer que o tabaco, embora altamente pernicioso à saúde, não torna o dependente inútil, intratável, improdutivo, incapaz de assumir compromissos. O álcool, sim. Consome o indivíduo rapidamente, tornando-o inabilitado para

o trabalho e demais atividades, e insuportável na convivência pessoal. Evidentemente, é possível fazer uso moderado de bebidas alcoólicas, evitando-se a dependência, mas é preciso muita informação sobre o assunto e controle sobre a comercialização. A exemplo do que ocorreu com o cigarro, as embalagens das bebidas deveriam também conter avisos de que o álcool pode gerar dependência, sendo que o abuso pode provocar doenças graves. Não é por outra razão que algumas universidades como a Unicamp e a USP desenvolveram projetos de prevenção e redução de danos decorrentes da ingestão de bebidas alcoólicas. O projeto piloto, testado com alunos da Unesp, diminuiu pela metade o número de acidentes de carro e o baixo rendimento escolar causado pelo excesso de bebida.

Por questões culturais, o álcool se transformou em uma imposição ligada ao lazer. Tanto adolescentes quanto adultos estão condicionados a somente se divertir quando ingerem bebidas alcoólicas. Já os que não toleram o álcool ou simplesmente preferem evitar os seus efeitos são pressionados a beber de qualquer forma, sob pena de sofrer rejeição do grupo, o que, para os inseguros, é desastroso. Em consequência, há sempre o risco de que sobrevenha a dependência, da qual é extremamente difícil sair.

Tabaco

O tabaco se popularizou em forma de cigarro e é o nome popular dado a uma planta chamada *nicotiana tabacum*, da qual se extrai a substância química nicotina. Há registros de utilização dessa droga desde mil anos antes de Cristo, por comunidades da América Central. A nicotina é estimulante. Causa excitação do cérebro, diminuição do tônus muscular e, também, diminuição do apetite.

Inicialmente, as folhas de tabaco eram mastigadas e cuspidas em escarradeiras. No século XIX, adotou-se o uso do charuto como atividade nobre. Demonstrava poder e prestígio, sendo apreciado em círculos restritos. Foi apenas após a primeira guerra mundial que o consumo do cigarro se alastrou pelo mundo, sendo, nos dias atuais, uma das drogas psicotrópicas mais utilizadas. A nicotina traz sérios prejuízos à saúde, além de provocar dependência química. Para a maioria dos fumantes, parar de fumar desencadeia síndrome de abstinência.

De acordo com o Artigo 81 do Estatuto da Criança e do Adolescente, é proibida a venda de cigarros e outros produtos que contenham nicotina a menores de dezoito anos. No entanto, é comum que crianças adquiram esses produtos sem dificuldade, nos variados estabelecimentos que comercializam cigarros.

O Ministério da Saúde determinou que as empresas fabricantes de cigarros inserissem nas embalagens de seus produtos a advertência sobre os males que o tabaco pode causar. Além dessa, nenhuma outra medida foi tomada para prevenir que crianças e adolescentes façam uso do cigarro e corram sério risco de desenvolver dependência.

Solventes

Existem várias substâncias que estão presentes em produtos livremente comercializados e que podem sofrer uso abusivo. São fórmulas que contém substâncias solventes que, por serem voláteis, podem ser aspiradas, como cola, éter, benzina, clorofórmio, tolueno, vernizes, tintas, aerosóis, esmaltes, *thinner* e removedores.

A inalação de solventes é comum em várias partes do mundo, principalmente por crianças e adolescentes carentes e economicamente marginalizados. Um desses solventes, comercializado de forma sofisticada e que foi muito usado no Brasil até a década de 1950, é o lança-perfume. No Carnaval, ele é ainda largamente utilizado, apesar de ser atualmente proibido. Ao ser aspirado, o éter contido no lança-perfume provoca uma rápida e pouco duradoura sensação de euforia, a qual se segue torpor e moleza.

O uso constante dos solventes leva à perda irreversível da memória e provoca lesões de centros nervosos. Além disso, o coração fica mais sensível à adrenalina, podendo ocorrer problemas cardíacos se a pessoa que inala solvente faz, também, exercício físico, como acontece nos bailes de Carnaval. Outro risco é sobrevir um desmaio durante a utilização e a pessoa cair sobre o lenço encharcado, continuando a inalar o produto. Nesse caso, pode ocorrer parada cardíaca e morte.

O lança-perfume está listado entre as substâncias proibidas, mas há solventes que são vendidos sem restrições. De toda forma, pelo mesmo Artigo 81 do Estatuto da Criança e do Adolescente, sua venda está proibida a menores de dezoito anos.

DROGAS ILÍCITAS

A legislação penal brasileira proíbe o uso e o tráfico de substâncias entorpecentes ou que causem dependência física ou psíquica, conforme estabelecido na Lei 6.368/76. Essas substâncias não estão especificadas em lei, mas são definidas por portaria do Ministério da Saúde, passando por constantes atualizações. Assim, a Lei de Entorpecentes não diz, por exemplo, que maconha é droga proibida; diz apenas ser vedado o porte desautorizado de substância entorpecente ou que cause dependência. O Poder Executivo é que determina quais são essas substâncias. É do conhecimento geral que a *cannabis sativa* (maconha e seus assemelhados), a cocaína e seus derivados, ópio, morfina, heroína e *ecstasy*. estão proibidos no Brasil. Apesar disso, o tráfico ilícito dessas drogas é intenso.

Houve um tempo em que o uso e comércio de entorpecentes não eram vetados no Brasil. Há notícias de que, em 1914, uma onda de toxicomania invadiu o país, tendo sido criado um Clube de Toxicômanos em São Paulo, a exemplo de um clube semelhante que havia sido fundado em Paris um século antes. Em 1931, foi editado o Decreto-lei 891, de 25 de novembro de 1931, que restringia a produção, o uso e a comercialização de substâncias entorpecentes, bem como fornecia o rol das substâncias controladas. Essa listagem foi ampliada em 1964, com base na Convenção Única sobre Entorpecentes. A legislação foi alvo de várias modificações e ampliações até que em 21 de outubro de 1976 sancionou-se a Lei 6.368/76, que está em vigor e cuida especificamente da questão das drogas ilícitas.

A Lei 6.368/76 possui 47 artigos e está dividida em cinco capítulos: da prevenção, do tratamento e da recuperação, dos crimes e das penas, do procedimento criminal e das disposições gerais. Essa lei faz várias recomendações e estabelece princípios para prevenção e tratamento de usuários de drogas, muitos dos quais nunca entraram realmente em vigor, em razão da precariedade dos serviços prestados pelo Estado. No campo da prevenção, faltam informações tanto nas escolas como dentro da família; com relação ao tratamento, somente quem pode pagar bem encontra uma clínica realmente aparelhada para cuidar do problema.

A lei gera maiores efeitos quando estabelece crimes e penas. É terminantemente proibido, no Brasil, cultivar, semear e colher qualquer substância entorpecente ou que cause dependência física ou psíquica. Da mesma forma, não se pode importar ou exportar, remeter, preparar, produzir, fabricar, adquirir, vender, expor à venda ou oferecer, fornecer ainda que gratuitamente, ter em depósito, transportar, trazer consigo, guardar, prescrever, ministrar ou entregar para consumo de qualquer forma essas substâncias. Quem praticar essas condutas, entre outras descritas no Artigo 12 da Lei 6.368/76, estará sujeito a uma pena de reclusão de três a quinze anos, mais 50 a 360 dias-multa. Trata-se do crime de tráfico de drogas, considerado hediondo pela Lei 8.072/90, que estabelece um tratamento mais severo do que o dispensado aos demais delitos.

Estão, ainda, sujeitos às mesmas penas previstas para o tráfico aqueles que autorizam que determinado local, do qual têm a propriedade, a posse, a administração, a guarda ou a vigilância seja usado para uso indevido ou tráfico de entorpecentes. Assim, donos de estabelecimentos de lazer, como as danceterias ou casas de *shows*, em que se faz uso ou tráfico de entorpecentes, poderão ser severamente punidos.

Quando o tráfico de drogas é praticado visando menor de 21 anos; decorrer de associação; ocorrer nas imediações de estabelecimentos de ensino ou hospitalar, de sedes de entidades estudantis, sociais, culturais, recreativas, esportivas, beneficentes, de locais de trabalho coletivo, de estabelecimentos penais ou de recintos onde se realizem espetáculos ou diversões de qualquer natureza, a pena de três a quinze anos prevista no Artigo 12 da Lei 6.368/76 é aumentada de um a dois terços. Portanto, é mais grave o tráfico de drogas nessas condições, conforme estabelece o Artigo 18 daquela mesma lei.

Quem for surpreendido portando pequena quantidade de entorpecente e não for traficante, isto é, não estiver praticando nenhuma das condutas mencionadas no Artigo 12 da Lei de Entorpecente, será considerado usuário e receberá uma pena menor, que vai de seis meses a dois anos de detenção, mais 20 a 50 dias-multa, conforme estabelece o Artigo 16 da Lei de Entorpecentes. Geralmente, o usuário não fica preso e recebe substituição da pena corporal por pena alternativa, como restrições de direitos e prestação de serviços à comunidade.

Discute-se se a lei age corretamente ao considerar o porte de droga para uso próprio um crime. Há os que entendem que o consumo de drogas não é um problema criminal, mas de saúde. Deveria ser descriminado e sujeito, apenas, a medidas administrativas. No entanto, a proposta de punir somente o traficante e não punir criminalmente o usuário encontra séria resistência por parte de vários setores da sociedade representados no parlamento. Assim, as tentativas de modificação legal, nesse aspecto, não têm prosperado. Desta forma, é possível ser preso pelo porte de maconha ou outra droga, para uso próprio. Após o julgamento, se a pessoa for condenada e for reincidente, isto é, se já tiver alguma condenação criminal anterior, pode ser obrigada a cumprir a pena de prisão.

Evidentemente, a penitenciária não é o local indicado para o tratamento da dependência química. O ideal seria que o Estado estivesse apto a fornecer atendimento adequado, ambulatorial ou hospitalar, para que o dependente se recuperasse e o usuário eventual não se transformasse em viciado. No entanto, o Brasil vem seguindo, à risca, a política americana para a questão da droga, que é essencialmente repressiva.

Outro problema que nossa legislação apresenta é a inexistência de distinção entre o pequeno, o médio e o grande traficante. Mesmo quem entrega droga gratuitamente a consumo de terceiro comete o crime de tráfico ilícito de entorpecente e está incurso no mesmo Artigo 12 da Lei 6.368/76 ao qual estão sujeitos os traficantes mais perigosos. O amigo que cede um cigarro de maconha a outro amigo, conduta frequente entre os jovens, é considerado traficante. Não é razoável que a lei permaneça assim.

É bom esclarecer, ainda, que, embora a maconha seja consumida em larga escala em locais públicos, como praças, praias e estabelecimentos de lazer, continua proibida pela nossa lei. É ilusão concluir que em determinado local, por exemplo, uma praia de pouco movimento, não haja problema em usar droga. Não existem "locais liberados". Se a polícia surpreender o portador da droga, as medidas repressivas serão tomadas.

No mundo, o porte e o tráfico de drogas é geralmente proibido. A razão legal da proibição é o fato de que quem trafica ou porta droga para uso próprio representa perigo social. No caso do dependente ser também traficante, prevalecerá o crime mais grave, ou seja, o tráfico. O porte de droga para uso próprio fica absolvido. Na realidade, o que distingue o traficante do usuário é a intenção do agente. A finalidade que será dada à droga determina qual o artigo de lei aplicável ao caso concreto.

Para que se configure o tráfico basta que o indivíduo seja flagrado portando, guardando ou praticando qualquer das condutas do Artigo 12 da Lei de Entorpecentes, no intuito de fornecer a substância a terceiros a qualquer título. Não é necessário que ele seja visto vendendo droga ou que alguém admita ter comprado droga dele. Basta o agente ter a droga em seu poder ou guardá-la, com a intenção de entregar a outra pessoa, para que seja considerado traficante.

A quantidade de droga é um indicativo da finalidade que lhe será dada, mas não é tudo. Mesmo quando há pouca droga em poder de alguém, há alguns fatores que podem demonstrar que este se trata de um traficante e não de mero usuário. Entre eles, a forma de embalagem da substância, se própria para a venda; a existência de apetrechos para a comercialização, como papel alumínio, plástico ou celofane cortado e balança de precisão; dinheiro e objetos que usualmente são trocados por droga como celulares, relógios, toca-fitas, CDs e outros aparelhos eletrônicos; o local onde ocorreu o flagrante, que pode ser conhecido como ponto de tráfico; denúncias anônimas recebidas pela polícia indicando que alguém com as características do indivíduo encontrado com a droga é traficante etc.

A constatação principal a ser analisada quando se aborda a proibição do uso e do tráfico de drogas no Brasil é que o nosso sistema legal têm se mostrado ineficiente para controlar essas práticas. Com relação ao usuário, a proibição impede que ele seja devidamente tratado, pois há muito preconceito com relação ao tema, além do medo da repressão. As escolas expulsam alunos suspeitos de usar droga, em vez de procurar esclarecê-los sobre o risco da dependência e, se necessário, indicar tratamento e orientar os familiares.

Quanto ao tráfico, estima-se que menos de 1% da droga comercializada seja apreendida pela polícia e tirada de circulação, dado que é confirmado pelas evidências. Grandes quantidades de drogas são encontradas em todos os lugares, como se a atividade não fosse verdadeiramente proibida. O tráfico corrompe os serviços do Estado com muita facilidade e penetra em todas as instâncias de poder, atuando de forma organizada e com grande força, principalmente em países pobres como o Brasil. As autoridades que não são corrompidas ficam, muitas vezes, intimidadas com a violência dos métodos do crime organizado, temem represálias e não reagem. Daí a importância de uma reflexão sobre eventuais novas formas de enfrentar o problema.

A Justiça Terapêutica

Em termos de prevenção e combate ao uso e tráfico de drogas na esfera internacional, é possível distinguirmos dois grandes sistemas distintos: o norte americano e o europeu. O sistema norte americano é essencialmente repressivo, tanto com relação ao uso quanto em relação ao tráfico de drogas. Ambas as condutas são consideradas criminosas e as medidas na área são implementadas de forma coercitiva.

No entanto, em relação aos usuários, alguns estados americanos estão implantando a "Justiça Terapêutica", que, em síntese, procura evitar a prisão do dependente e, ao mesmo tempo, forçar a mudança de comportamento para que o consumo de entorpecente seja abandonado, monitorando a conduta do acusado judicialmente. O tratamento do dependente é a moeda de troca com relação à prisão. Se ele não obedece ao que foi imposto pela equipe multidisciplinar que acompanha seu caso, as penalidades são imediatamente aplicadas.

O sistema europeu também é rígido com relação ao tráfico, mas é mais tolerante quanto ao usuário. Na Holanda, existe a venda legal e controlada de entorpecentes considerados leves. O mito, no Brasil, é de que o uso de drogas naquele país seria liberado. No entanto, não é bem assim. Há locais em que é possível fazer uso de determinados entorpecentes, mas a venda é limitada e o intuito é diminuir o dano social, e não incentivar o consumo.

No Brasil, o tráfico é tratado com extremo rigor e punido com prisão em regime integral e fechado. Com relação ao usuário, o delito é entendido como de menor potencial ofensivo, e o agente pode ser beneficiado com a transação penal ou a suspensão condicional do processo. No Rio Grande do Sul é aplicada a Justiça Terapêutica, nos moldes americanos. De toda forma, as medidas adotadas com relação ao dependente de drogas devem sempre visar a sua recuperação e não a sua punição pura e simples.

Mitos e verdades sobre o Estatuto da Criança e do Adolescente

Miryam Mager
e Eliana Silvestre

Desde a regulamentação do Estatuto da Criança e Adolescente (ECA), em 1990, a política de proteção infanto juvenil no Brasil apresentou avanços e reveses. Dos avanços, toda a sociedade se beneficia. Quanto aos reveses, estes podem ser atribuídos, em boa parte, a uma série de mitos e mal-entendidos acerca dessa legislação específica. A má vontade, a má formação, a inabilidade ou apenas a falta de entendimento do ECA faz com que tais mitos, infelizmente já popularizados, continuem a se reproduzir perante a opinião pública. Algumas vezes, porém, os mal-entendidos são gerados e alimentados deliberadamente por profissionais, agentes públicos, políticos e lobbistas contrários às mudanças inauguradas pela Constituição de 1988, que, sem dúvida, trouxe um novo modelo para a questão da infância e da juventude no Brasil.

Alguns dos mitos a serem destacados neste capítulo foram extraídos da publicação de responsabilidade da Secretaria do Trabalho, Cidadania e Assistência Social – STCAS – e do Conselho Estadual dos Direitos da Criança e do Adolescente – CEDICA/RS – , por ocasião da III Conferência Estadual dos Direitos da Criança e do Adolescente, realizada em 2001. Mas, além disso, a elaboração desse rol de mitos é o resultado de anos de prática, tanto em cursos ministrados a profissionais que atuam direta ou indiretamente com a questão quanto por meio de observações feitas por profissionais que há muito militam na defesa desses direitos, a exemplo das autoras do capítulo e da equipe do Programa Multidisciplinar de Estudos, Pesquisa e Defesa da Criança e do Adolescente – PCA –, da Universidade Estadual de Maringá – UEM.

MITO 1: "O ESTATUTO SÓ FALA EM DIREITOS"

Essa é a afirmação mais frequente que se faz contra o ECA. Aqui, a má fé está em distorcer o próprio conceito de "direito". Desde quando direito pode ser entendido como sendo algo regido só pela consequência? O direito é sempre algo a ser conquistado, portanto, não é algo dado ou pronto para ser apanhado em uma prateleira. Para se alcançar um direito, é preciso cumprir determinadas regras. Não é possível desvincular o dever do direito, pois não existe a possibilidade de se ter acesso a um direito sem a contrapartida – cumprir o dever. Então, podemos concluir que constitui mesmo má fé ou ignorância afirmar-se que "o ECA só trata dos direitos".

Os que divulgam tamanha aberração por má fé devem ser denunciados porque, com certeza, estão agindo por interesses que ferem a Constituição. Aqueles que o fazem por ignorância devem ser esclarecidos, por meio de capacitação, cursos, encontros, fóruns, debates etc. Assim, ao entender que se o menino e a menina têm o direito de ir à escola, também subentende-se que esse menino ou menina têm o dever de ir à escola, ou que, se têm o direito ao respeito, têm o dever de respeitar.

O que deve ficar claro é que o ECA apenas estendeu a concepção de cidadania para as crianças e adolescentes e, em nenhum momento, retirou esse mesmo direito de ninguém. Ao afirmar os direitos da criança e do adolescente, o ECA pretende dar ênfase a uma mudança de concepção e de filosofia na relação com a infância e a juventude, e não contrapô-las aos direitos de outrem.

Também aqui é preciso ler o que está escrito na lei, e não cair em interpretações incorretas. O direito e o exercício da cidadania devem ser assegurados a todos, principalmente às crianças e adolescentes, uma vez que estes ainda estão em formação. Segundo a lei, essas pessoas estão em condição peculiar de desenvolvimento – o que não é mais o caso de um adulto – e podem ainda não saber como praticar, reivindicar ou defender tal direito.

O que é preciso que se entenda é que houve uma mudança de ênfase. Muito já se tratou dos deveres, da institucionalização das crianças e dos adolescentes, da disciplinarização dos corpos. No Brasil, tivemos quase um século de vigência do Código de Menores – de 1927 a 1979 – e, ao contrário do que muitos pensam, exercitamos e enfocamos muito mais as regras do que, de fato, nos debruçamos sobre as consequências desse rigor: os direitos e as formas de fazer cumpri-los. Esse é um dos motivos da ênfase dada agora aos direitos.

Outro motivo é o de desmascarar a ideologia escondida nesse procedimento calcado no dever. Quando o Código de Menores estava em vigor, por exemplo, não se perguntava por que uma criança ou um adolescente estava abandonado ou fora da escola. Afirmava-se – no Código de Menores – que por estar abandonado, ou seja, por estar nas ruas ou fora da escola, o jovem estava "vagabundando" e, por esse motivo, devia ser recolhido pelo poder correcional para "o enquadramento" pertinente.

Era como se a criança ou o adolescente abandonado fosse responsável pelo próprio abandono. O que a lei em vigor ressalta é a obrigação do Estado, da sociedade e da família de impedir que uma criança ou um adolescente fique abandonado e fora da escola, por exemplo. Assim, felizmente, não se pode culpar mais a própria vítima.

Mito 2: "Com o Estatuto, o professor perdeu a autoridade"

Isso não é verdade. A autoridade do professor não foi atingida. O que a lei veda é a prática de atos de violência explícita ou implícita, de crueldade e de opressão. Veda também a exposição da criança a situações de vexame e de constrangimento. Ao estabelecer um princípio de justiça, a lei não autoriza mais o uso do poder ou da força bruta contra aqueles que estão sob responsabilidade do Estado. Sendo a educação um direito garantido na lei, o próprio Estado deve fazer com que suas instituições garantam o acesso, a permanência e o grau definido em lei de formação formal para cada pessoa.

Todos os dispositivos legais devem ser mobilizados para que a lei seja cumprida e respeitada. Isso vale para o professor, para os pais, para as autoridades constituídas e para toda a população: ninguém tem o direito de desrespeitar a lei. O professor tem a obrigação de todo cidadão: dar às crianças e aos adolescentes um tratamento em que o direito à dignidade e ao respeito seja observado. Além disso, o professor deve levar em conta a sua própria condição de modelo e formador e, também, a condição da criança como pessoa em condição peculiar de desenvolvimento. Desse modo, os educandos não devem mais ser consideradas como objetos, mas sim como sujeito mesmo da ação pedagógica – tarefa e obrigação primordial de todos os educadores.

Considerar crianças e adolescentes como sujeitos implica a possibilidade de participação deles nas decisões, fazendo também com que sejam ouvidos quanto a seus dilemas e dúvidas. Quando necessário ou consensual, o professor deve modificar a sua própria proposta para adequá-la ao objetivo agora mais amplo. Isso não significa diminuir a autoridade do professor – figura essencial para a formação de qualquer cidadão –, da mesma forma que não significa descumprir os conteúdos programáticos ou a renúncia à avaliação dos alunos. Significa apenas mudança nas estratégias, no procedimento de expor os conteúdos e cumprir sua rotina.

Acima de tudo, significa privilegiar a metodologia participativa, em que regras e procedimentos são de consenso dos partícipes de uma determinada sala de aula e, assim, podem ser transparentes e concretos, além de capazes de ser acompanhados por todos. Quando as regras de uma situação – no caso da sala de aula – são definidas em parceria, o cumprimento delas é muito mais eficaz, uma vez que cada um foi corresponsável no processo de definição. Dividir a responsabilidade significa, pedagogicamente, transformar, ou seja, desenvolver cada pessoa para compartilhar – no seu dia a dia – a responsabilidade que todos temos com a melhoria da qualidade das relações humanas no nosso espaço social.

Mito 3: "O Estatuto é benevolente e paternalista"

Isso é falso, uma vez que o ECA não só estabelece os atos de infração como também responsabiliza penalmente o adolescente autor de ato infracional. Isso pode ser observado, sem muito trabalho, pela leitura atenta das medidas socioeducativas previstas no Artigo 112 do Estatuto. É importante ressaltar que inimputabilidade – como querem entender alguns – não é sinônimo de impunidade. Inimputabilidade apenas significa reconhecer que, pela idade do sujeito da infração, esse deve ser submetido a uma medida socioeducativa específica e adequada à sua maturidade. Portanto, é patente que o ECA não compactua com a delinquência ou com a autoria de ato infracional. Muito pelo contrário, o ECA perderia sua função, tanto legal quanto pedagógica, se não observasse as devidas punições para as infrações cometidas.

Na verdade, o que aconteceu em termos práticos foi que o Estatuto estendeu também aos adolescentes as garantias já dadas ao adultos, tais como o direito à defesa e à presunção da inocência, próprias do direito penal dos adultos. Tomemos um exemplo concreto para mostrar que a medida de internação, considerando apenas o aspecto da privação de liberdade, é idêntica às penas criminais: um adulto que pratica roubo à mão armada está sujeito à pena de cinco anos e quatro meses de reclusão, mas pode apenas cumprir cerca de dois anos (um terço dessa pena) se tiver bom comportamento. Já o adolescente que comete o mesmo delito pode ficar detido até três anos, caso a avaliação da Justiça da Infância e Juventude assim o recomende.

Mito 4: "O aumento da violência se deve aos jovens"

Os jovens representam, aproximadamente, 40% da população brasileira. No entanto, apenas 8% das infrações registradas são praticadas por adolescentes, enquanto os 92% restantes são cometidos por maiores de dezoito anos. Isso significa que, para cada homicídio praticado por um adolescente, dezessete jovens são mortos por adultos no Brasil. A questão deveria ser colocada, tanto pela mídia como pelos formadores de opinião, de maneira totalmente diferente: "ao invés de se falar em adolescentes perigosos, deveríamos, isto sim, falar em adolescentes em perigo", bem observa a publicação do CEDICA. Para aprofundar a discussão, sugerimos a leitura do capítulo "Juventude, temor e insegurança no Brasil", de Renato Sérgio de Lima e Liana de Paula, neste mesmo volume.

Outra mudança fundamental refere-se mais uma vez a uma nova visão e, especialmente, à ação no trato com a população infanto juvenil: o ECA determina que o atendimento não deve ser assistencial como na época em que o Código de Menores estava em vigor, mas sim educativo, pedagógico e universalizado, para todos os casos em que se constatar a violação de direitos – o que também deve valer, é lógico, para crianças e adolescentes, de todas as camadas sociais, que cometerem atos infracionais.

Toda vez que uma criança ou adolescente infringir a lei, deve ser submetido às medidas socioeducativas cabíveis. Do mesmo modo, sempre que um adolescente ou criança tiver seus direitos violados, devem ser mobilizados todos os procedimentos disponíveis para que sejam protegidos nos seus direitos. Em síntese, o acesso aos direitos deve ser considerado pela sociedade, e particularmente por todos os agentes sociais, como um bem inalienável de cada pessoa, seja ela adulta, jovem, adolescente ou criança.

Mito 5: "A solução está na redução da idade penal"

Segundo o CEDICA, em 55% dos países a maioridade penal é considerada a partir dos dezoito anos; em 19%, aos dezessete; em 13%, aos dezesseis e, apenas em 4%, ela é considerada a partir dos 21 anos. Nos Estados Unidos, durante os sete anos de endurecimento de sentenças aplicadas a jovens, o resultado foi a triplicação de crimes entre adolescentes. Lá, são 75 mil jovens infratores; aqui, 25 mil. A Espanha voltou atrás na decisão de reduzir a maioridade para dezesseis anos. A Alemanha, além de retornar a maioridade para dezoito anos, criou uma justiça especializada em crimes cometidos por pessoas de dezoito a 21 anos. Em nenhum país do mundo o agravamento da pena reduziu o número de infratores. É, portanto, fundamental que modifiquemos a mentalidade punitiva, correcional, alimentada pela cultura prisional em relação à infância e juventude.

Mito 6: "Existem crianças pobres porque somos um país pobre"

Devemos considerar que o Brasil está entre os países com pior distribuição de renda do mundo, ao lado do Panamá, Botsuana, Quênia e Costa do Marfim. Hoje, os 40% mais pobres da população brasileira ganham o equivalente a 8% da renda nacional; enquanto os 2% mais ricos ganham o equivalente a 65% da renda nacional, segundo dados oferecidos pelo relatório *Situação da Infância 2000*, do Unicef. Temos, assim, uma das maiores concentrações de renda do mundo. Avançamos na democracia política e na democracia social, mas temos muito a avançar na democracia econômica, tanto pública quanto privada.

Entretanto, não é pelo fato de termos muitas crianças e adolescentes pobres que estamos desobrigados a oferecer-lhes acesso aos seus direitos. A definição de ser humano não faz distinções baseadas no poder aquisitivo dos indivíduos. Sempre que isso ocorrer, estaremos diante de violações dos direitos fundamentais daqueles que são discriminados pelo seu *status* econômico.

Mito 7: "A criança que trabalha fica mais esperta e tem mais condições de vencer"

Desafiamos alguém a provar que o trabalho árduo e precoce é necessário para uma vida bem-sucedida. O trabalho árduo não qualifica ninguém. Muito pelo contrário, ao substituir a educação e a formação de uma criança pelo trabalho, estamos apenas impedindo que ela desenvolva habilidades e conhecimentos necessários para se tornar um cidadão efetivo. O trabalho precoce limita o acesso da população infanto juvenil ao exercício pleno dos seus direitos de ser criança, de estudar, de se encaminhar na vida afetiva, social e econômica de forma digna e adequada. Mais que isso, impede, como consequência política da falta de investimento nos jovens, que o país se desenvolva e que crie as condições necessárias para integrar essa população ao mercado e à cultura. E, sabemos, o futuro de qualquer país depende daquilo que é oferecido à sua juventude.

O Estatuto, contudo, não é contrário ao trabalho educativo, pois, ao determinar à população infanto juvenil o acesso às várias formas de formação, entende que qualquer sujeito de direitos só se transforma em cidadão se for desenvolvido nesse propósito. O que o ECA visa é erradicar o trabalho infantil e a exploração do trabalhador adolescente. Por isso, proíbe a exploração sexual e o trabalho que ofereça risco pessoal ou social, assim como aquele que dificulta ou retira a permanência jovem da escola. Mas o problema, de fato, é tão grave e tão variado que o Estado não se vê na condição de implementar todas as metas de uma só vez. Para dar conta desse problema, o Estado e os "educadores" devem trabalhar por metas específicas, para que, paulatinamente, seja possível adequar todos os setores da sociedade ao cumprimento da lei.

Mito 8: "O Estatuto é muito avançado para a nossa realidade, para ser cumprido, somente alterando a realidade"

Uma lei, por mais democrática que seja, não altera por si uma situação, uma realidade. Ela é um instrumento, um meio, apenas. Como afirma a publicação do CEDICA, o trânsito da lei para a realidade depende de fatores históricos, culturais, econômicos, políticos e sociais. As conquistas legais já alcançadas no Brasil – como a própria efetivação do ECA – foram conseguidas por meio de muita pressão por parte da sociedade.

A constatação de que o ECA é um instrumento legal avançado apenas sinaliza o quão atrasada está a sociedade brasileira no que concerne à infância e à juventude. A própria necessidade de se instituir uma lei específica – o próprio ECA – já demonstra o quanto ainda estamos defasados nessa área. Na verdade, tal constatação é, em si, a denúncia de nossa inoperância e impotência diante dos esquemas de exclusão em nosso país.

Mito 9: "A violência é gerada pelo uso das drogas"

O problema das drogas é uma questão social e, de fato, atinge uma grande parcela dos adolescentes e, em alguns casos, inclusive crianças. Mas as drogas apenas potencializam a violência que já habita o imaginário social e a própria sociedade de maneira assustadora. Nas ruas, na escola e em casa, a relação entre as pessoas já está contaminada pelo medo e pela paralisia que ele provoca. O medo arma os espíritos e ajuda a propagar a violência da qual se acredita estar protegendo.

A violência social já vigente – que impede uma grande parcela de nossos jovens de terem acesso aos bens públicos, como escolas de boa qualidade, oportunidade de habilitação profissional, vagas de trabalho etc. – é muito mais responsável pelos níveis crescentes de violência do que, de fato, o consumo de drogas. Este é consequência e não causa do problema. É evidente que o fácil acesso às drogas é um componente a mais nos níveis de violência a que estamos submetidos. Mas a verdadeira causa deles é a inércia do Estado e a ausência de políticas públicas assentadas em fundamentos éticos e sociais, que privilegiem como normativas legais os direitos fundamentais e sociais já acordados pela sociedade brasileira.

Se os instrumentos legais fossem respeitados, se as análises e os componentes geradores de violência fossem, de fato, colocados às claras, se as providências de intervenção fossem tomadas junto aos locais e públicos adequados – pais, professores, juízes, conselheiros de direitos, conselheiros tutelares, equipe das secretarias sociais dos municípios, membros de organizações sociais não governamentais, membros de pastorais da criança, do adolescente e de jovens, profissionais como psicólogos, pedagogos, assistentes sociais etc., enfim, se todo esse exército qualificado fosse mobilizado na direção correta, aumentaríamos sem dúvida a eficiência da atenção necessária para a criança, o adolescente e o jovem. Por consequência, diminuiríamos tanto a violação dos direitos – geradora de violência – como a própria raiz da violência.

Portanto, as causas mais fundamentais da violência só podem ser alteradas com políticas sociais preventivas, capazes de evitar que crianças e adolescentes entrem em contato com pessoas, situações ou substâncias que coloquem em risco sua integridade física e moral. O Poder Público e os adultos – pais, professores, instrutores etc. – detêm a tarefa de fazer, de nossas crianças e jovens, adultos cidadãos. A tarefa mais difícil e urgente é, assim, encontrar pessoas adultas em número suficiente para se contrapor, com ações adequadas e socialmente transformadoras, às mazelas sociais que geram a desesperança na nossa população infanto juvenil.

Mas fica patente que o aumento da violência se deve à estrutura social vigente no país. Se formos capazes – como se mostra capaz o crime organizado – de instalar uma rede de pessoas, serviços e atendimentos não controlados pelos ditames do mercado, da mercadoria e do imediatamente descartável, teremos força para mudar a situação de nosso país. Se as crianças e os jovens de hoje tiverem acesso aos serviços e bens sociais – que, pela Constituição do país, todos temos direito – então as crianças e os jovens de amanhã estarão melhor preparados do que os de agora.

Mito 10: "O Conselho Tutelar não pune o adolescente indisciplinado e, por consequência, não satisfaz as aflições da escola"

O Conselho Tutelar é bastante acionado pelas escolas, tanto nos casos de violência como nos casos de indisciplina dos alunos. Responsável pela aplicação de medidas de proteção, ele age por meio da requisição de serviços por parte de órgãos governamentais e não governamentais, sempre quando necessário. Contudo, não cabe mesmo ao Conselho Tutelar a punição de crianças e adolescentes, pelo simples fato de que ele é exatamente o órgão de proteção dessa parcela específica da população. Cabe ao Conselho Tutelar, na verdade, verificar os abusos, encaminhar as crianças e adolescentes a atendimentos específicos, sempre que estes tiverem seus direitos desrespeitados por alguém.

Infelizmente, ainda estamos distantes do funcionamento ideal dos conselhos tutelares. Isso não significa que a sua criação não seja fundamental na definição e implementação de valores, políticas e atitudes adequadas ao trato com a população infanto juvenil. Significa apenas que muitos conselhos ainda não funcionam como deveriam. Para o bom funcionamento do Conselho Tutelar, é necessário, antes, um bom conselheiro. É fundamental que os membros do Conselho Tutelar tenham conhecimento do seu papel para orientar as escolas, os programas e a população de modo geral para as formas e os casos de encaminhamento de questões relacionadas à população infanto juvenil.

Não é preciso esperar que toda a sociedade se modifique para que as mudanças estruturais comecem a acontecer. A responsabilidade é de todos. A escola, por exemplo, é um campo fértil de implementação e conscientização dos direitos humanos. Por meio de metodologias adequadas, a escola é capaz de transformar educador e educando em parceiros de relações humanas pautadas no direito, na dignidade e no respeito. É possível esperar o mesmo daqueles que atuam em programas, ações e projetos sociais. Em última análise, essas pessoas, assim como as autoridades, também funcionam como educadores e modelos para a sociedade em geral.

Por meio de um projeto pedagógico discutido e estabelecido em consonância com a política de direitos, cada escola pode elaborar um regimento interno baseado em regras saudáveis de convivência. Mas isso deve ser precedido de um amplo debate, em que todos os integrantes da instituição – inclusive crianças, adolescentes, pais ou responsáveis – proponham e combinem critérios e prioridades a serem observados por todos. Os casos de indisciplina escolar, por exemplo, devem ser previstos e incluídos na proposta pedagógica, pois de outra maneira o regimento interno se tornará – como muitas leis – letra morta.

Pais e alunos devem estar cientes das razões e do porquê de participarem do processo e do resultado da elaboração do estatuto ou regimento escolar. Assim, nos casos de desobediência, não só a direção pedagógica da escola mas também os pais poderão, em conjunto, assumir a responsabilidade da promoção ou punição estabelecida. Agindo assim, a escola será capaz de difundir, para toda a sociedade, uma conduta pautada na observância dos direitos humanos, servindo como exemplo e atuando como uma peça fundamental para a efetiva mudança nas concepções sobre a infância e adolescência no nosso país.

Considerações finais

Faz-se necessário, portanto, desfazermo-nos de velhas concepções e preconceitos e ter em mente que o ECA estabeleceu um novo modelo para o trato das crianças e adolescentes no país. A mudança mais importante foi a de que, com o Estatuto, crianças e adolescentes passaram a ser considerados como sujeitos de direitos. Foi dada ênfase, no texto da lei, aos Princípios da Prioridade Absoluta e da Proteção Integral para o grupo de pessoas consideradas "em desenvolvimento", ou seja, toda população entre o nascimento e os 21 anos de idade.

O ECA estabeleceu ainda um modelo de integração das políticas públicas para a infância e a juventude, em que ações na área da educação, saúde, habitação, assistência social, esporte, cultura e lazer devem tecer uma Rede de Proteção Integral. O conjunto dessas políticas públicas é denominado Sistema de Garantia de Direitos e, com efeito, deve funcionar integrando políticas, objetivos e procedimentos, formando um corpo organizado e abrangente de ações que, por meio de parcerias diversas, garantam, de fato, o acesso efetivo aos direitos a todas as crianças e adolescentes brasileiros.

Para dar forma e estabilidade a essa Rede de Proteção Integral, todos os agentes sociais devem também atuar em parceria com a sociedade civil, debatendo, definindo e divulgando as políticas públicas, que devem atingir crianças e adolescentes de todas as camadas sociais, culturais e étnicas do país. Outra mudança significativa em vigor, a partir do ECA, foi a criação de conselhos deliberativos para as políticas de direitos. O Conselho de Direitos deve estar presente nos três níveis de governo, Federal, Estadual e Municipal, e ser um órgão autônomo, deliberativo e responsável pela formulação das políticas públicas, bem como responsável pelo controle das ações governamentais e não governamentais.

É preciso ter em mente que os conselhos só podem exercer bem sua tarefa se assegurarem, em sua composição, uma efetiva participação popular, aliás garantida pela lei que define a chamada "representação paritária" – ou seja, 50% de seus membros devem ser representantes dos órgãos governamentais e os outros 50%, representantes de entidades e da sociedade civil. Somente dentro desse critério os conselhos poderão chamar a si, legitimamente, a tarefa de propor e definir prioridades, programas e projetos para a implementação das políticas públicas para a população em geral.

O que a lei pretende garantir é que a sociedade não esteja submetida apenas à boa ou má vontade do governante de plantão. Fundamentalmente, ela busca preservar a continuidade em relação às políticas infanto juvenis, que devem prosseguir, sem interrupção, independente de questões partidárias e possíveis alternâncias de poder. Mas uma das dificuldades encontradas, na prática, para uma ação contínua e ordenada está na própria dinâmica dos conselhos. Isso porque eles devem necessariamente se perceber de fato autônomos, como instâncias necessárias e prioritárias que são, trabalhando para o cumprimento integral do Sistema de Garantia em cada bairro, município, região ou estado, a despeito das alterações que possam vir a ocorrer na composição de seus quadros. Afinal, a implementação de políticas participativas impõe cronogramas e ações que devem ser implementados passo a passo, até sua concretização definitiva.

A participação dos próprios beneficiários das políticas para infância e juventude também deve ser privilegiada pelos conselhos, uma vez que, assim procedendo, já estarão promovendo, por um lado, o protagonismo – regra fundamental da democracia participativa –, e, por outro, criando as condições para a confecção de uma agenda de ações e programas que levem em conta as reais necessidades da população-alvo. Atualmente, cabe ao Conselho Nacional dos Direitos da Criança e do Adolescente – CONANDA – o papel de difundir, sensibilizar e mobilizar a sociedade para a participação dos adolescentes na definição de políticas públicas, mas esta é uma tarefa que cabe igualmente a todos aqueles que trabalham e atuam com a questão da juventude em nosso país.

Em alguns municípios, por exemplo, já se observa a realização da Conferência dos Meninos e das Meninas, em que a prática é priorizar eixos temáticos e oficinas escolhidas pelos próprios garotos e garotas. Os resultados são colhidos em discussões e as propostas formuladas nesses fóruns são, posteriormente, encaminhadas para a Conferência dos Direitos, municipal. Dessa instância – e com a mesma metodologia – os resultados deliberados são enviados para as Conferências Estaduais.

Finalmente, os resultados obtidos pelas Conferências Estaduais são enviados para a Conferência Nacional que, por sua vez, também delibera sobre prioridades e eixos de ação que, novamente, mobilizam os temas e as políticas nos fóruns e conferências municipais. Através dessa dinâmica, com a inclusão daqueles diretamente envolvidos na discussão de suas próprias necessidades e direitos, é possível um avanço que significa, de maneira transparente e pedagógica, o desenvolvimento do protagonismo infanto juvenil, um dos elementos vitais para o efetivo desenvolvimento da cidadania.

Outra mudança estabelecida pelo ECA foi a criação dos conselhos tutelares, órgãos também autônomos e responsáveis pela aplicação das medidas de proteção às crianças e aos adolescentes, quando esses têm seus direitos violados. Aqui, há ainda um longo caminho a ser percorrido, pois muito ainda falta para que o Poder Judiciário, o usuário, a sociedade e os próprios conselheiros entendam e exerçam na íntegra o seu papel.

Consideramos importante frisar, mais uma vez, que nesse processo não se deve ter somente adultos definindo políticas para crianças e adolescentes, como aliás foi característica da trajetória das políticas para a infância e juventude até então no Brasil. O "adultocentrismo", ou outro tipo qualquer de centralização, só poderá ser superado quando os níveis de decisão, de fato, não forem mais controlados apenas pelos adultos, mas quando os próprios beneficiários de uma política participarem também no processo de escolha e de implementação desta.

Uma outra alteração significativa, pela qual os movimentos sociais e os setores envolvidos com a questão da criança e do adolescente muito trabalharam, deu-se em 2003, com a vinculação administrativa do CONANDA, antes ligado ao

Ministério da Justiça, à Secretaria dos Direitos Humanos. Essa modificação se deveu ao reconhecimento – um tanto tardio, diga-se de passagem – que o tema da infância e da adolescência e, principalmente, o trato da criança e do adolescente real, deve ser assunto não para a Justiça, mas uma questão de direitos humanos, uma vez que a grande questão é a não observância dos direitos que essa população tem assegurados pelo ECA e pela Constituição Federal.

Como vimos, não existe razão para culpar o ECA pelos problemas sociais hoje atribuídos à população infanto juvenil. Não quer dizer que tais problemas sociais não existam. Eles existem e são graves. Ainda há crianças trabalhando enquanto deveriam estar na escola. Ainda há uma imensidão de meninos e meninas nos semáforos das nossas cidades, expostos ao risco diante do olhar de todos, sem que nenhuma providência seja tomada pelas autoridades ou pelos cidadãos deste país. Ainda temos o crime organizado habitando os espaços sociais mais vulneráveis, impondo o medo e seu modo perverso de agir.

Ainda temos, também, pais e mães que nunca receberam nenhum tipo de atenção e orientação para administrarem a sua pobreza econômica, cultural, psicológica ou social, embora deles se exija que cuidem de seus filhos com um salário mínimo – ou ainda menos que isso. Todos sabemos que nessas condições – por mais boa vontade que possam apresentar – não lhes é possível atender a essa demanda social. Os provedores há muito rarearam. Mais de 30% dos lares brasileiros são mantidos por mulheres que, convenhamos, não podem estar presentes em casa e no trabalho ao mesmo tempo. Falta Estado. Falta vontade política para possibilitar a essa população condições dignas de vida.

Por essa e muitas outras razões, não podemos culpar as vítimas de seu destino, mas sim acusar o poder público de não cuidar como deveria das populações excluídas – ou como genericamente as classificamos, as "populações de periferia". Aliás, como "periferia" consideramos as favelas, as invasões ou ocupações urbanas irregulares, embora muitos condomínios de luxo também se estabeleçam, por meio de invasão ou ocupação, em espaços urbanos não autorizados. A diferença entre uma ocupação e outra é o seu poder econômico e, consequentemente, sua "aceitação social". Bater apenas no mais fraco é, na verdade, uma ação social covarde. E é isso que precisa ser revisto com urgência.

Bibliografia

Conselho Estadual dos Direitos da Criança e do Adolescente – CEDICA. *Cadernos de Estudos III Conferência Estadual dos Direitos da Criança e do Adolescente* – Secretaria do Trabalho, Cidadania e Assistência Social – STCAS – e Conselho Estadual dos Direitos da Criança e do Adolescente – CEDICA – RS, s/d.

Constituição da República Federativa do Brasil. Promulgada em 05 de outubro de 1988/obra coletiva de autoria da Editora Saraiva com a colaboração de Antonio Luiz de Toledo Pinto, Marcia Cristina Vaz dos Santos Windt e Lívia Céspedes. – 28. Ed. – São Paulo: Saraiva, 2001.

Estatuto da Criança e do Adolescente. Lei nº 8.069/90 – Brasília. Ed. Atlas S/A: São Paulo, 5ª ed., 1997.

PROGRAMA MULTIDISCIPLINAR DE ESTUDOS, PESQUISA E DEFESA DA CRIANÇA E DO ADOLESCENTE. Programa diretamente vinculado à Pró-reitoria de Pesquisa e Extensão da Universidade Estadual de Maringá.

MINAYO, M.C. *O desafio do conhecimento – pesquisa qualitativa em saúde.* 5ª edição. São Paulo/Rio de Janeiro: Hucitec/Abrasco, 1998.

OLIVEN, R.G. "Chame o ladrão: as vítimas da violência no Brasil". In: Boschi, R.R. (org.). *Debates Urbanos – violência e cidade.* Rio de Janeiro: Zahar, 1982. p. 21-28.

VELHO, G. "Violência, reciprocidade e desigualdade: uma perspectiva antropológica". In: Velho, G. e Alvito, M. (orgs.).*Cidadania e violência.* Rio de Janeiro: Editora da UFRJ e Editora da FGV, 1996. p. 10-24.

VIEIRA, E. *O Estado e a sociedade civil perante o ECA e a LOAS.* In: Serviço social e Sociedade. Nº 56. São Paulo: Cortez. Março/1998, p. 9-22.

ZALUAR, A. A. "Globalização do crime e os limites da explicação local". In: Velho, G. e Alvito, M. (orgs.). *Cidadania e violência.* Rio de Janeiro: Editora da UFRJ e Editora da FGV, 1996. p. 48-68.

Juventude, temor e insegurança no Brasil

Renato Sérgio de Lima
e Liana de Paula

Após a década de 1970, quando o Brasil entrou na rota internacional do tráfico de drogas, houve uma consequente expansão do consumo ilícito de substâncias psicotrópicas no país. Ao mesmo tempo, ocorreu também um aumento significativo da participação de jovens entre 15 e 24 anos nos crimes considerados violentos, seja como autores ou como vítimas. Esses fatores, associados, têm sido fonte de temor e preocupação em nossa sociedade, sendo apresentados como sintomas de uma suposta situação de "explosão e descontrole" da violência.

No entanto, também nos Estados Unidos e em países europeus como França, Grã-Bretanha, Itália e Alemanha, a inquietação decorrente da associação entre juventude, criminalidade e violência também tem sido uma constante. Certamente, tal inquietação ganha contornos mais dramáticos em determinados contextos históricos e políticos e, desse modo, faz-se necessário problematizar tal associação e discutir algumas das particularidades existentes no Brasil, uma vez que ela faz parte do nosso processo histórico e não tem origem em anos recentes.

Na sociedade brasileira, há fatores menos visíveis, como o alto consumo de bebidas alcoólicas, os elevados padrões de litigiosidade social (brigas de casais e de vizinhos, por exemplos) e o fácil acesso a armas de fogo, que atuam decisivamente no desfecho violento de conflitos interpessoais e que são, por isso, relevantes na tentativa de compreender as tendências e causas da violência entre nós. Ainda assim, florescem explicações simplificadoras e reducionistas que, em nome de respostas difusas, "espetaculosas" e imediatistas, apenas despertam os sentimentos de medo e de insegurança da população. Principalmente quando transformam a associação entre juventude e violência na causa central do atual crescimento da criminalidade urbana, alimentando a imagem da juventude como fonte de temor.

De acordo com o *Mapa da criminalidade no Brasil (2004)*, publicação da Secretaria Nacional de Segurança Pública, do Ministério da Justiça, o próprio crescimento da criminalidade não pode ser mais confirmado em várias cidades do país. Em muitas delas, inclusive, os crimes violentos têm até mesmo apresentado tendências decrescentes nos últimos dois anos. Isso implica discutir um outro aspecto e que tem a ver com o descompasso entre a percepção coletiva de medo e a insegurança e o movimento concreto da criminalidade. São fenômenos diferentes e, como tal, exigem que a associação entre juventude e violência seja considerada tanto numa como em outra perspectiva.

Não raro, a associação entre juventude e violência é justificada pelo uso e o comércio de substâncias entorpecentes ilícitas. De fato, a nosso ver, essas substâncias podem ser consideradas como potencializadoras de atos violentos praticados por jovens (e também por adultos), seja pelos efeitos que causam em seus usuários, seja pelas relações sociais que as permeiam e que fazem uso intenso, por exemplo, das armas de fogo. Porém, a simples equação "drogas ilícitas mais juventude igual a violência" parece mistificar a discussão, pois desconsidera outros fatores decisivos na produção da violência urbana. Deixa-se de lado, por exemplo, a própria história da juventude no Brasil, a alta impunidade, a corrupção de operadores do sistema de justiça criminal, a violência policial e o desrespeito aos Direitos Humanos, a superpopulação carcerária, os maus-tratos e torturas em prisões e nas instituições de tutela de adolescentes em conflito com a lei, tudo isso entre outros tantos fatores que ajudam a criar o quadro atual da segurança pública no Brasil.

Seja como for, esses são apenas alguns exemplos de como a associação entre juventude e violência é algo que deve ser contextualizado num cenário mais amplo, que traga à tona a forma como o Estado, em suas múltiplas esferas e poderes, está organizado para mediar e solucionar conflitos. Ou seja, sem levar em conta a existência de uma multiplicidade de motivos que desencadeiam o atual quadro de violência, medo e insegurança no país, somos impedidos de enxergar uma lógica urbana mais ampla e complexa, em que valores tidos como chave no processo de socialização aparecem de modo fragmentado.

Enfim, o conceito de "violência" incorpora outras dimensões que não somente a da criminalidade; porém, ao restringir nossa análise a essa última, estamos fazendo uma opção teórica e metodológica que visa problematizar o papel desempenhado pelos jovens na construção do imaginário coletivo de medo e insegurança. Ao fazer esta opção, que fique claro, não estamos desconsiderando a importância de outras dimensões do fenômeno da violência. Estamos apenas optando por focar um dos aspectos do fenômeno e jogar luz sobre ele, na tentativa de fazer avançar o conhecimento, pois, na nossa opinião, o conceito "violência" é amplo demais e, por consequência, exige selecionarmos as dimensões que pretendemos focar.

MODERNIZAÇÃO, SOCIALIZAÇÃO E JUVENTUDE: UM OLHAR PANORÂMICO

Desde o clássico estudo de Philippe Ariès, *História social da criança e da família*, noções como infância, adolescência e juventude passaram a ser vistas como construções históricas e sociais contemporâneas à emergência da sociedade moderna. A modernidade, implicando a redefinição da família e do Estado, engendrou uma concepção de indivíduo cuja identidade deixou de ser uma determinação herdada e preestabelecida pelo *status* social familiar e se transformou no resultado de uma construção complexa, de um processo de formação dividido em períodos da vida humana que marcavam as etapas de transição para a fase adulta.

Por um lado, essa concepção significava uma liberação das trajetórias biográficas em relação aos autoritarismos e imposições familiares e comunitários. Ou seja: ao indivíduo moderno apresentavam-se as possibilidades de autodeterminação e autonomia por meio do desenraizamento em relação às normas e aos papéis tradicionais. Por outro lado, essas possibilidades foram cerceadas pelo surgimento de instituições sociais que, para além das grandes estratégias de controle social, priorizavam as táticas locais de microcontrole dos indivíduos.

Nesse esteio, instituições modernas, como a escola e a fábrica, colocaram em prática novas formas de exercício de poder sobre os indivíduos, uma tecnologia voltada para o microcontrole do corpo, sua vigilância, seu treinamento, sua utilidade. Com a tecnologia disciplinar, imprimiram-se mudanças significativas em duas categorias essenciais para qualquer sociedade, a saber, o tempo e o espaço. Assim, surgia a concepção de tempo linear, progressivo, evolutivo, concepção essa que se mostraria central para a produção dos indivíduos ao fundar a base de construção das noções de infância, adolescência e juventude como etapas progressivas dessa produção. Ademais, estabelecia-se uma relação complexa entre as instituições e os indivíduos, em que a identidade destes passaria a ser o resultado de seu embate com os microcontroles institucionais atuantes em cada etapa de sua vida.

Dito de outro modo, a trajetória biográfica percorrida pelo indivíduo desde sua infância, passando pela adolescência e juventude, e as formas como esse indivíduo incorpora ou resiste às tentativas de tipificação e padronização do comportamento por parte das instituições sociais passam a determinar aquilo que ele é. Assim, os modos de resistência ou incorporação dos tipos institucionalizados, que variam de acordo com características de cada um, constituem a identidade individual que, em contrapartida, depende da incorporação da linguagem socialmente institucionalizada para ser inteligível.

Nesse sentido, se a modernização significou um desenraizamento em relação aos papéis e normas sociais tradicionais e, assim, uma maior mobilidade e liberdade individual em relação a esses papéis e normas, ela também implicou o aparecimento de novas formas de determinação das biografias individuais por meio de variados controles institucionalizados que limitavam as possibilidades de escolha individual a uma gama mais ou menos prescrita de opções. Daí a importância do processo de socialização moderno, o qual dependia da inserção dos indivíduos nas instituições que tentavam introjetar neles os controles, as normas, os papéis e os valores sociais desde a infância.

Por certo, as instituições capazes de exercer tais controles e moldar as biografias individuais emergiram de mudanças profundas na estrutura social. Com a especialização da produção econômica em larga escala e a industrialização, a família deixou de ser a base da produção material, da manutenção do patrimônio e do *status*. Em contrapartida, os novos rumos da produção exigiam cada vez mais o treinamento técnico especializado, o que fortalecia a escola como instituição essencial para garantir a inserção no mercado de trabalho. Mais ainda, situando-se no período de transição entre a vida familiar e a vida profissional, entre a infância e a fase adulta, a escola tornar-se-ia a chave do processo de socialização, na qual os indivíduos internalizariam as regras, os controles e os valores que regiam o mundo do trabalho, bem como obteriam as credenciais de qualificação e formação adequadas para o ingresso nesse mundo cada vez mais competitivo e menos determinado por tradições familiares.

Consequentemente, a industrialização e a escolarização significaram a perda da hegemonia familiar sobre o processo de socialização e formação das novas gerações. No Brasil, marcado pela modernização tardia, essa perda esteve relacionada ao declínio da sociedade colonial ao longo século XIX, quando as organizações familiares, patriarcais ou não, deixaram de formar a base da produção agrária e das relações sociais. De fato, a sociedade brasileira passaria por profundas mudanças estruturais com a urbanização e a industrialização, que se intensificariam no século XX. No entanto, antes mesmo que a escolarização pudesse ser considerada expressiva, o que só ocorreria após a década de 1930, uma outra instituição se afirmava a partir do declínio econômico e político das famílias. Tratava-se da formação do Estado nacional.

Em sua análise sobre o Estado moderno, Michel Foucault assinala que a família desaparece como modelo de governo, emergindo em seu lugar um novo modelo centrado no Estado e na gestão das questões populacionais. De fato, no Brasil, verificou-se uma tendência à diminuição da efetiva força política que as antigas famílias coloniais detinham em relação à Coroa portuguesa quando surgiu, no início do século XIX, o Estado nacional. Assim, enquanto esvaziava-se a capacidade de determinação política das famílias, o Estado brasileiro consolidava-se por meio da gestão das questões urbano-populacionais que apareceram com o crescimento demográfico das cidades no século XIX. Visando gerir os espaços urbanos e suas populações, o Estado endossou o desenvolvimento de políticas de saúde pública que, pautadas pela produção das taxas de natalidade e mortalidade, marcaram o século XIX pelas tentativas de higienização.

Entre o final do século XIX e o início do século XX, as estatísticas criminais começaram a ser sistematicamente produzidas e, com elas, novas políticas de contenção e tratamento da população foram criadas e implementadas. A novidade referia-se à questão do tratamento e recuperação dos indivíduos que haviam se envolvido com práticas ilícitas, isto é, do estabelecimento da aliança entre punição e terapêutica, entre juristas, como Mello Mattos, autor do primeiro Código de Menores, de 1927, e médicos higienistas, como Moncorvo Filho. Essa aliança difundiria pela sociedade a noção de que a origem da criminalidade estaria na infância, fase da vida em que os padrões e normas sociais não teriam sido ainda introjetados pelo indivíduo.

Dessa feita, a concepção moderna de indivíduo constituía-se a chave de interpretação da conduta violenta, de modo que a violência passou a ser vista como consequência de biografias individuais "desviantes", isto é, que escapavam à socialização pelas vias da família, da escola e da fábrica e, portanto, tais "desvios" localizavam-se entre os períodos da infância e juventude. Contudo, esse processo não se deu de forma equânime entre os vários segmentos socioeconômicos da população. Os jovens "desviantes" das classes média e alta foram inseridos na terapêutica médica e psicológica, nas quais o tratamento dispensado era responsabilidade da família. Ao contrário, os jovens das camadas pobres da população foram cercados por um complexo tutelar e de vigilância comandado pelo Estado, numa oposição entre privado e público.

No início do século XX, crianças e jovens pobres que estavam pelas ruas das cidades e que não haviam sido capturados pelas instituições socializadoras (família, escola e fábrica) transformaram-se em fonte de preocupação, cautela e, até mesmo, temor por parte da população. Muitos deles tornar-se-iam "bodes expiatórios" do crescente sentimento de insegurança no cotidiano urbano, vistos como causadores dos aumentos nas taxas de criminalidade. Mereceriam, por conseguinte, o olhar vigilante das instituições de controle social, com destaque para a polícia, e legitimariam a expansão pelo Estado dos serviços de educação e punição de crianças e jovens.

A gestão da infância e juventude, vertente da gestão urbano-populacional pelo Estado, cristalizou-se como intervenção sobre as classes pobres com a promulgação do Código de Menores de 1927 e a expansão da escolarização a partir da década de 1930, quando a instrução pública passou a ser direito constitucional. Lançavam-se, assim, as diretrizes de tratamento para a infância e juventude que se desenvolveriam ao longo do século XX e que seriam marcadas pelas tendências de internação maciça como política pedagógica e de centralização político-administrativa.

A partir de então, o Estado assumia a responsabilidade pela gestão das questões do abandono e da delinquência, direcionando suas ações para as crianças e jovens que não estavam inseridos na socialização pela família, escola e fábrica e respondendo a essa "falha" no processo de socialização com a internação em instituições públicas de assistência. A assistência social também se alteraria, sendo a caridade religiosa e a filantropia privada substituídas pelas ações governamentais e suas políticas sociais centralizadoras.

As tendências de internação e centralização expandiram-se mais explicitamente nos períodos ditatoriais, isto é, no Estado Novo, entre 1937 e 1945, e no Regime Militar, entre 1964 e 1984. No entanto, o período pós-1964 deparar-se-ia com questões que deram novos contornos à imagem da criminalidade urbana e que exauriram a capacidade de controle da fórmula internação-centralização. A entrada maciça e a expressiva disseminação da cocaína, a partir da década de 1970, bem como a estruturação do tráfico e consumo de entorpecentes e a proliferação do acesso a armas de fogo, na década de 1980, agregaram drogas e armas à associação entre juventude e violência. Embora o mercado ilegal de drogas e, principalmente, a banalização das armas de fogo tenham, de fato, alterado as características da criminalidade, com o aumento dos crimes de maior potencial ofensivo, a associação entre juventude e violência fazia com que essas alterações fossem socialmente percebidas, muitas vezes como consequência da rebeldia e inconstância "intrínsecas" à juventude.

Assim, essa associação reduzia (e ainda reduz) o fenômeno da criminalidade urbana a questões privadas ou familiares, a casos individuais em que a necessidade de contestação, a irresponsabilidade e a inconstância da juventude escapavam aos parâmetros da autoridade familiar exemplar e excediam em muito os limites socialmente dados. No entanto, e para além de causas individuais isoladas, as novas configurações da criminalidade urbana, principalmente a partir da década de 1980, evidenciam a consolidação de eixos socializadores conflitivos e cerceadores que transferem para os indivíduos, em particular os jovens pobres, o ônus dos problemas sociais de seu contexto.

Conhecida como a "década perdida", pelos baixos índices de crescimento, pela falência gerencial das cidades e pelo empobrecimento da população – efeitos das políticas econômicas adotadas durante o regime militar – a década de 1980 explicitou o conflito quase inevitável das trajetórias que se impunham aos jovens pobres e que cindiam suas possibilidades de formação e inserção social entre as vias do trabalho ou da criminalidade.

Ademais, essa década marcou uma ruptura na história da criminalidade com a introdução das armas de fogo, fruto muito mais do aumento da produção nacional dessas últimas do que, como inicialmente podemos imaginar, do contrabando – o maior número de crimes cometidos no país faz uso de armas fabricação brasileira, cuja indústria bélica de armas portáteis é uma das maiores do mundo. Tratava-se do declínio da figura do malandro, com sua navalha e seu horror à disciplina do trabalho e às obrigações familiares, e da ascensão da imagem do bandido, com a arma de fogo em punho e a opção pela estética do tráfico como meio de vida.

Em seu clássico estudo sobre o conjunto habitacional Cidade de Deus, no Rio de Janeiro, *A máquina e a revolta: as organizações populares e o significado da pobreza*, Alba Zaluar assinala os impactos do empobrecimento e da nova criminalidade para as relações comunitárias e geracionais. Nesse sentido, se trabalho e criminalidade constituem os eixos de socialização que agem simultaneamente na formação dos jovens pobres, os trabalhadores encontram dificuldades em formar os jovens de acordo com seus valores e padrões devido à impossibilidade estruturalmente dada pela pauperização de exercer plenamente a função de provedor.

Com a consequente perda do sentido do trabalho, instaura-se um conflito entre a ética do provedor e uma concepção negativa do trabalho, que o associa à escravidão, e se abre o caminho para a valorização da criminalidade e suas promessas de ganhos fáceis e imediatos. Além disso, a socialização pelo eixo da criminalidade torna-se atrativa pela reviravolta que produz na relação hierárquica entre gerações, pois, com a fácil aquisição de armas pelos jovens, as gerações mais velhas terminam por serem submetidas às regras dos jovens que deveriam formar.

Em paralelo, na obra *A busca de excitação*, Norbert Elias vê o envolvimento de jovens com o universo da criminalidade violenta como resultado da existência de níveis muito elevados de tensões incontroladas provocadas pela ausência de um monopólio do uso da força e da violência estável por parte do Estado. Aqui, o fato de o crime organizado em torno do tráfico de drogas e de armas fazer uso intenso de mão de obra juvenil e, ainda, ocupar as brechas deixadas pelo poder público e se constituir como esfera de poder violento sobre significativas parcelas da população, indica uma das raízes da associação entre juventude e violência.

No entanto, ainda segundo Elias, as configurações, as ações de uma pluralidade de pessoas interdependentes interferem de maneira a formar uma estrutura entrelaçada de relações de força, eixos de tensão, sistemas de classe e estratificação econômica e social e, consequentemente, o papel do Estado na mediação de conflitos volta a ganhar centralidade e o debate desloca-se para a impunidade e legitimidade do Estado.

Por certo, a fórmula internação-centralização como política de Estado para o tratamento dos jovens em conflito com a lei revelou-se muito aquém do problema que se propunha a solucionar. A internação em instituições de assistência e punição acelera o enfraquecimento e desvalorização dos vínculos com a comunidade e a família de origem simplesmente por romper com o seu convívio. Ademais, é pouco provável que consiga criar novos vínculos com agentes socializadores com quem os jovens se identifiquem e que lhes ofereçam a possibilidade de formação fora dos eixos da criminalidade e do trabalho pouco qualificado. Sem outras alternativas, a internação leva ao extremo o conflito entre esses dois eixos socializadores como destino inexorável dos jovens pobres e demanda, nesse início de século, novas políticas públicas que sejam capazes de romper as barreiras impostas por esses eixos. Dessa forma, deve-se considerar os processos sociais nos quais os jovens estão inseridos e que os levam ao envolvimento com a criminalidade urbana não somente como autores de atos violentos, mas também como vítimas deles.

JUVENTUDE E CRIMES VIOLENTOS NO BRASIL: VISIBILIDADE E VIGILÂNCIA

Para concluir nossa proposta de contextualização da associação entre juventude e crimes violentos, apresentamos, a seguir, algumas estatísticas disponíveis. Segundo elas, observa-se que, de fato, os registros oficiais identificam nos jovens as principais vítimas e os principais autores de crimes violentos. Segundo dados do Datasus, do Ministério da Saúde, que constitui uma das principais fontes de informação sobre mortalidade no país, os jovens entre 15 e 24 anos de idade responderam por 31,1% das mortes por agressão, em 1980, e totalizaram mais de 4.300 casos. Já em 2001, foram mortos cerca de 18.100 jovens nessa mesma faixa etária, o que representa 37,8% do total de mortes daquele ano.

DISTRIBUIÇÃO DAS MORTES POR AGRESSÃO (HOMICÍDIOS) POR FAIXA ETÁRIA E REGIÃO DO PAÍS ENTRE 1980 E 2001

Idade/ ano/ região	0 a 14 anos		15 a 24 anos		25 a 34 anos		35 anos e mais		Total de casos	
	1980	2001	1980	2001	1980	2001	1980	2001	1980	2001
Norte	13	79	193	952	187	748	211	859	604	2.638
Nordeste	60	220	763	4.104	884	3.124	1.163	3.126	2.870	10.574
Sudeste	170	390	2.731	10.417	2.368	8.065	2.587	8.025	7.856	26.897
Sul	38	87	439	1.431	493	1.256	735	1.579	1.705	4.353
Centro Oeste	12	65	201	1.217	288	943	374	1.212	875	3.437
Total	**293**	**841**	**4.327**	**18.121**	**4.220**	**14.136**	**5.070**	**14.801**	**13.910**	**47.899**

Fonte: MS/SVS/DASIS - Sistema de Informações sobre Mortalidade - SIM

Em primeiro lugar, destaca-se o forte crescimento de mortes por agressão num período de vinte anos. De cerca de 4,3 mil casos registrados no país em 1980, o número cresce para mais de 18 mil, em 2001. No entanto, ao se considerar a proporção que essas mortes significam em relação ao total de homicídios, constata-se que o crescimento entre os jovens é ainda mais intenso. Num período de vinte anos, as mortes por agressão de jovens na faixa etária de 15 a 24 anos de idade cresceram cerca de 319% contra 244% de crescimento do volume total de casos de homicídios.

Em segundo lugar, tais mortes são um fenômeno predominantemente masculino. Do total de casos de 2001, cerca de 92% diziam respeito a vítimas do sexo masculino. Em 1980, essa proporção era apenas um pouco menor, sendo que os homens respondiam por 90,1% das vítimas de homicídios. Ao falar de homicídios, portanto, estamos falando de situações sociais que expõem os indivíduos do sexo masculino com muito maior intensidade. No entanto, por detrás desses números, a literatura disponível revela que a intensidade de tal realidade tem provocado impactos na expectativa de vida e na estrutura demográfica da população do país, com a diminuição dos potenciais anos de vida da população masculina e consequente aumento proporcional de mulheres nas faixas etárias que englobam pessoas mais velhas.

Ao mesmo tempo, fenômenos menos visíveis, como violência doméstica, são obscurecidos pela relativa menor incidência numérica nos registros oficiais. Significa dizer, em outras palavras, que o quadro de violência observado nos últimos anos no Brasil passou a determinar não somente como o imaginário coletivo constrói os sentimentos de medo e insegurança da população, mas também a composição e a estrutura demográfica e social do país, num duplo processo de dramatização da vida cotidiana. De um lado, temos o grande número de crimes violentos contra a população jovem e masculina, resultando na diminuição dessa na composição da população total. De outro, a intensidade da tendência anteriormente exposta dramatizaria, ainda mais, situações de violência menos visíveis.

PROPORÇÃO DE MORTES POR AGRESSÃO NA FAIXA ETÁRIA DE 15 A 24 ANOS EM RELAÇÃO AO TOTAL DE CASOS – BRASIL E REGIÕES, ENTRE 1980 E 2001

Região	**Ano**	
	1980	2001
Norte	32,0	36,1
Nordeste	26,6	38,8
Sudeste	34,8	38,7
Sul	25,7	32,9
Centro Oeste	23,0	35,4
TOTAL	**31,1**	**37,8**

Fonte: MS/SVS/DASIS - Sistema de Informações sobre Mortalidade – SIM

Em termos regionais, o maior crescimento de mortes de jovens observado está localizado na região Nordeste, com destaque também para a região Sudeste do Brasil, que tem o segundo maior índice. Nessas regiões, os estudos sobre violência identificam intensos processos de mudança social e econômica e os correlacionam ao movimento da criminalidade violenta. Em ambas as regiões, observa-se a permanência de um quadro que alia altos níveis de violência institucional (violência policial, torturas, impunidade, entre outros) com a banalização do uso da arma de fogo. Nesse cenário, a morte passa a ser uma linguagem possível e cotidiana de solução de conflitos.

No entanto, crimes violentos letais não são exclusivos dessas regiões e têm sido observadas mudanças significativas nas suas tendências. Não existem dados desagregados por idade para todos os crimes violentos, mas o mapa a seguir sintetiza a distribuição dos registros de crimes letais pelo país, permitindo uma visão panorâmica dos homicídios, latrocínios e demais crimes violentos que despertam o medo na população. Assim, a leitura deste mapa envolve a análise de dois aspectos específicos: uma classificação da posição do estado em relação à incidência nacional do fenômeno e uma classificação da situação do estado em relação ao comportamento crescente ou decrescente da taxa de incidência.

Mapa comparativo do comportamento das taxas de registro de crimes letais intencionais por 100 mil hab. entre as unidades da federação Primeiro semestre de 2001 a primeiro semestre de 2003

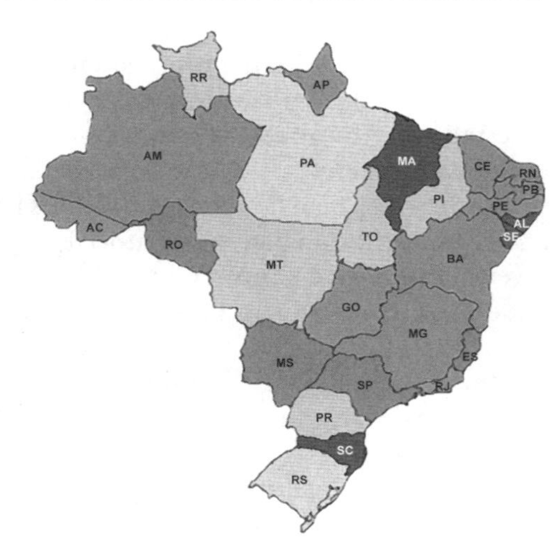

	Acima da média nacional e crescendo acima de 50% ao ano	Alagoas e Sergipe
	Acima da média nacional e crescendo de 1% a 50% ao ano	Amapá, Acre, Pernambuco, Rio de Janeiro e Goiás
	Acima da média nacional e decrescendo de 1% a 15% ao ano	Rondônia, M Grosso do Sul, S. Paulo, E. Santo e D. Federal
	Abaixo da média nacional e crescendo acima de 30% ao ano	Maranhão e Santa Catarina
	Abaixo da média nacional e crescendo de 1% a 30% ao ano	Amazonas, Ceará, R. G. do Norte, Paraíba, Bahia e M. Gerais
	Abaixo da média nacional e decrescendo acima de 15% ao ano	Roraima, Mato Grosso, Tocantins, Piauí e Paraná
	Abaixo da média nacional e decrescendo de 1% a 15% ao ano	Pará e Rio Grande do Sul

Fonte: Secretarias Estaduais de Segurança Pública; Secretaria Nacional de Segurança Pública – SENASP/Ministério da Justiça

Verifica-se, portanto, que das 27 unidades da federação, quinze apresentam taxas de registro de crimes letais intencionais abaixo da média ponderada nacional e doze delas apresentam taxas acima desta média. Das que apresentaram taxas abaixo da média nacional, Pará, Rio Grande do Sul, Roraima, Mato Grosso, Tocantins, Piauí e Paraná tiveram decréscimo da taxa no período. Daquelas que exibiram as taxas acima da média nacional, Rondônia, Mato Grosso do Sul, São Paulo, Espírito Santo e Distrito Federal apresentaram taxas que diminuíram no período. Nos demais estados, as taxas aumentaram. Na região Norte do país, Amapá, Acre e Rondônia exibem taxas de crimes letais intencionais acima da média nacional, sendo que em Rondônia esta taxa diminuiu no período analisado e, no Amapá e Acre, aumentou. Os demais estados da região Norte apresentaram taxas de crimes letais intencionais abaixo da média ponderada nacional. Somente no estado do Amazonas esta taxa cresceu no período analisado.

Conclui-se, comparando-se a tabela e o mapa apresentados, que a distribuição espacial dos crimes violentos letais (ou seja, que provocam mortes) não segue o mesmo padrão territorial observado quando o foco são apenas os jovens entre 15 e 24 anos de idade. Por conseguinte, pelos dados disponíveis, pode-se verificar que ao mesmo tempo em que os jovens contribuem com a maior parcela das mortes por agressão no país, a associação entre juventude e violência não pode ser assumida como explicação do movimento e tendência da criminalidade urbana. Os jovens, no caso, constituem-se atualmente no principal grupo de vítimas da violência, não obstante sua importante contribuição do grupo de autores de crimes.

Entre os motivos para essa dissociação, destaca-se, como já foi dito, que o olhar institucional da polícia e das demais instituições de controle social construiu uma situação em que a vigilância e, portanto, a maior visibilidade, está exatamente nas atitudes dos jovens. Significa dizer que atos e comportamentos dos jovens estão submetidos a muito mais vigilância do que atos cometidos inclusive por outras parcelas da população e a soma de ambos determinará o movimento da criminalidade.

Dito de outro modo, crime e o criminoso são construções sociais e, para serem compreendidos, demandam a consideração dos processos sociais de identificação de uma ocorrência criminal, de identificação do autor da conduta desviante e dos processos formais de processamento dos conflitos criminais e da punição. Compreender o movimento da criminalidade violenta passa, portanto, pela análise das estratégias de produção de saber no interior das instituições que definem os indivíduos como perigosos e trabalhadores, sãos e loucos, loucos e criminosos, recuperáveis ou irrecuperáveis. É na linha desse saber que a questão se torna inteligível porque determinados perfis sociais são mais sujeitos à vigilância policial do que outros, porque determinados crimes são mais frequentemente punidos do que outros, porque algumas drogas são legais e outras ilegais, embora seus efeitos sobre a saúde pública e a dos indivíduos sejam semelhantes.

Assim sendo, os dados da pesquisa de vitimização do Instituto Futuro Brasil, realizada em 2003, comprovam que os jovens são muito mais vigiados pelas instituições de controle social do que outros segmentos da população. Conforme demonstram as tabelas seguintes, 37,8% dos jovens entre 16 e 25 anos de idade responderam que haviam tido, nos doze meses que antecederam à pesquisa, abordados por integrantes de forças de segurança pública. Tal percentual é bem superior aos outros estratos populacionais.

Quando controlado o sexo dos entrevistados, observou-se que as abordagens policiais priorizam indivíduos do sexo masculino, mas, no caso dos jovens entre 16 e 25 anos, a proporção de homens abordados equivale a quase dois terços do total e supera, em muito, os demais estratos de idade.

ATUAÇÃO POLICIAL:
CONTATOS COM POLICIAIS MILITARES, POLICIAIS CIVIS, OU MILITARES DAS FORÇAS ARMADAS NOS ÚLTIMOS 12 MESES: IDADE, SEXO E COR (PERCENTAGENS)

	IDADE				SEXO		COR		Total
	16 a 25	26 a 39	40 a 59	60+	Masc	Fem	Preto/ Pardo	Branco Amar.	
apresentou documentos	32	20,2	10,8	2,3	33,9	5,5	21,9	17,2	19,1
foi revistado	32,7	17,1	6	0,2	32,7	2,3	21,3	13,7	16,7
foi ameaçado	5,8	1,9	1	0	4,9	0,5	3,6	1,9	2,6
foi desrespeitado	12	5,1	1,5	0,3	10	1,6	7	4,7	5,6
foi preso ou detido	2,4	1	0	0	2	0,1	1,5	0,7	1
sofreu agressão física ou maltrato	5,3	1,8	0,4	0,2	4,2	0,4	3,5	1,4	2,3
Total agregado	**37,8**	**22,8**	**12,5**	**2,6**	**39,1**	**6,7**	**25,2**	**20,1**	**22,1**

ATUAÇÃO POLICIAL:
CONTATOS COM POLICIAIS MILITARES, POLICIAIS CIVIS, OU MILITARES DAS FORÇAS ARMADAS NOS ÚLTIMOS 12 MESES: IDADE, SEXO E COR (PERCENTAGENS)

	IDADE						Total
	16 a 25		26 a 39		40 +		
	Masc	Fem	Masc	Fem	Masc	Fem	
apresentou documentos	49,7	9,1	34,9	6,5	16,2	2,9	19,1
foi revistado	53,5	5,9	33,2	2,1	10	0,3	16,7
foi ameaçado ou desrespeitado	19,5	3,6	8,8	1,8	2,4	0,6	5,9
foi preso ou detido	4	0,3	2,1	0	0	0	1
sofreu agressão física ou maltrato	8,5	1,1	3,3	0,4	0,6	0,1	2,3
Total agregado	**57,7**	**11,9**	**39,3**	**7,6**	**19,2**	**3,2**	**22,2**

Para finalizar, dois fenômenos ganham destaque e merecem ser considerados quando o tema é a associação entre juventude e violência. Estamos falando da questão das drogas ilícitas e do consumo do álcool. Poucas são as pesquisas disponíveis, mas em um trabalho anterior (LIMA, 2002) foi observado que, em 1995, "a droga está presente em apenas 2,3% dos casos de homicídios de autoria conhecida, enquanto nos de autoria desconhecida esse percentual sobe para 34,2%. Numa primeira impressão, poder-se-ia confirmar a hipótese disseminada no senso comum que associa o homicídio exclusivamente ao mundo das drogas. No entanto, pôde-se perceber que a droga se revela um grave problema social, em especial na periferia das grandes cidades, mas que muitas vezes o crime em si nada tem a ver com a organização envolvida com a droga, ou seja, foi motivado por outras razões que não a droga. Em muitos casos narrando que determinada vítima ou autor tinha envolvimento com drogas, seja como usuário ou traficante, o crime tinha sido cometido por outros motivos. De qualquer forma, o fato das drogas estarem presente em mais de um terço dos casos de homicídios de autoria desconhecida revela mais a incapacidade da polícia em lidar com o crime organizado do que outro fenômeno qualquer. Constatou-se que toda investigação feita pelo DHPP (Departamento de Homicídios e Proteção à Pessoa) parte sempre da tentativa de investigar se a vítima tinha envolvimento com drogas. Se um caso não é esclarecido e a vítima possuía algum contato com entorpecentes, a probabilidade da polícia imputar às drogas a causa do crime é muito grande.

A análise sobre a presença do álcool revela um drama social que parece disseminado, uma vez que a diferença entre os dois tipos de homicídio, segundo essa variável, é menor. Assim, cerca de 15% do total de homicídios cometidos em 1995, em São Paulo, seriam potencializados pelo álcool. Entretanto, aqui cabe fazer uma ressalva metodológica. Observações feitas no estudo exploratório e no pré-teste da pesquisa indicaram baixa qualidade e fidedignidade das fontes selecionadas para a medição desse tipo de fenômeno, pois os registros sobre a presença do álcool, nas peças que compõem o inquérito policial e nos boletins de ocorrência, não permitem afirmações definitivas sobre o papel do álcool nos homicídios cometidos em São Paulo.

O resultado obtido pode conter vieses quanto ao universo selecionado, não conseguindo estimar adequadamente a real presença do álcool. Os dados revelam a necessidade de se aprofundar análises sobre o papel do álcool na dramatização de processos sociais, e de verificar até que ponto ele pode ser identificado, de um lado, como causador de homicídios e, de outro, apenas como um potencializador de situações que resultam em mortes violentas. Pelas evidências disponíveis, o álcool tenderia a ocupar posição central na explicação de muitas das mortes ocorridas nas cidades, mas não como o motivo ou causa dos crimes e sim como, facilitador de situações propícias ao cometimento de homicídios.

Considerações finais

Esperamos ter colaborado para ampliar o debate sobre a associação de jovens com crimes violentos e, mais, para contextualizar este debate num cenário mais amplo, no qual múltiplos processos sociais interagem para explicar fenômenos complexos, entre eles o da violência. Os dados disponíveis não são robustos o suficiente para comprovar que existe uma correlação positiva entre jovens e violência como causa do movimento da criminalidade urbana. Mais do que apenas atores privilegiados deste fenômeno, os jovens constituem grupo de risco, na medida em que a modernidade os concebe como sujeitos desprovidos de autocontrole e não totalmente socializados nas normas e regras sociais e, portanto, localiza neles potenciais perigos ao equilíbrio da sociedade. Ao fazer isso, joga para as instituições de Estado o papel de tutela da juventude, mas, paradoxalmente, fragmenta elos e, num quadro de organização do espaço público como o brasileiro, pautado por carências estruturais e ilegalismos, permite que elementos outros de socialização (crime organizado e gangues, entre outros) ganhem destaque e força.

Na prática, os jovens são as maiores vítimas da violência criminal. Assim, para além do imediato, pensar juventude e violência exige reafirmar a forma como o Estado pensa e se articula para mediar e resolver conflitos. Sem isso, estaríamos transferindo responsabilidades públicas para o campo do indivíduo e do privado. Entretanto, cabe-nos anunciar a carência de dados conclusivos e exortar o investimento em conhecimento como uma maneira adequada, a nosso ver, de vermos superadas as brechas de informação e de impossibilidades de avanço do conhecimento.

Bibliografia

Adorno, S.; Lima, R. S. de.; Bordini, E.. *O adolescente na criminalidade urbana em São Paulo.* Brasília: Ministério da Justiça, Secretaria de Estado dos Direitos Humanos, 1999.

Ariès, P. *História social da criança e da família.* Rio de Janeiro: Livros Técnicos e Científicos Editora S.A., 1981.

Batista, V. M. *Difíceis ganhos fáceis: drogas e juventude pobre no Rio de Janeiro.* Rio de Janeiro: Revan, 2003.

Corrêa, M. "Antropologia e medicina legal: variações em torno de um mito". In:. Vogt, C. (et al.). *Caminhos cruzados: linguagem, antropologia e ciências naturais.* São Paulo: Brasiliense, 1982.

Costa, J. F. *Ordem médica e norma familiar.* Rio de Janeiro: Graal, 1999.

Donzelot, J. *A polícia das famílias.* Rio de Janeiro: Graal, 1986.

Elias, N.; Dunning, E. *A busca de excitação.* Lisboa: Difusão Editorial Ltda, 1992.

Foucault, M. *Vigiar e punir.* Petrópolis: Vozes, 1999.

________. *Em defesa da sociedade.* São Paulo: Martins Fontes, 2000.

Lima, R. K. de; Misse, M.; Miranda, A. P. M. de. "Violência, criminalidade, segurança pública e justiça criminal no Brasil: uma bibliografia". *Revista Brasileira de Informação Bibliográfica em Ciências Sociais (BIB).* Rio de Janeiro: n. 50, 2000. p. 45-123.

Lima, R. S. de. *Criminalidade urbana.* São Paulo: Sicurezza, 2002.

Passetti, E. "Crianças carentes e políticas públicas". In:. Del Priore, M. (org.). *História das crianças no Brasil.* São Paulo: Contexto, 1999. p. 347-75.

Santos, M. A. C. dos. "Criança e criminalidade no início do século". In:. Del Priore, M. (org.). Op. cit. p. 210-30.

Zaluar, Alba. *A máquina e a revolta. As organizações populares e o significado da pobreza.* São Paulo: Brasiliense, 1994.

PROGRAMAS DE PREVENÇÃO AO USO DE DROGAS EM ESCOLAS DOS EUA

Zili Sloboda

O que os programas de prevenção ao uso de drogas em escolas norte-americanas têm a dizer para pesquisadores e profissionais de outros países, inclusive o Brasil? Até que ponto a experiência nos Estados Unidos pode refletir e servir de espelho à de outras nações e de outras culturas? Embora estas sejam, de fato, questões de difícil resposta, uma vez que os padrões de consumo de drogas diferem de um país para o outro, acreditamos que os exemplos e princípios de prevenção aqui apresentados são todos úteis e pertinentes, descontadas, é claro, as especificidades nacionais.

Com efeito, os dados disponíveis sobre o impacto dos programas de prevenção em vários grupos étnicos e culturais, tanto nos Estados Unidos como em outros países, mostram que eles podem perfeitamente ser adaptados às necessidades específicas das populações-alvo. Além do mais, os esforços exigidos para o desenvolvimento e avaliação de estudos do gênero são, sem dúvida, bastante dispendiosos. Poucos países disporiam de recursos suficientes para sustentar semelhante tipo de levantamento.

Cabe, então, aos pesquisadores e profissionais da área, conhecerem as ações e resultados de intervenções que deram certo em outros países mais desenvolvidos e, assim, lançar mão de um conhecimento cumulativo, que seja compartilhado por toda a comunidade científica internacional. Afinal, o problema do consumo de drogas é, hoje, global: padrões locais podem variar, mas semelhanças nas características de uso sugerem um conjunto universal subjacente de fatores etiológicos.

Sem dúvida, o campo da prevenção contra o uso de drogas experimentou grandes avanços, nos últimos 25 anos, nos Estados Unidos, ainda que permaneçam muitos desafios. A fundação do National Institute on Drug

Abuse (Instituto Nacional de Combate às Drogas - NIDA), em 1974, foi um reconhecimento da gravidade que o problema das drogas então já alcançara nos Estados Unidos. Entre os primeiros objetivos do NIDA estava a criação de uma série de bancos de dados epidemiológicos, contendo estudos longitudinais, ou seja, que acompanhassem adolescentes durante algum tempo, com o objetivo de especificar os determinantes ou os fatores de risco que levam os jovens ao uso e abuso de drogas.

Na obra *Handbook of drug abuse prevention: theory, science, and practice*, o pesquisador norte-americano W. J. Bukoski identificou realizações específicas no campo da prevenção ao uso de drogas que, nos EUA, fizeram o assunto passar da condição de "arte" para a de "ciência". Entre essas realizações, estaria a extensa base de pesquisa epidemiológica, que proporcionou descobertas consideráveis quanto às origens do uso de drogas e aos caminhos trilhados pelos usuários. J. D. Hawkins e seus associados, em um artigo clássico publicado em 1992 no *Psychological Bulletin*, resumiram os possíveis fatores de risco revelados por essas pesquisas – e, do mesmo modo, os fatores de proteção – conforme se pode ver a seguir:

Principais fatores de risco
Pessoais — primeira infância
- histórico familiar de consumo de drogas ou doenças mentais;
- carência de vínculo com a mãe;
- carência de monitoramento familiar;
- graves conflitos familiares;
- predisposição fisiológica (genética ou bioquímica);
- rejeição pelos colegas.

Pessoais — segunda infância/adolescência
- manifestações precoces de comportamento antissocial e agressivo;
- insucesso na escola;
- fraca ligação com a escola;
- atitudes positivas em relação ao uso de drogas;
- alienação ou rebeldia;
- associação com colegas usuários de drogas;
- uso precoce de drogas.

Ambientais
- privação econômica e social;
- disponibilidade de drogas;
- escasso vínculo com a vizinhança/comunidade desorganizada;
- difíceis transições (de vida);
- normas comunitárias favoráveis ao consumo de drogas.

Principais fatores de proteção
Pessoais — primeira infância
• relação calorosa com a mãe;
• estabilidade psicológica da mãe;
• bom gerenciamento familiar;
• bom temperamento / estabilidade emocional;
• evitar situações de perigo;
• bons modelos parentais.

Pessoais — segunda infância/adolescência
• realizações acadêmicas;
• boas relações com os colegas;
• envolvimento em atividades comunitárias e sociais;
• estrutura familiar recompensadora;
• monitoramento parental;
• envolvimento parental de qualidade com as atividades da criança;
• regras parentais claras relacionadas ao uso de cigarro, álcool ou outras drogas;
• fortes vínculos escolares;
• fortes vínculos com colegas.

Ambientais
• limitação nas possibilidades de acesso ao álcool, cigarro e drogas.

Em 1994, o Institute of Medicine publicou o relatório *Reducing risks for mental disorders* (Reduzindo riscos de transtornos mentais), que apontou a grande quantidade de informações, até então acumuladas, sobre fatores biológicos e psicossociais associados a uma variedade de problemas de saúde pública, que iam do mal de Alzheimer aos transtornos de conduta provocados pelo uso e dependência de álcool e drogas. O relatório também destacou os programas de prevenção que demonstraram eficácia na redução dos riscos para muitos desses problemas de saúde. A publicação, portanto, de importância crucial, fez migrar o campo da prevenção do conceito anterior de saúde pública – fundamentado na prevenção primária, secundária e terciária – para outro, baseado nos riscos.

Esse novo modelo identificou três níveis de prevenção – universal, seletivo e indicado – de acordo com os diferentes graus de risco. Os programas de caráter universal eram direcionados às populações como um todo, enquanto os programas seletivos visavam os segmentos da população que apresentassem risco maior do que o normal de desenvolver algum tipo de transtorno. Além disso, eram indicados programas voltados a subgrupos que manifestassem sinais ou sintomas de algum transtorno.

A NIDA também promoveu um programa de pesquisas sobre prevenção de drogas, que se expandiria em grande escala na década de 1990. Entre eles, por exemplo, está o trabalho de Richard Evans e sua equipe, da Universidade de Houston, que elaborou um programa de prevenção contra o fumo, tomando por base fatores sociais e psicológicos, abalizados na teoria das comunicações persuasivas de W. J. McGuire. Os pesquisadores pressupunham que o fumo seria o resultado de influências sociais e da mídia, mas que as crianças podiam receber "antídotos" contra elas. A comprovação da eficácia do "antídoto" consistiu em proporcionar aos estudantes métodos de resistência a tais influências, enquanto eram igualmente expostos a formas suaves de influências pró-fumo, que se tornavam mais complexas com o tempo. O resultado foi positivo. Além disso, pesquisas em amostras de saliva retificaram a concepção normativa equivocada que os jovens tinham sobre o ato de fumar, ou seja, as taxas reais de uso do tabaco se mostraram bem menores do que aquelas estimadas pelos próprios estudantes. Os resultados demonstraram ainda que os alunos participantes do programa manifestavam taxas de iniciação ao fumo significativamente menores.

A teoria do aprendizado social também serviu para novos enfoques nos programas de prevenção que buscavam combater as causas de diversos problemas de saúde, desde o tabagismo à infecção pelo HIV. O "aprendizado social" ocorre quando o indivíduo observa o que outros fazem e quais os resultados ou consequências de seus comportamentos. Uma contribuição importante para a teoria do aprendizado social, introduzida pelo psicólogo canadense Albert Bandura, é o conceito da autoeficácia, que consiste na crença da competência do indivíduo em ser bem-sucedido em tarefas ou comportamentos autodeterminados.

Uma vez que as pesquisas indicam que a maior parte do consumo de drogas entre adolescentes ocorre por influência de seus pares, foram organizados programas de prevenção que tinham por base o aprendizado social e que incorporavam o conceito de autoeficácia. Esses programas aumentavam a resistência dos estudantes às influências que favorecem o uso de drogas, fornecendo-lhes oportunidades de praticar essa resistência em situações hipotéticas que, para eles, apresentam um caráter de realidade.

A publicação dos resultados dos dois estudos financiados pela NIDA no prestigioso *Journal of the American Medical Association* proporcionou às políticas de prevenção contra drogas um novo alcance na arena da saúde pública. O êxito desses estudos conduziu ao que seria uma espécie de marco na história da prevenção contra o uso de substâncias psicotrópicas: a primeira Conferência Nacional da Pesquisa de Prevenção ao Uso de Drogas, sob o tema "A pesquisa a serviço da comunidade", financiada pela NIDA e realizada em setembro de 1996. Um dos resultados importantes dessa conferência foi a elaboração de um manual, intitulado *Prevenindo contra o uso de drogas entre crianças e adolescentes: guia a partir de pesquisas.*

Esse guia, que resume o resultado das pesquisas na área e reúne estratégias bem-sucedidas de programas de prevenção, pode perfeitamente servir de referência e de inspiração para outras iniciativas na área, oferecendo alguns pontos cardeais, a saber:

- os programas de prevenção devem valorizar fatores de proteção e reverter ou reduzir fatores de risco;
- os programas de prevenção devem se ocupar de todas as formas de uso de drogas, tomadas em si mesmas ou combinadas, incluindo o uso, por menores de idade, de drogas legais (isto é, cigarro ou álcool), o uso de drogas ilegais (por exemplo, maconha ou heroína) e o uso indevido de drogas obtidas legalmente (por exemplo, solventes) ou medicamentos sob prescrição;
- os programas de prevenção com base na família devem valorizar o vínculo familiar e relações familiares, além de incluir habilidades parentais; prática de desenvolvimento, debates e cumprimento de políticas familiares relacionadas ao consumo de drogas; treinamento em educação e informação sobre drogas;
- os programas de prevenção podem ser desenvolvidos já desde a pré-escola, com o intuito de se ocupar de fatores de risco para o abuso de drogas, tais como comportamento violento, fracas habilidades sociais e dificuldades na vida escolar;
- os programas de prevenção para crianças do ensino elementar devem visar a uma melhoria no aprendizado acadêmico e socioemocional, para com isso dar conta de fatores de risco inerentes ao consumo de drogas, como agressividade precoce, insucessos na vida escolar e repetência;
- os programas de prevenção para alunos do ensino elementar e médio devem aumentar a competência acadêmica e as habilidades sociais;
- os programas de prevenção direcionados a populações em transições de importância crucial, como a transição para o ensino médio, podem produzir efeitos benéficos mesmo entre famílias e crianças submetidas a um risco elevado de consumo de drogas. Tais intervenções não se limitam a populações de risco, e, por essa razão, reduzem atitudes de rotulação e promovem o vínculo com a escola e com a comunidade;
- os programas de prevenção comunitária que combinem dois ou mais programas eficazes, tais como programas focados na família ou em escolas, podem ser mais produtivos do que um único programa tomado individualmente;
- os programas de prevenção na comunidade que cheguem às populações em uma maior variedade de ambientes – por exemplo: escolas, clubes, organizações fundadas na fé e meios de comunicação – são mais eficazes quando apresentam mensagens consistentes e direcionadas a toda a comunidade em cada um desses ambientes;

• quando comunidades adaptam programas para satisfazer a suas necessidades, normas comunitárias ou exigências culturais diferentes, tais programas devem reter elementos nucleares da intervenção original baseada em pesquisa;
• os programas de prevenção devem se dar em longo prazo e com intervenções repetidas (por exemplo, programas de incentivo), a fim de reforçar os objetivos de prevenção originais. Pesquisas mostram que os benefícios dos programas de prevenção focados no ensino elementar diminuem caso não haja programas de sequência no ensino médio;
• os programas de prevenção devem incluir treinamento de professores em boas práticas de condução de classe, isso envolvendo recompensas a comportamentos apropriados do estudante. Tais técnicas ajudam a fomentar um comportamento positivo dos alunos, bem como as realizações e motivações no âmbito acadêmico e os vínculos escolares.
• os programas de prevenção são mais eficazes quando empregam técnicas interativas, como discussões em grupo e o *role-playing* para pais, que permitam um envolvimento ativo no aprendizado sobre o uso nocivo de drogas;
• os programas de prevenção podem ser vantajosos do ponto de vista do custo-benefício. Pesquisas recentes revelam que para cada dólar investido em prevenção pode-se observar uma economia de até US$ 10 no tratamento para o consumo de álcool ou de outras drogas.

Desde a publicação do manual, tanto o Departamento de Educação dos Estados Unidos como o Center for Substance Abuse Prevention (Centro para Prevenção ao Uso de Drogas) e a Mental Health Services Administration (Administração de Serviços de Saúde Mental) criaram processos de revisão periódica, por meio dos quais programas são acrescentados às listas de programas eficazes e exemplares. O exame dessas listas de programas traz a indicação de que a maior parte deles é realizado em escolas, conforme se pode constatar na tabela a seguir:

AMBIENTE	UNIVERSAL	SELETIVO	INDICADO
Escola	18	11	9
Família	3	5	6
Comunidade	3	1	0
Local de trabalho	1	1	1
Ambientes múltiplos	4	1	1

A escola como ambiente de prevenção

A escola, por diversas razões, é de fato o ambiente mais apropriado para estratégias de prevenção. A razão mais evidente é a de que, nela, as crianças passam grande parte de seu tempo. Além disso, a escola continua a ser uma instituição de socialização por excelência, na qual se reforçam valores e normas sociais, constituindo, também, em si, um ambiente de proteção para crianças.

Como agente de socialização, a escola pode proporcionar às crianças conhecimentos e habilidades capazes de torná-las cidadãos competentes e, também, reforçar atitudes e comportamentos sociais aceitáveis. Como ambiente de proteção, é proibido, na maioria das escolas, o consumo de qualquer droga psicotrópica. Essas escolas podem fornecer programas de supervisão pós-aula, e coordenar atividades específicas para aproximar os pais e as famílias de seus professores e funcionários.

A literatura científica sobre fatores de risco e proteção em relação às drogas não apenas indica os fatores que tornam as crianças e adolescentes mais vulneráveis ao uso de substâncias psicoativas, mas sugere também a necessidade de uma perfeita interação entre o indivíduo e seu ambiente. Programas de prevenção que têm por objetivo promover essa interação, por exemplo, trabalham para o ambiente escolar ser o mais atraente possível para os alunos e, ao mesmo tempo, para auxiliá-los a se envolver em comportamentos pró-sociais e, dessa maneira, reduzir a probabilidade de fazerem uso de álcool, fumo ou outras drogas.

Existem três aspectos que se prestam, especificamente, à prevenção ao uso de drogas no ambiente escolar: (1) a adequação da cultura da escola, suas normas, crenças e expectativas, e o incentivo ao vínculo escolar: a ligação do indivíduo à escola e à comunidade; (2) uma política escolar ou de controle social, que busque uma aproximação mais ampla da escola em relação ao jovem; (3) ajustes no currículo disciplinar, com a introdução de aulas que privilegiem uma abordagem cognitiva da prevenção.

A seguir, descreveremos os elementos mais relevantes dos programas e estratégias de prevenção nas escolas norte-americanas, todos incluídos na listagem do Programa Modelo do Center for Substance Abuse Prevention.

Modificando a cultura da escola

Os elementos mais comuns nas estratégias que procuram tirar vantagem do impacto da cultura escolar para criar um ambiente normativo positivo para crianças, incluem os seguintes pontos:

- a criação de ambientes contrários ao consumo de drogas ou de não consumo de drogas (incluindo cigarro, álcool e outras);

• eliminação de concepções errôneas com relação a expectativas de experiências positivas associadas ao uso do cigarro, álcool e outras drogas;
• estabelecimento de programas abrangentes que envolvam alunos, administração da escola e, quando apropriado, pais ou responsáveis.

Um exemplo bem-sucedido de programa destinado a mudar a cultura da escola é o Child Development Project (Projeto de Desenvolvimento da Criança / CDP, hoje denominado Caring School Community Program / Programa Comunitário de Atendimento Escolar), criado por Eric Shaps, do Developmental Studies Center, de Oakland, na Califórnia. O CDP tem como alvo crianças em idade escolar, de cinco a doze anos, e destina-se a promover o vínculo escolar, o aumento das habilidades interpessoais dos alunos e o compromisso com valores positivos – como segurança, respeito e solidariedade –, não só no âmbito da sala de aula, mas em toda a escola e, por extensão, em toda a comunidade.

O CDP, ao mesmo tempo em que pretende prevenir o consumo de drogas, procura prevenir também o envolvimento em comportamentos agressivos e outras condutas igualmente de risco. O programa é implementado em duas fases e envolve três estratégias básicas: 1) a realização de atividades intensivas em classe, incluindo aprendizado cooperativo; um currículo focado em literatura, artes e em disciplina do desenvolvimento; 2) a prática de atividades escolares destinadas a envolver professores, pais, alunos e membros da família ampliada, com a finalidade de construir uma comunidade escolar eficiente no atendimento e proteção aos jovens; 3) atividades com envolvimento familiar, que consistem em levar atividades de classe para casa e promover a comunicação entre estudantes e familiares.

O programa foi avaliado na década de 1990, na qual foram estudados aproximadamente 5,5 mil alunos, de doze escolas de amostragem e doze de comparação, de diferentes distritos escolares de todo o país. Avaliações iniciais foram realizadas e seguidas por avaliações anuais, durante um período de três anos. Alunos de escolas que implementaram o programa CDP tal como ele foi concebido em seu planejamento demonstraram reduções significativas no uso de álcool e maconha e reduções marginais em seu envolvimento em comportamentos delinquentes.

Existem diversos outros programas similares, todos enfatizando o vínculo escolar, e igualmente eficazes. Entre eles estão o Skills, Opportunities and Recognition - SOAR, o Incredible Years e o Early Risers Skills for Success. O SOAR, por exemplo, desenvolvido na Universidade de Washington, pelo Social Development Research Group (Grupo de Pesquisa em Desenvolvimento Social) enfatiza o desenvolvimento pessoal e o sucesso acadêmico. Implementado em escolas elementares, tem como objetivo aumentar as habilidades dos alunos para uma participação bem-sucedida na família, na escola, entre os pares e na comunidade.

O programa inclui atividades para que os alunos desenvolvam habilidades sociais aceitáveis; para que professores aperfeiçoem seus recursos pedagógicos e sua maneira de conduzir a classe; e para que os pais adotem medidas e atitudes apropriadas ao desenvolvimento dos filhos. O planejamento envolve três grupos distintos: o grupo de intervenção integral, com intervenções da 1ª à 6ª séries; o grupo de intervenção tardia, com intervenções ministradas somente nas 5ª e 6ª séries; e o grupo de controle, sem nenhuma intervenção especial.

O grupo de intervenção integral foi iniciado em 1981 e a coleta de dados teve início em 1985, quando todos os alunos estavam ainda na 5ª série. Os resultados de longo prazo do projeto que seguiu os 598 alunos participantes do programa mostram que pelo menos até os 18 anos de idade os estudantes melhoraram o desempenho acadêmico, apresentando taxas mais baixas ao consumo pesado de bebidas alcóolicas e de comportamento violento.

POLÍTICA ESCOLAR

Alguns programas de prevenção consistem no estabelecimento de políticas e regulamentações específicas quanto ao uso de drogas nas dependências da escola e universidade. Esses programas têm os seguintes pontos em comum:

- redução ou eliminação do acesso ao tabaco, álcool ou outras drogas;
- aconselhamento, tratamento e serviços especiais a estudantes, em detrimento de punições baseadas na suspensão ou expulsão;
- as políticas não devem interromper o funcionamento normal da escola;
- as políticas devem se ocupar de todo comportamento de uso de drogas, com foco nos que vão da iniciação à progressão de abuso, dependência e recaída;
- número restrito de objetivos focados;
- especificação das drogas visadas;
- o corpo estudantil e a escola devem estar envolvidos na idealização da política;
- treinamento sistemático dos administradores e informação sistemática para a população-alvo sobre a participação de cada um nos objetivos gerais da política.

A discussão de políticas públicas ambientais mais gerais – que envolvam, por exemplo, testes de bafômetro (para verificação do consumo de álcool) nas estradas, menores índices legais da concentração de álcool no sangue (CAS), e, ainda, verificações de posse de drogas e álcool em eventos públicos – pode e deve ser feita pela escola e outras organizações da comunidade, incorporando-se, inclusive no próprio currículo escolar, o debate sobre as consequências legais do consumo de álcool por menores.

Dessas abordagens, os testes de bafômetro nas estradas, menores índices legais de CAS, leis mais rigorosas que regulamentem a idade mínima para o consumo de álcool e a verificação de documentos de identificação no ato da compra de cigarro têm sido avaliados como medidas eficazes para a redução de acidentes relacionados ao consumo de álcool e da compra de cigarro pelos jovens.

Algumas intervenções mais diretas, mencionadas em artigo publicado pelo pesquisador M. A. Penz no *Journal of the American Medical Association*, consistem na aplicação de testes de drogas em escolas e eventos esportivos. Em 1995, a Suprema Corte dos Estados Unidos ratificou o direito de as escolas realizarem testes de drogas por seleção aleatória em alunos atletas. Em 2002, a Suprema Corte levou mais longe essa decisão, permitindo aos distritos escolares o direito de ampliar a aplicação desses testes a estudantes com participação em outras atividades extracurriculares.

O apoio legal a essas regulamentações deu-se com base na observação de que o uso de drogas nas escolas, de fato, teria diminuído por ocasião da implementação do teste antidrogas. Para tal, é verdade, contou-se com um único estudo avaliativo de testes entre atletas, o Student Athlete Testing Using Random Notification (Notificação Randomizada de Uso de Testes em Alunos Atletas), razão pela qual os pesquisadores e especialistas se acautelaram quanto à utilização de tal recurso até que houvesse a realização de um estudo de caráter mais amplo.

Currículo escolar

A estratégia mais comum no trabalho de prevenção às drogas na escola é o uso de um programa organizado em formato de currículo, com o oferecimento de um certo número de aulas. Uma pesquisa realizada em 1999 pelo Safe and Drug Free Schools Coordinators (Coordenadores para uma Escola Segura e Livre de Drogas), que envolveu 81 distritos escolares em onze estados norte-americanos, indicou que 80% das escolas haviam ministrado um currículo de prevenção a seus alunos. Desses 80%, 26% aplicavam programas do ensino fundamental ao médio, 42% relataram que seus distritos focavam sobretudo o nível fundamental (geralmente do jardim de infância até a 5ª ou 6ª séries); 26%, o final do ensino fundamental (geralmente das 6ª ou 7ª séries até a 8ª), e 6%, o ensino médio.

Além dos programas universais, há uma série de outros programas de prevenção que atingem estudantes considerados em risco maior de iniciação ao uso dessas drogas (programas de nível "indicado"), seja por não apresentarem bom rendimento escolar, seja por reincidirem em faltas, suspensões ou expulsões. Tanto os programas universais quanto os indicados costumam incluir os seguintes elementos:

- eliminações de concepções errôneas relacionadas à natureza normativa e às expectativas quanto ao consumo de drogas (isto é, as prevalências e as consequências positivas/negativas de uso);

• percepções dos riscos associados ao uso de drogas por crianças e adolescentes (isto é, com ênfase nos efeitos hoje, e não quando os estudantes já estiverem adultos);
• proporcionar e praticar habilidades de resistência para a recusa ao consumo do cigarro, do álcool e de drogas ilícitas;
• proporcionar intervenções e sessões de reforço por vários anos até o ensino médio.

Existem vários exemplos de eficácia em currículos universais. Eles incluem o Life Skills Training, o Project ALERT e o Project STAR. O Life Skills Training (LST), idealizado na Universidade de Cornell, tem sido um dos currículos universais mais citados no Estados Unidos. O LST é um programa que visa aumentar as competências dos participantes. Consiste de um programa direcionado ao ensino elementar em 24 sessões, ministrado durante três anos (da 4ª série até a 6ª série) ou em trinta sessões, também a ser ministradas durante três anos (6ª, 7ª e 8ª séries).

Os principais objetivos do programa são proporcionar aos alunos habilidades de resistir às drogas, capacitando-os a desafiar concepções errôneas disseminadas com relação ao uso do cigarro, do álcool e de outras drogas, e proporcionar habilidades de controle pessoal que os ajudem a estabelecer e manter objetivos pessoais e a tomar decisões bem pensadas, além de comunicarem-se de maneira clara e eficaz com seus pares e com adultos. O LST tem sido avaliado junto a diversas populações, registrando-se a obtenção de resultados favoráveis. Por exemplo, em um estudo de avaliação publicado pelo *Journal of the American Medical Association* e realizado por J. G. Botvin e outros pesquisadores, no qual 56 escolas públicas foram escolhidas ao acaso, 3.597 participantes foram acompanhados até a o terceiro colegial. O estudo revelou que 44% menos dos que haviam sido submetidos a um programa de quinze aulas na 7ª série, dez aulas de reforço na 8ª e cinco aulas de reforço no 1º colegial haviam feito uso de drogas. E 66% menos haviam feito uso de uma combinação de cigarro, álcool e maconha.

CONSIDERAÇÕES FINAIS

Apesar de todos os esforços para disseminar princípios eficazes de prevenção e programas-modelo para a comunidade, evidencia-se, a partir de recente pesquisa, realizada em 2003 por S. T. Ennett e associados e por D. Hallfors e seus colegas, em 2002, que essa não é uma tarefa fácil. A maior parte das comunidades que realiza programas de prevenção não está apoiando os programas-modelos ou os que se encontram fundamentados em evidências. Mesmo nas comunidades em que estão sendo ministrados modelos eficazes, administradores escolares estão modificando tais programas, tornando-os mais breves ou alterando seu conteúdo.

a) Algumas questões para os pesquisadores

Sendo assim, há toda uma série de questões que os pesquisadores devem ter em mente a fim de capacitar profissionais a implementar estratégias de prevenção eficazes em suas comunidades. Em *Handbook of Drug Abuse Prevention: Theory, Science and Practice*, J. G. Botvin e K. W. Griffin discutem várias delas: o tempo das intervenções, a questão de ministrar o programa pelos próprios jovens ou por adultos, o uso de abordagens de ensino interativas comparadas a exposições didáticas visando atingir drogas variadas, a duração das intervenções e a fidelidade de implementação.

Embora pesquisadores em prevenção e profissionais concordem que a prevenção seja um processo que se dá no decurso da vida, os marcadores desenvolvimentais esperados para cada estágio do processo não se mostram tão claramente. A evidência epidemiológica sugere que a intervenção deve se dar nos últimos anos do ensino fundamental e no ensino médio. No entanto, muitos aspectos no campo da prevenção sugerem que boa parte dos fatores de risco para o consumo de drogas deva ser abordada já nos primeiros anos de escola.

Avaliações de programas de prevenção sugerem que intervenções implementadas por pares da mesma idade ou por colegas líderes um pouco mais velhos são mais eficazes do que as implementadas por adultos. Colegas que exercem alguma liderança podem ter mais credibilidade entre alunos e podem servir como exemplos influentes. Contudo, como observam Botvin e Griffin, pares com poder de liderança, estando sozinhos, podem não ter maturidade para controlar uma classe ou para reunir alunos em grupos pequenos ou em debates abertos. Isso pode ser particularmente desafiador para currículos que enfatizem pesadamente a formação de habilidades. Assim, o mais ponderado é que os colegas líderes sejam aproveitados como assistentes de adultos em apoio a atividades programáticas e na condição de exemplos que devem ser seguidos.

As mesmas avaliações também revelaram que programas de prevenção que envolvem alunos no processo de aprendizado apresentam resultados melhores do que apresentações didáticas meramente expositivas. O aprendizado interativo e construtivista também tem sido sugerido como um método eficaz nas aulas de um modo geral. No entanto, definir as atividades mais apropriadas para cada idade e descobrir até que ponto é eficaz direcionar o envolvimento do aluno, são questões que merecem uma investigação mais profunda.

A maior parte dos programas bem-sucedidos visa mais múltiplas drogas do que uma única. À medida em que a maioria dos programas de prevenção está voltada para crianças ou adolescentes, essas drogas geralmente incluem o álcool, o tabaco e a maconha. Há várias razões para se abordar múltiplas drogas. Pode-se pensar na relação custo-benefício, por exemplo. Além disso, estudos longitudinais com adolescentes revelaram um sequenciamento no consumo de drogas, geralmente se iniciando com álcool ou com cigarro e continuando até a maconha. Contudo, a tolerância na sociedade é desigual para cada uma dessas drogas. Como resultado, muitas avaliações revelam o menor impacto dos programas na redução do consumo de álcool, sugerindo a necessidade de intervenções à parte ou adicionais.

Outra questão abordada pelos pesquisadores em prevenção é a extensão com que esses programas alcançam tanto populações majoritárias quanto minorias. Muitas avaliações iniciais foram testadas com estudantes brancos e têm sido adaptadas para outros grupos. Uma vez que origens e sequências de uso assemelham-se entre os grupos, essas adaptações em geral não requerem a alteração da estrutura teórica subjacente da intervenção, focando-se em atividades culturalmente mais apropriadas para o grupo-alvo. São necessárias, aqui também, mais investigações para que se chegue a uma maior compreensão do processo de adaptação.

A questão da adaptação e da fidelidade de implementação é um dos grandes desafios tanto dos pesquisadores em prevenção quanto dos profissionais da comunidade. Embora haja alguns trabalhos de grande importância abordando o impacto da implementação, a fidelidade não é um conceito claramente compreendido nem operacionalizado. Atualmente, o que se tem tomado por fidelidade de implementação é o grau em que o conteúdo curricular e o estilo de ministrar se encontram conjugados de maneira consistente e complementar ao modelo original testado.

Em muitos casos, porém, quando um currículo testado parte do ambiente pesquisado para o "mundo real", o conteúdo ou o modo como o programa é ministrado é adaptado ou modificado para satisfazer as necessidades do ambiente ou do instrutor. Obstáculos como o tempo e a experiência do instrutor podem alterar o programa de modo a haver poucas semelhanças entre aquele que foi avaliado e o que está sendo ministrado. Superar esses obstáculos é algo que requer um esforço de treinamento e motivação para que os instrutores compreendam os elementos e o planejamento do programa; estejam comprometidos com a prevenção e acreditem nas revelações da avaliação. O monitoramento que visa determinar quão bem o programa é implementado e o fornecimento da assistência técnica permanente garantiriam a fidelidade de implementação.

A durabilidade dos efeitos de programações preventivas varia consideravelmente na literatura. Botvin e Griffin esboçam diversas explicações possíveis dessa variabilidade: a inadequada duração da intervenção, a falta ou a inadequação de aulas de reforço, a implementação malfeita e uma estrutura teórica falha. Pesquisadores precisam examinar esses aspectos para determinar modos de otimizar os efeitos dos programas, principalmente tendo-se em vista que esse é um campo novo de pesquisa, cujos estudos têm se limitado a acompanhar os alunos um ou dois anos após a intervenção, com poucos deles indo além do ensino médio (17 anos de idade ou mais).

Finalmente, existe a necessidade de que mais pesquisadores realizem análises com o objetivo de determinar até que ponto esses comportamentos, atitudes ou o conhecimento abordado pela intervenção (os mediadores) realmente ocorre. Do mesmo modo, é importante que se conheça a relação entre esses mediadores e os comportamentos de consumo de drogas. Outras áreas para pesquisa incluem a compreensão do impacto diferencial de programas de prevenção em estudantes submetidos a um risco maior de uso de drogas, o tamanho do efeito da adição quando múltiplas intervenções são ministradas além do programa focado nas escolas e a determinação da infraestrutura apropriada e necessária no nível da comunidade para o apoio a uma programação estável de prevenção.

b) Algumas questões para profissionais da prevenção da comunidade

Com os avanços no desenvolvimento de esforços de prevenção eficazes, agências de financiamento público e privado estão exigindo que as comunidades implementem somente programas de eficácia comprovada. No nível federal dos Estados Unidos, o Department of Education (Departamento de Educação) e o Center for Substance Abuse Prevention (Centro para Prevenção ao Uso de Drogas), – um dos três centros que se encontram subordinados ao Substance Abuse and Mental Health Services Administration (Administração de Serviços de Saúde Mental e de Consumo de Drogas) – desenvolveram listagens de programas modelos, exemplares e promissores.

Programas candidatos podem se submeter à análise a fim de serem admitidos nessas listas. Outras agências, como o National Institute on Drug Abuse (NIDA) e o Office for National Drug Control Policy (Departamento para Política Nacional de Controle de Drogas) focaram-se mais na elaboração de princípios de prevenção do que nos programas em si. Ao contrário do Department of Education e do Center for Substance Abuse Prevention, essas duas agências não fornecem financiamento direto a estados ou a comunidades para serviços de prevenção, embora a NIDA seja a principal fonte de financiamentos para estudos de pesquisa em prevenção nos Estados Unidos.

Outra questão que confunde muitas comunidades é a terminologia a ser utilizada no campo da prevenção, e isso sobretudo por agências financiadoras. Se uma comunidade deseja implementar um programa que não consta de nenhuma das listas disponíveis, ela terá de demonstrar que o programa a ser implementado "tem fundamentação científica ou baseia-se em evidências". Não há, contudo, definições ou critérios consistentes para esses termos. Além disso, muitas escolas estão sob novas pressões para demonstrar, por meio de testes, que seus alunos estão respondendo a objetivos educacionais.

Tais pressões têm suscitado, nos administradores de escolas, uma preocupação em subtrair tempo das aulas tradicionais para um horário destinado à prevenção. Isso pode significar um decréscimo no número de aulas ministradas ou na adaptação de programas com o intuito de satisfazer aos horários que se encontram disponíveis. Além disso, administradores escolares podem não querer liberar o tempo de um professor para treinamento ou para a implementação, na prática, de algum programa.

Concluindo, o campo de prevenção nos EUA avançou muito nos últimos 25 anos. A escola é um ambiente ideal para atividades de prevenção. No entanto, ainda há muitos desafios à frente para que seja possível não só compreender melhor os mecanismos da prevenção, mas também disseminar melhor os achados de pesquisas para a comunidade, tanto nacional quanto em outros países.

BIBLIOGRAFIA

ALTAMN, D. G. RASENICK-DOUSSE, L. FOSTER, V. & TYE, J. B. "Sustained effects of an educational program to reduce sales of cigarettes to minors". *American Journal of Public Health*, 1991. 81: 891-893.

AUGUST, G. J., Lee, S. S. BLOOMQUIST, M. L., RALMUTO, G. M. & HEKTNER, J. M. "Dissemination of an evidence-based prevention innovation for agressive children living in culturally diverse, urban neighborhoods: the Early Risers effectiveness study". *Prevention Science*, 2003. 4(4): 271-286.

BANDURA, A. *Social Learning Theory*. Englewood Cliffs, NJ: Prentice-Hall, 1977.

BATTISTICH, V., SCHAPS, E., WATSON, M., SOLOMON D. & LEWIS, C. "Effects of the Child Development Project on students' drug use and other problems behaviors". *The Journal of Primary Prevention*, 2000. 21 (1): 75-99.

BOTVIN G. J., BAKER, E., DUSENBURT, L. TORTU, S. & BOTVIN, E. M. "Long-term follow-up results of a randomized drug abuse prevention trial in a White middle-classe population". *Journal of the American Medical Association*, 1995. 273 (14): 1106-1112.

BOTVIN, G. F. & GRIFFIN, K. W. "Drug abuse prevention in schools". In: SLOBODA, Z. & BUKOSKI, W. J. (eds.). *Handbook of Drug Abuse Prevention: Theory, Science and Practice*. New York, Kluwer Academic/Plenum Publishers, 2003.

BUKOSKI, W. J. "The emerging science of drug abuse prevention". In: SLOBODA, Z. & BUKOSKI, W. J. (eds.) *Handbook of Drug Abuse Prevention: Theory, Science, and Practice*. New York, Kluwer Academic/Plenum Publishers, 2003.

COIE, J. D., WATT, N. F., WEST, S. G., Hawkins, H. D. Asarnow, J. R., Markman, H. J., Ramey. S. L., Shure, M. B. & Long, B. "The science of prevention: a conceptual framework and some directions for a national research program". *American Psychologist*, 1993. 48(10): 1013-1022.

DUSENBURY, L. & Flaco, M. "Eleven components of effective drug abuse prevention *curricula*". *Journal of School Health*, 1995. 65(10): 420-425.

ELICKSON, P.L., Bell, R. M. & McGuigan, K. "Preventing adolescent drug use: long term results of a junior high program". *American Journal of Publich Health*, 1993. 83: 856-861.

ENNETT, S. T., Ringwalt, C. L., Thorne, J., Rohrbach, L. A, Vincus, A, Simons-Rudoph, A & Jones, S. "A comparison of current practice in school-based substance use prevention programs with meta-analysis findings." *Prevention Science*, 2003. 4(1): 1:-14.

EVANS R. I. Rozelle, R. M. Mittlemark, M.B., Hansen, W.B., Bane, A L. & Havis, J. "Deterring the onset on smoking on children: knowledge of immediate physiological effects and coping with peer pressure, media pressure, and parent modeling". *Journal of Applied Social Psychology*, 1978. 8:126-135.

EVANS, R. I. "Smoking in children: developing a social psychogical strategy of deterrence". *Preventive Medicine*, 1976. 5: 122-127.

Forster J. L. & Wolfson, M. "Youth access to tobacco: policies and politics". *Annual Review of Publich Health*, 1998. 19: 203-2335.

Forster, J. L., Wolfson, M. Murray, D. M. Wagennar, A.C. & Claxton, A J. "Perceived and measured availability of tobacco to youths in 14 Minnesota communities: the TPOP Study. Tobacco Policy Options for Prevention". *American Journal of Preventive Medicine*, 1997. 13 (3): 167-174.

Goldberg. L, Elliot, D. L. MacKinnon, D. P., Moe, E. Kuehl, K. S. Nohre, L & Lockwood, C. M. *Journal of Adolescent Health*, 2003. 32 (1): 16-25.

Gottfredson, D. C. 7 Wilson, D. B. "Characteristics of effecitve school-based bustance abuse prevention". *Prevention Science*, 2003. 4(1): 27-38.

Hallfors, D. & Godette, D. "Will the 'principles of effectiveness' improve prevention practice? Early findings from a diffusion sutdy". *Health Education Research*, 2002. 17(4): 461-470.

Hallfors, D., Sporer, A, Pankratz, M. & Godette, D. "Drug free schools survey: report of result". Unpublished report. University of Norh Carolina, Chapel Hill, 2000.

Hawkins, J. D. Catalano, R. F. 7 Miller, J. Y. "Risk and protective factores for alcohol and other drug problems in adolescence and early adulthood: implications for substance abuse prevention". *Psychological Bulletin*, 1992. 112(1): 64-105.

Hawkins, J. D., Catalano, R. F., Kossterman, R., Abbott, R. & Hill, K. G. "Preventing adolescent health-risk behaviors by strenghtening protection during childhood". *Archives of Pediatrtic and Adolescent Medicine*, 1999. 153: 226-234.

Hingson, R. Heeren, T. &Winter, M. "Effects or recent 0,08% legal blood alcohol limits on fatal crash involvement". *Injury Prevention*, 2002. 6(2): 109-114.

Hingson, R. McGovern, T. Howland, J., Heeren, T., Winter, M. & Zakocs, R. "Reducing alcohol-impaired driving in Massachussets: the Saving Lives program." *American Journal of Publich Health*, 1996. 86(6): 791-797.

Holder, H. D. "Prevention of alcohol-related accidents in the community". *Addiction*, 1993. 88(7): 1003-1012.

McGuire, W. J. "Inducing resistance to persuasion: some contemporary approaches". In: Berkowitz, L. (Ed.), *Advances in Experimental Social Psychology*. New York, Academic Press, 1964.

McGuire, W. J. "The nature of attitudes and attitude change". In: Lindzey, G. & Aronson, E. (eds.), *Handbook of Social Psychology*. Reading, MA: Addison-Wesley, 1968.

Mzarek, P. J. & Haggerty, R. J. *Reducing risks for mental disorders.* Washington, D. C. National Academy Press, 1994.

Pentz, M. A. "Anti-drug-abuse policies as prevention strategies". In: Sloboda, Z. & Bukoski, W. J. (eds.). *Handbook of drug abuse prevention: theory, science, and practice.* New York, Kluwer Academic/Plenum Publisher, 2003.

Pentz, M. A, Dwyer, J. H., MacKinnon, D.P. Flay, B. R., Hansen, W. B., Wang, E. Y. & Johnson, C. A. "A multi-community trial for primary prevention of adolescent drug abuse: effects on drug use prevalence". *Journal of the American Medical Association*, 1989. 261: 3259-3266.

Schaps, E. & Solomon, D. "The role of the school's social environment in preventing student drug use". *Journal of Primary Prevention*, 2003. 23(3): 229-320.

Sloboda, Z. & David, S. L. "Preventing drug abuse among children and adolescents: a research-based guide". *NHIH Publication*, 1997. n. 97-4212.

Tobler, N. S. "Meta-analysis of 143 adolescent drug prevention programs: quantitiative outcome results of program participants compared to a control or comparison group". *Journal of Drug Issues*, 1986.16 (4): 537-567.

Tobler, N. S. "Drug prevention programs can work: research findings". *Journal of Addictive Deseases*, 1992. 11(3): 1-28.

Tobler, N. S. Lessard, T. Marshall, D. Ochshorn, P. & Roona, M. "Effectiveness of school-based drug prevention programs for marijuana use". *School Psychology International*, 1999. 20(1): 105-137.

Webster-Stratton, C. Reid, J & Hammond, M. "Preventing conduct problems, promoting social competence: a parent and teatcher training partnership in Head Star". *Journal of Clinical Child Psychology*, 2001. 30: 282-302.

Wolfson, M. Toomey, T. L., Forster, J. L. Wagenaar, A C., McGovern, P.G. &Perry, C. L. "Characteristics, policies and practices of alcohol outlets and sale to underage persons". *Journal of Studies on Alcohol*, 1996. 57(6): 670:674.

Yamaguchi, R. Johnston, L. D. & O'Malley, P. M. "Relationship between student illicit drug use and school drug-testing policies. Journal of School Health", 2003. 3 (4): 159-164.

Parte III
Tratamento

QUANDO O USO DE DROGAS OCORRE JUNTO COM OUTROS TRANSTORNOS PSIQUIÁTRICOS

Marco Antonio Bessa

A adolescência, fase de transição e de desenvolvimento tanto biológico quanto social, cultural e existencial, é sempre marcada por fortes transformações orgânicas e emocionais. Assim, é um período da vida propício ao surgimento de transtornos psiquiátricos – e em especial o transtorno por uso de substâncias psicoativas, que está diretamente relacionado à curiosidade, à busca por novas experiências e sensações, aos desafios, ao impulso para criar uma identidade própria e à necessidade de pertencer a um grupo, todas características tão típicas da idade.

Desse modo, na prática clínica, é muito frequente encontrarmos adolescentes usuários de álcool e drogas que apresentam sintomas de outros distúrbios psiquiátricos. Tecnicamente, esse fenômeno é chamado de *comorbidade* ou *diagnóstico duplo.* Trata-se de uma situação que pode ocorrer em outras situações médicas: uma pessoa pode, por exemplo, apresentar hipertensão arterial e diabetes melito ao mesmo tempo. Ou desenvolver um quadro de asma brônquica e uma gastrite, além de diversas outras ocorrências simultâneas.

Na psiquiatria, o termo comorbidade foi utilizado pela primeira vez em 1970, em um artigo científico assinado por R. A. Feinstein, que assim a definiu: "comorbidade é alguma entidade clínica adicional e distinta, que já existe ou que ocorre durante o curso clínico de um paciente que tem a doença índice em estudo". No caso das dependências químicas usa-se a expressão "adicção dupla" para apontar a concomitância entre dependência de álcool e outras drogas.

Aqui, utilizaremos o termo comorbidade para indicar a existência, em adolescentes, de um ou mais transtornos psiquiátricos – ansiedade, depressão, síndrome de pânico etc. –, combinada com um transtorno por uso de substância psicoativa. Os dois eventos podem ou não estar diretamente relacionados, já que não é possível estabelecer claramente uma relação de causa e efeito entre ambos os transtornos. Mas, uma vez instalados, um influenciará negativamente o curso e a evolução do outro.

Na realidade, não é tão simples confirmar essa associação. Embora exista a tendência de tentarmos explicar o uso de álcool e outras drogas como uma forma de automedicação – uma tentativa de aliviar os sintomas, por exemplo, da ansiedade ou da depressão –, nem sempre isso é absolutamente correto. Mesmo porque as intoxicações por uma substância, os sintomas de abstinência e o uso crônico da droga provocam reações que podem ser confundidas com quadros psiquiátricos. Assim, antes de um período de pelo menos catorze dias de desintoxicação, não é possível firmar-se qualquer diagnóstico psiquiátrico de comorbidade.

Contudo, entre adolescentes usuários de drogas, avalia-se que 89% têm, de fato, outro distúrbio psiquiátrico. O reconhecimento dessas comorbidades é relevante para a clínica, para o tratamento e para a organização de políticas públicas de prevenção: se já é bastante sério o fato de um adolescente ser portador de um só transtorno – como depressão ou abuso de substâncias – ser portador de mais de um problema psiquiátrico simultaneamente torna os prognósticos mais desfavoráveis, exigindo cuidados maiores em outros campos, além do estritamente médico.

Um jovem que apresente comorbidade necessitará, sem dúvida, de cuidados terapêuticos, pedagógicos e às vezes, legais. Um paciente que, por exemplo, além do uso de substâncias psicoativas seja portador de transtorno de déficit de atenção e hiperatividade (TDAH), demandará amparo especial em sua escola e em sua família. Já aquele com transtorno por uso de substância (TUS), transtorno de conduta (TC) e conflito grave com a lei precisará, mais ainda, de atenção diferenciada, tanto médica quanto psicossocial, com medidas que permitam ao máximo proteger à sociedade e à ele das consequências de seus atos.

Uma característica importante entre os adolescentes, encontrada tanto na literatura médica quanto na prática clínica, é que aqueles jovens que permanecem consumindo essas substâncias de modo excessivo – e por um período mais longo – tendem a desenvolver o uso de múltiplas substâncias, sendo inclusive raro quem utilize apenas um tipo de droga. É importante ressaltar, contudo, que nem todos que experimentam as substâncias evoluirão para uso nocivo ou dependência química. Os estudos científicos indicam que os casos mais importantes de comorbidade entre os adolescentes usuários de substâncias são os seguintes:

- transtornos de humor;
- transtorno de déficit de atenção e hiperatividade;
- transtornos de ansiedade;
- transtornos de conduta;
- transtornos psicóticos;
- transtornos alimentares.

TRANSTORNOS DE HUMOR

A infância e a adolescência, contrariando nosso imaginário, não são períodos de inocência e de felicidade. Crianças e adolescentes, tanto quanto os adultos, também podem apresentar quadros de alterações afetivas. A negação desse fato, muitas vezes, não permite que os transtornos de humor sejam reconhecidos e tratados, resultando na piora do curso clínico e no aumento do risco de complicações, inclusive no uso de drogas. Outro elemento complicador é a dificuldade que crianças e adolescentes podem encontrar para perceber e expressar seus próprios sentimentos.

a) Transtorno depressivo maior (depressão)

A depressão tem especial importância, porque é o transtorno mental mais frequentemente associado ao uso de substâncias, como aponta um importante estudo da Área de Coleta Epidemiológica, realizado nos EUA. Nesse estudo verificou-se que um terço das pessoas com transtornos de humor tem também um transtorno comórbido por uso de drogas. Já o abuso ou a dependência de álcool ocorre em 50% dos pacientes com depressão.

De acordo com o psiquiatra inglês Michael Rutter, até os anos 70 do século XX acreditava-se que uma síndrome depressiva semelhante à dos adultos era incomum entre os jovens e, mais ainda, que crianças eram incapazes de ter depressão. "A depressão em adolescentes era frequentemente vista como uma característica normal do desenvolvimento, assim chamado de *adolescente-tumultuado*", explica Rutter.

Mas essa percepção foi sendo modificada durante os anos 70 e início dos anos 80 do século XX, quando se passaram a diagnosticar muitos casos de depressão em crianças. A cada fase da infância e da adolescência, com seus respectivos graus de desenvolvimento e de maturidade, a depressão se manifesta de maneira diferenciada. Em crianças pequenas, os indícios de depressão podem ser percebidos na observação da postura corporal e da expressão facial, bem como pela falta de resposta a estímulos verbais e faciais, pela alteração do ritmo de sono, pelo atraso no desenvolvimento psicomotor, pela lentidão dos movimentos e, finalmente, pelo choro persistente sem causa orgânica.

Em crianças entre seis e sete anos, as manifestações mais comuns são as queixas somáticas, principalmente as dores de cabeça e abdominais, o cansaço e a tontura. A ansiedade pode estar presente na forma de fobias – medo de ficar sozinho, medo de escuro etc. –, na dificuldade de separação dos pais e, às vezes, na hiperatividade. Outros sintomas são o humor irritadiço ou instável, o choro fácil, um grande desinteresse por todas as atividades, mesmo as de lazer, as queixas de infelicidade, tédio e tristeza e as alterações do sono. Crianças com depressão podem mostrar-se agressivas e irritadas com facilidade, entregando-se a atividades destrutivas contra elas próprias, contra os outros ou contra a propriedade alheia. Para o diagnóstico de tal quadro, é necessário que se avalie bem o ambiente familiar, pois essas crianças apresentam um alto risco de terem sido vítimas de alguma forma de maus-tratos.

Uma área importante de manifestações da depressão em uma criança é a de sintomas cognitivos: ela demonstra dificuldades de atenção e de memória, falta de interesse pela escola e evita o contato com os colegas, podendo chegar à recusa de ir para as aulas. Em seu livro *A depressão em crianças e adolescentes*, o psiquiatra Saint-Clair Bahls destaca que os professores podem ser os primeiros a perceber as alterações provocadas pela depressão em seus alunos. Bahls cita um estudo realizado com alunos de uma escola particular em uma capital do Nordeste brasileiro, todos com nove a doze anos de idade, que apresentaram sintomas depressivos. A pesquisa observou uma queda significativa no rendimento escolar deles em todas as matérias, principalmente Português e Ciências.

Portanto, um rendimento escolar insatisfatório em crianças sem problemas de inteligência pode ser um importante sinalizador de um transtorno depressivo. Além dos sintomas das esferas afetiva e cognitiva, também podem ser encontrados os sintomas psicóticos – aqueles que expressam uma alteração na percepção da realidade –, a exemplo de ideias delirantes de culpa e de pecado e alucinações auditivas e visuais (o paciente ouve vozes ou enxerga vultos inexistentes).

Pesquisas demonstraram que cerca de um terço dos adolescentes tratados em clínicas psiquiátricas sofrem de depressão. Estima-se que a depressão aumenta na adolescência, atingindo quase duas vezes mais pacientes do que na escola primária. Nos adolescentes, as manifestações mais comuns são irritabilidade e hostilidade, com crises de explosão e de raiva. Na área somática, são frequentes as queixas de diminuição do sono, perda ou aumento do apetite e consequentes alterações de peso. O adolescente pode demonstrar profundo desinteresse por tudo, inclusive por atividades que antes exercia com grande prazer e interesse, além de falta de energia, sentimentos de culpa e de baixa autoestima, isolamento, sentimentos de desesperança e pensamentos suicidas.

Tudo isso tudo torna o jovem mais vulnerável ao uso abusivo de álcool e de outras substâncias, como consequência de uma busca por alívio para o seu sofrimento. A perigosa combinação de depressão e abuso de drogas, por sua vez, eleva fortemente o risco de comportamento suicida nesses jovens, o que portanto merece total atenção e justifica até mesmo a hospitalização, pelo menos quando as condições de cuidado e proteção familiares forem insuficientes.

Outra característica importante da depressão em adolescentes é que jovens do sexo feminino são as mais atingidas: para cada rapaz com depressão, há pelo menos duas moças acometidas por ela. Isso ocorre porque as adolescentes tendem a apresentar mais sensações subjetivas, tais como ansiedade, tristeza, vazio, tédio, baixa autoestima e insatisfação com a aparência; enquanto os rapazes tendem a manifestar alterações comportamentais e de conduta como agressividade, fuga de casa, falta às aulas, roubos e uso de substâncias psicoativas.

Abaixo, estão relacionados os sintomas mais significativos da depressão na infância e na adolescência:

- irritabilidade;
- instabilidade;
- humor deprimido;
- perda de energia;
- desmotivação e desinteresse significativos;
- retardo psicomotor;
- sentimentos de desesperança e/ou culpa;
- pensamento pessimista;
- alterações do sono;
- isolamento;
- dificuldade de concentração;
- prejuízo no desempenho escolar;
- baixa autoestima;
- ideias e tentativa de suicídio;
- problemas graves de comportamento.

Outro ponto relevante sobre a depressão é que seus sintomas podem ser confundidos com alterações de comportamento típicas de um adolescente normal: frequentes oscilações de humor, remoer os problemas de modo introspectivo, expressar tédio em relação a tudo e ter um senso de desesperança e de falta de sentido na vida. Outras vezes, a depressão pode estar dissimulada em comportamentos que a família entende como sendo uma fase de mudança e de afirmação: vestir-se sempre com roupas pretas, interesse por literatura, poesia ou filmes com temas mórbidos ou melancólicos, curiosidade e atração por artistas que cometeram suicídio. Às vezes, ocorrem também problemas com o sono: o jovem passa a noite vendo tevê e, pela manhã, não consegue ir para a escola ou dorme a tarde inteira.

Outro dado importante é que a depressão no adolescente não se cura espontaneamente. Assim, indivíduos que foram diagnosticados como portadores de depressão na adolescência têm maior probabilidade de apresentar o mesmo transtorno, de forma persistente, na vida adulta. Vários estudos comentados pelo psicólogo John W. Santrock apontam que os problemas transitórios na adolescência estão relacionados com fatores de situações específicas – problemas com colegas, por exemplo –, enquanto os problemas crônicos são influenciados por características individuais, como o comportamento de interiorização – não querer falar sobre seus sentimentos, ficar ruminando sobre eles longos períodos e demonstrar inclinação a ficar isolado.

Conforme o mesmo autor, há outros fatores de risco para o surgimento de depressão na adolescência: ter pai ou mãe deprimido, pais emocionalmente indisponíveis e absorvidos em conflito conjugal ou com problemas financeiros; deparar-se com um divórcio traumático na família, entrar na puberdade na mesma época da passagem de uma fase escolar para outra, manter relacionamento precário com os pares e ser rejeitado por colegas.

Para o especialista Oscar G. Bukstein, o início de transtornos do humor em adolescentes – principalmente de transtornos depressivos – com frequência antecede ou decorre do início do uso de substâncias psicoativas. Trabalhos recentes com jovens dependentes de drogas sugerem que a presença de depressão interfere na capacidade do paciente de se engajar no tratamento e, também, que o uso de antidepressivos pode reduzir o consumo de álcool em indivíduos alcoólatras deprimidos não abstinentes.

Portanto, parece ser produtivo tratar simultaneamente a depressão e o uso de substâncias em alguns pacientes, mas em outros convém tratar a depressão mesmo antes da abstinência completa do uso de substâncias. De acordo com estudos, tanto a dependência por álcool comórbida piora a depressão quanto a abstinência melhora a resposta dos transtornos do humor ao tratamento.

Em síntese, o tratamento da depressão reveste-se da maior importância, principalmente se considerarmos que os dados da literatura técnica a respeito indicam que os transtornos por uso de substâncias psicoativas em adolescentes são importantes fatores de risco de suicídio. De fato, é muito comum que adolescentes suicidas façam uso do álcool ou outras substâncias no momento de atentar contra a própria vida.

b) Transtorno afetivo bipolar

Este é um quadro ainda controverso na psiquiatria da infância e da adolescência e, por isso, pouco diagnosticado em tais faixas etárias. Existem indícios de uma herança genética associada, principalmente nos casos de surgimento precoce. O transtorno afetivo bipolar caracteriza-se por uma alteração no estado de humor com graves alterações de comportamento. O estado de humor pode variar desde manifestações depressivas até um quadro de mania.

De acordo com Michael Rutter, o núcleo sintomático da mania define-se por irritabilidade, humor expansivo, aumento da atividade e ideias de autoimportância. Nas manifestações mais severas, podem surgir delírios de grandiosidade, alucinações e hiperatividade. Nos quadros moderados, ocorre necessidade intensa de falar, humor eufórico, autoestima inflada e hiperatividade prolongada. Na hipomania (forma leve da mania) há uma elevação do humor e da sociabilidade e participação excessiva em atividades de lazer, como atividades esportivas e viagens, ou mesmo assistir televisão, jogar videogames ou jogos de computador.

Na criança, a mania manifesta-se sob a forma de irritabilidade, instabilidade de humor, inquietação, fala rápida, agressividade dirigida a si e aos outros, diminuição do sono e da atenção. Podem estar presentes ainda ideias de grandeza e a convicção de se possuir poderes especiais, o que acaba expondo a criança a acidentes, às vezes fatais. Já na adolescência, segundo o *Compêndio de psiquiatria* de Harold Kaplan e Benjamin Sadock, a mania pode ser confundida com transtorno de personalidade antissocial e esquizofrenia. O paciente, por exemplo, apresenta alucinações auditivas e visuais, julga que está isento de seguir regras sociais porque possuiria uma compreensão mais profunda das leis da natureza e da vontade de Deus.

Além desses sintomas, podem surgir comportamentos extravagantes e bizarros, sintomas psicóticos, abuso de álcool e outras substâncias, tentativas de suicídio, problemas acadêmicos, preocupações com questões filosóficas, queixas somáticas diversas e irritabilidade exagerada, o que leva à recorrência de lutas corporais. Crianças e adolescentes com mania dispõem de elevadíssimos níveis de energia e, assim, manifestam comportamentos de alto risco e episódios de hipersexualidade.

É importante destacar mais uma vez que as oscilações de humor, irritabilidade e mudanças de comportamento, que também podem estar relacionadas ao uso de drogas, muitas vezes são interpretadas por pais, professores e até médicos como reações normais da adolescência. Há, portanto, um limite muito tênue entre os sintomas que podem expressar um transtorno psiquiátrico e os comportamentos relacionados às transformações características de fases de desenvolvimento biológico e social, isto é, os sintomas da síndrome do adolescente normal.

A dificuldade de diagnosticar o transtorno bipolar juvenil, conforme mostram estudos na área, pode levar metade dos pacientes com esse quadro a receber outro diagnóstico. Um fator que pode piorar essa confusão é o transtorno de déficit de atenção e hiperatividade (TDAH), que com frequência é diagnosticado em conjunto com o transtorno bipolar. No entanto, ainda não está bem definido se esses transtornos são comórbidos ou se apenas os sintomas de ambos se sobrepõem.

Transtorno do déficit de atenção e hiperatividade

Esse tipo de transtorno atinge de 1 a 3% da população e na proporção entre os sexos de três homens para uma mulher. Nele, destaca-se a seguinte tríade de sintomas: desatenção, hiperatividade e impulsividade, inapropriados para a idade. Para ser entendido como tal, o transtorno deve estar presente por pelo menos seis meses, ocorrer antes dos sete anos e comprometer os estudos ou as relações sociais. As crianças com transtorno do déficit de atenção e hiperatividade são inquietas, agitadas e impetuosas, especialmente quando lhes é solicitado que fiquem quietas e silenciosas.

A desatenção é reconhecida pelos frequentes erros e descuidos em atividades escolares, pela incapacidade de manter atenção mesmo em atividades lúdicas e quando a criança ou jovem evita atividades que exijam esforço mental: parecem distantes quando se fala com eles e mostram-se incapazes de entender as nuances de uma instrução. Já a hiperatividade se expressa por agitação de braços e pernas, pela incapacidade de permanecer sentado, pelo ato de escalar móveis e muros em situações inapropriadas, pela fala ininterrupta e pela demonstração excessiva de energia.

A impulsividade caracteriza-se por impaciência de esperar sua vez, responder precipitadamente antes da pergunta ter sido concluída e intromissão em conversas ou assuntos alheios. Em muitos casos, crianças com transtorno do déficit de atenção e hiperatividade apresentam explosões de irritabilidade, desencadeadas por estímulos banais, mas que as assustam ou as confundem. É muito comum serem emocionalmente instáveis: riem e choram com facilidade, têm dificuldade de postergar gratificações e uma alta propensão a acidentes.

Na escola, suas tarefas mostram constantes erros por descuido, organização pobre e esquecimentos. Perdem livros, cadernos, anotações e objetos de valor pessoal. São os últimos a iniciar uma atividade e, também, os últimos a terminar – exatamente pela distração ou por desorganização. Parecem ainda ter problemas em interromper o curso de suas ações ou corrigir um tipo de reação ou resposta errada. Em virtude disso, tais crianças tendem a ser bastante afetadas emocionalmente, com autoconceitos negativos e a sensação de que há algo de errado com elas.

Em síntese, de acordo com a classificação da Associação Psiquiátrica Americana, no *Manual diagnóstico e estatístico dos transtornos mentais* (DSM-IV), o transtorno do déficit de atenção e hiperatividade poderá ser diagnosticado se houver, durante pelo menos seis meses, a ocorrência de pelo menos meia dúzia dos sintomas descritos a seguir:

Desatenção:
Se o indivíduo frequentemente:
• se distrai ou comete erros em atividades escolares, de trabalho etc.;
• se distrai em tarefas ou em atividades lúdicas;
• parece não escutar quando lhe dirigem a palavra;
• não termina deveres ou tarefas (não por oposição);
• tem dificuldade para organizar tarefas e atividades;
• reluta em envolver-se em atividades que exijam esforço mental constante;
• perde coisas necessárias para atividades;
• distrai-se com facilidade por estímulos alheios à tarefa;
• apresenta esquecimento em atividades diárias.

Hiperatividade:
Se o indivíduo frequentemente:
• remexe os pés ou as mãos ou se mexe na cadeira;
• abandona a cadeira na sala de aula ou em situações que deveria permanecer sentado;
• corre ou escala em demasia;
• tem dificuldade para brincar em silêncio;
• está "a mil" ou age como se estivesse a "todo vapor";
• fala exageradamente.

Impulsividade:
Se o indivíduo frequentemente:
• responde antes da pergunta ter sido concluída;
• tem dificuldade para esperar sua vez;
• interrompe ou se intromete em assuntos dos outros.

Contudo, para Michael Rutter, as manifestações são bastante heterogêneas e variam de acordo com o paciente. Mesmo uma única criança pode apresentar comportamentos distintos em diferentes ambientes. Assim, algumas crianças são inquietas, impulsivas e atentas; outras, desatentas e relativamente inativas ou hipoativas. O paciente pode também comportar-se de modo muito distraído e desatento na classe, mas inquieto e impulsivo em casa. Uma criança que é muito distraída ao realizar tarefas em sala de aula pode, entretanto, ser descrita como normal ao brincar com jogos de computador e com seus colegas. Segundo Rutter, "frequentemente os pais comentam que a forte variação dia a dia, hora a hora e minuto a minuto é a característica mais saliente dessas crianças".

Tal transtorno, e seu consequente tratamento, difere também de acordo com a fase de desenvolvimento do indivíduo. Em crianças pré-escolares, a hiperatividade é o sintoma mais visível e mais prejudicial. Com as crescentes exigências da escola, a desatenção torna-se contudo mais relevante e evidente. Na adolescência e na idade adulta, há decréscimo da hiperatividade motora, enquanto a desatenção e a impulsividade são os sintomas mais prejudiciais e perceptíveis nas situações sociais. Portanto, uma criança pode ser diagnosticada como tendo TDAH apenas com sintomas de desatenção, ou com sintomas de impulsividade e hiperatividade sem desatenção. Outras crianças, porém, podem apresentar diversos sintomas em ambas as dimensões.

Por isso, em termos classificatórios, a Associação Americana de Psiquiatria relaciona três subtipos de TDAH, destacando que para o diagnóstico específico se faz necessária a presença dos sintomas em duas ou mais situações, como na escola, em casa ou no trabalho:

a) tipo predominantemente desatento;
b) tipo predominantemente hiperativo-impulsivo;
c) tipo combinado.

Segundo o artigo "Transtorno de déficit de atenção/hiperatividade", publicado na *Revista Brasileira de Psiquiatria* em 2000, o tipo predominantemente desatento é mais frequente no sexo feminino e tende a provocar maior prejuízo acadêmico, junto com o tipo combinado. A desatenção está mais associada ao baixo quociente de inteligência e a maiores níveis de depressão. Já as crianças com sintomas do tipo hiperativo-impulsivo tendem a ser mais agressivas que os outros dois tipos e são mais rejeitadas pelos colegas, além de apresentarem maior associação com transtornos de conduta e transtorno opositor desafiante.

A associação entre o TDAH e o transtorno por uso de substâncias psicoativas (TUS) ainda não está bem esclarecida. Alguns estudos demonstraram alta prevalência dessa comorbidade na adolescência e na vida adulta. Mas não se sabe se o TDAH é, sozinho, um fator de risco para o TUS. O que é claro é que existe uma forte associação entre o TDAH e o transtorno de conduta. Como esse transtorno tem alta comorbidade com uso nocivo e dependência de substâncias, talvez o fator de risco seja o transtorno de conduta e não o TDAH. Assim, suspeita-se que os adolescentes que pertencem a um subgrupo com a comorbidade TDAH e transtorno de conduta são os que irão apresentar, com maior frequência, o TUS.

Entretanto, a psiquiatra Sandra Scivoleto, em um dos capítulos do *Tratado da infância e da adolescência*, cita estudos que encontraram um elevado número de dependentes de álcool e de opioides com diagnóstico de TDAH na infância, além de pesquisas que identificaram, entre pacientes em tratamento por abuso de cocaína, uma prevalência de 5% a 35% de diagnóstico de TDAH. A mesma autora, baseada em vários estudos, concluiu que os usuários de substâncias e com diagnóstico de TDAH, quando comparados aos usuários sem o mesmo diagnóstico, tendem a ter um início mais precoce, maior probabilidade do uso mais grave e de consumir múltiplas substâncias e, também, de ter maior número de internações.

Transtornos de ansiedade

A ansiedade é entendida como um *continuum*, variando em graus de intensidade e de gravidade, provocando um sentimento vago e desconfortável de medo, apreensão e tensão frente a algo desconhecido ou perigoso. É uma sensação normal e parece ter tido importância adaptativa na evolução da espécie. Contudo, ela torna-se patológica quando é exagerada ou desproporcional em relação ao estímulo, interferindo na vida do indivíduo. A seguir, veremos os transtornos ansiosos mais frequentes nas crianças e adolescentes e que podem associar-se ao TUS.

Transtorno de ansiedade generalizada

Os sintomas mais significativos são o medo excessivo e as preocupações exageradas com todo tipo de situação da vida – trabalhos de escola, aparência, futuro, opiniões dos outros –, que perturbam o funcionamento e o conforto da pessoa. Apresentam-se em crianças com queixas somáticas, cefaleias e dores de estômago, palidez, sudorese, respiração acelerada e tensão muscular. Essas crianças tendem a criar um ambiente tenso e incômodo nas outras pessoas, dificultando a convivência, mesmo em situações de lazer.

Fobia social

Manifesta-se pelo medo de situações em que a pessoa sente-se à mercê da avaliação dos outros ou pelo receio de ter algum comportamento humilhante. A criança ou o jovem pode evitar atividades tais como escrever no quadro negro ou fazer perguntas aos professores em sala de aula, comer em público, ir a festas ou à casa de colegas e dirigir-se a autoridades. São frequentes sintomas físicos como tremores, calafrios, palpitações, sensação de desmaio e náusea.

Transtorno do estresse pós-traumático

O transtorno do estresse pós-traumático é definido como uma condição resultante de uma real ameaça grave à vida ou à integridade da pessoa. Desde então, passam a ocorrer mudanças em seu comportamento, tais como pensamentos obsessivos com a experiência traumática, havendo rememoração persistente do episódio, memórias vívidas, sonhos recorrentes ou angústia quando da exposição a circunstâncias semelhantes.

Segundo Oscar G. Bukstein, existe uma alta taxa – 7 a 24% – de transtornos de ansiedade entre adolescentes com TUS. A fobia social em geral precede o uso de substâncias psicoativas, enquanto os transtornos de pânico e de ansiedade generalizada tendem a ocorrer depois do início do uso delas. Os adolescentes com TUS frequentemente possuem também uma história de transtorno de estresse pós-traumático.

Transtorno de conduta

Muitos estudos epidemiológicos apontam o transtorno de conduta como o problema psiquiátrico mais comum na infância. Ele atinge em torno de 6 a 16% dos meninos e 2 a 9% das meninas com menos de dezoito anos. A ocorrência maior se dá entre filhos de pais com transtorno de personalidade antissocial e dependência de álcool. Os fatores socioeconômicos também influenciam de modo significativo, podendo, por exemplo, estimular o jovem a buscar através da delinquência ascensão econômica e reconhecimento social.

A permanência dos sintomas do transtorno de conduta depois dos dezoito anos conduzem ao diagnóstico de transtorno de personalidade antissocial. De acordo com a classificação da Associação Psiquiátrica Americana, no *Manual diagnóstico e estatístico dos transtornos mentais* (DSM-IV), o transtorno de conduta poderá ser diagnosticado se houver, durante pelo menos doze meses, a ocorrência de pelo menos três dos sintomas descritos a seguir:

Se o indivíduo frequentemente:
- provoca, ameaça ou intimida outros;
- inicia lutas corporais;
- utiliza armas perigosas em lutas (bastão, tijolo, arma de fogo);
- é fisicamente cruel com pessoas;
- é fisicamente cruel com animais;
- rouba, com ou sem uso da força;
- força alguém a atividade sexual;
- provoca incêndio para causar prejuízos;
- destrói a propriedade alheia;
- arromba residência ou automóvel alheio;

- mente;
- sai à noite sem permissão;
- foge de casa à noite (pelo menos duas vezes);
- gazeia as aulas, iniciando antes dos treze anos.

Contudo, o transtorno de conduta gera controvérsias e discussões, pois pode ser confundido, ou mesmo utilizado deliberadamente, como uma forma de controle social e de estigmatização dos jovens das camadas pobres e marginalizadas da sociedade. Por esse motivo, muitos profissionais relutam em diagnosticá-lo. Além do que, também alegam que não existem bons tratamentos para esse transtorno e a rotulação só traria prejuízos para os pacientes. Mesmo porque a intoxicação por uma ou mais substâncias também provoca alterações comportamentais e desinibição que facilitam atitudes antissociais.

Há novamente que se considerar que alguns tipos de comportamento como gazear aula, mentir, ter iniciação sexual precoce e manifestar desobediência, ou mesmo os comportamentos destrutivos, são passíveis de ocorrer no desenvolvimento regular de crianças e adolescentes. Portanto, para o correto diagnóstico, é preciso avaliar a frequência com que os sintomas aparecem, se são isolados ou se ocorrem em conjunto com outros sintomas – e também se os comportamentos são extremos e persistentes.

É comum que o transtorno de conduta ocorra em contextos familiares e sociais marcadamente conflituosos e adversos, embora nem todas as crianças expostas aos fatores de risco desenvolvam o transtorno. Além disso, existe uma parcela desses pacientes que também apresenta, simultaneamente, transtornos de aprendizado, TDAH ou depressão e, assim, necessita de cuidados maiores e mais precoces.

O uso nocivo ou a dependência de substâncias em seus processos evolutivos levam os pacientes a comportamentos que podem ser caracterizados como antissociais. Desse modo, o jovem que começa a experimentar drogas, mesmo as legais, passa a ter que disfarçar o hálito ou o cheiro do cigarro ou da bebida, ou faltar às aulas para consumir as substâncias com o grupo. No decorrer do tempo, isso pode modificar sua rotina de horários, seu modo de falar e de se vestir, e provocar contato com outros jovens que também estejam modificando hábitos ou que já pratiquem pequenos atos ilegais – ou que até mesmo trafiquem drogas.

Com o apoio e o reforço do grupo, o consumo de substâncias tende a se tornar crônico. As pequenas transgressões e mentiras também se intensificam, podendo evoluir para atitudes antissociais mais graves, como furtos de objetos de casa, ou mesmo de dinheiro. Em alguns casos, pela necessidade de obter recursos para sustentar o consumo, o jovem corre o risco de praticar furtos ou roubos maiores, de envolver-se também no tráfico ou mesmo de se prostituir. Daí por diante, ele passa a circular na marginalidade e fica exposto a todo tipo de complicações sociais.

Essa é uma condição que, sem dúvida, tende a induzir o profissional a não considerar o diagnóstico de transtorno de conduta, por entender que as alterações de comportamento são provocadas ou estimuladas pelas drogas. No entanto, o que alguns estudos demonstram é que parecem existir dois tipos distintos de transtornos de conduta. Um tipo tende a manifestar-se na adolescência e ficar limitado a ela, apresentando melhor prognóstico; e outro, que tende a manter o comportamento antissocial ao longo da vida.

No primeiro, os delitos são característicos da adolescência: são realizados em grupo e refletem uma rebelião contra a autoridade e contra o controle familiar, ou são manifestações do desejo de obter privilégios de adultos. Nisso, os jovens reúnem-se em torno de manifestações de vandalismo e do uso de substâncias, provocando distúrbios públicos, fuga de casa e roubo. O segundo tipo é mais praticado por indivíduos que agem sozinhos e pode envolver violência e assassinato.

São os seguintes os sintomas que parecem ser indicativos de um comportamento antissocial que se manifesta precocemente e tende a se manter na vida adulta: impulsividade, baixo rendimento escolar, agressividade, insensibilidade, falta de emoção e de empatia e busca de sensações: a necessidade de buscar e experimentar novas sensações, emoções e desafios, tais como correr riscos, desafiar autoridades, realizar atividades difíceis e perigosas, superar obstáculos em esportes radicais, exceder na velocidade de veículos (bicicleta, motocicletas, automóveis).

Esses pacientes apresentam, como característica básica, falta de culpa e maior agressividade. Quanto menos ansiosos, mais graves serão seus delitos. Dos pacientes que têm o diagnóstico de transtorno de conduta, 23 a 55% evolui para transtorno de personalidade antissocial.

Transtorno desafiador opositivo

É uma manifestação precoce ou uma forma branda do transtorno de conduta. Consiste em comportamentos desafiadores, desobedientes e destrutivos; ocasionando distúrbios em um dos três domínios – acadêmico, ocupacional ou social – com a duração de pelo menos seis meses. O diagnóstico também se refere a comportamento colérico e vingativo, além de problemas com controle de temperamento. Os sintomas não fazem parte de um estágio de desenvolvimento e não incluem atos de delinquência ou formas de comportamento mais agressivas ou antissociais. As atitudes, em sua maioria, dirigem-se a alguém que representa uma autoridade.

O transtorno pode iniciar já aos três anos de idade, mas costuma ter início aos oito anos e, em geral, não depois da adolescência. É mais comum em meninos do que em meninas, mas depois da puberdade a proporção provavelmente se iguala. Embora seja um quadro de severidade menor, que não inclui atos de delinquência ou formas de comportamento mais agressivas ou antissociais, algumas crianças pequenas com esse diagnóstico, depois de vários anos, passam a desenvolver o transtorno de conduta propriamente dito.

Segundo o DSM-IV, a ocorrência de quatro dos sintomas a seguir, durante pelo menos seis meses, caracterizaria a possibilidade de diagnóstico de transtorno desafiador opositivo.

Se o indivíduo frequentemente:

- perde a paciência;
- discute com adultos;
- desafia regras ou solicitações dos adultos;
- perturba as pessoas de forma deliberada;
- responsabiliza os outros por seus erros;
- fica aborrecido;
- fica enraivecido e ressentido;
- fica rancoroso ou vingativo.

TRANSTORNOS ALIMENTARES

Os transtornos alimentares representam um problema crescente na juventude. Os sentimentos negativos em relação ao próprio corpo no início da adolescência aumentam o risco de desenvolvimento desses transtornos. A anorexia nervosa e a bulimia nervosa tendem a ter suas primeiras manifestações na adolescência e apresentam altas taxas de ocorrência com TUS, sendo também comum o abuso de diuréticos, laxantes e medicamentos para emagrecer.

ANOREXIA NERVOSA

É um transtorno que se apresenta com maior frequência entre os catorze e dezessete anos, em uma proporção de dez meninas para um menino. A ocorrência é de 0,1% em meninas entre onze e quinze anos e de 1% em meninas entre dezesseis e dezoito anos.

Nesse aspecto, fatores culturais são importantes e a anorexia nervosa é um transtorno do mundo desenvolvido, atingindo os estratos sociais mais ricos e ocidentalizados, em que o estereótipo de beleza implica em magreza, levando as adolescentes a algum tipo de dieta. A maioria das adolescentes com esse transtorno é branca, vem de família com boa instrução, de classe média ou alta.

A anorexia nervosa caracteriza-se por uma profunda perturbação da imagem corporal e busca incessante de magreza, frequentemente chegando ao ponto de inanição. Meninas envolvidas com moda, dança e ginástica olímpica sofrem uma pressão maior para controlar o próprio peso e, desse modo, tornam-se mais vulneráveis ao desenvolvimento da anorexia nervosa. Mas a explicação mais aceita para a origem do transtorno é que múltiplos fatores biológicos, psicológicos e sociais estão envolvidos e se interrelacionam.

De fato, a anorexia tende a se iniciar por uma insatisfação com o corpo. A paciente sente medo de ficar gorda, mesmo quando está muito magra; razão pela qual passa a fazer uma severa restrição alimentar. Com o tempo, o peso passa a ser o centro da sua vida, e todas as preocupações são as dietas e a forma do corpo, levando ao isolamento social. Há uma forte restrição alimentar e pode haver atividade física exagerada para queimar calorias. Embora evitem comer, as pacientes com anorexia nervosa demonstram profundo interesse por comida, escondem alimentos por toda a casa, carregam grandes quantidades de doces nas bolsas e, durante as refeições, tentam livrar-se dos alimentos escondendo-os nos guardanapos ou nos bolsos. As pacientes gostam de falar sobre comida, cozinham para os outros e observam os outros comendo.

Outra característica dessas pacientes é que, com frequência, mantêm o seu comportamento em segredo, negam seus sintomas e resistem ao tratamento. São reconhecidos, pela DSM-IV, dois padrões de anorexia nervosa:

- tipo restritivo: se dá por meio de comportamentos restritivos associados à dieta; mas não há envolvimento com episódios de hiperfagia (comer em excesso) ou purgação pelo vômito, uso de laxantes ou diuréticos.
- tipo compulsão periódica/purgativo: ocorre por meio de compulsão alimentar e/ou vômitos autoinduzidos, abuso de laxativos e de diuréticos.

Para Harold Kaplan, os sintomas bulímicos podem ocorrer como um transtorno separado, que veremos a seguir, ou como sintomas da anorexia nervosa. A diferença entre um transtorno e outro é que na bulimia nervosa o paciente consegue manter seu peso dentro da normalidade, raramente havendo uma perda de 15% do peso corporal, ao contrário da anorexia nervosa, em que ocorre um emagrecimento dramático. A desnutrição e as purgações podem resultar ainda em anemia, distúrbios endócrinos, osteoporose e até arritmia cardíaca e morte súbita.

É importante destacar que embora a anorexia nervosa seja rara entre homens, ela pode ser identificada em fisiocultores que utilizam esteroides anabolizantes, na proporção de mais de dez vezes em relação a homens que não utilizam tal substância. Há registros também de uma síndrome rara – a anorexia reversa –, que atinge homens usuários de esteroides e também é caracterizada por alteração da imagem corporal, isto é, o indivíduo acredita que é fraco e pequeno, mesmo sendo grande e musculoso.

BULIMIA NERVOSA

A bulimia nervosa é mais comum do que a anorexia nervosa. Tem como característica principal a ocorrência de compulsão alimentar, em que grandes quantidades de alimento são consumidas em pouco tempo – em geral durante um período de dieta para emagrecimento, acompanhados por um sentimento de perda de controle. O episódio de compulsão é interrompido por dor abdominal ou náusea e o paciente sente culpa, depressão ou aversão a si próprio ("angústia pós-comilança").

A pessoa compensa o excesso alimentar com vômitos deliberados, uso de laxativos, diuréticos e purgatórios, atividade física excessiva e jejuns prolongados. Os vômitos são comuns e provocados pela colocação do dedo no fundo da garganta, mas alguns pacientes são capazes de vomitar onde e quando quiserem. O vômito reduz a dor abdominal e a sensação de "estufamento", fazendo com que o paciente continue a comer sem medo de ganhar peso.

Pelos critérios da Associação Psiquiátrica Americana, o diagnóstico é firmado pela presença da compulsão periódica e quando os comportamentos compensatórios ocorrerem pelo menos duas vezes por semana, por três meses.

O DSM-IV diferencia dois tipos de bulimia nervosa:

- tipo purgativo: durante o episódio de bulimia nervosa, o indivíduo envolve-se regularmente na autoindução de vômitos, ou no uso indevido de laxantes, diuréticos ou enemas.
- tipo sem purgação: o indivíduo usa outros comportamentos compensatórios inadequados, tais como jejum ou exercícios excessivos, mas não se envolve regularmente na autoindução de vômitos, ou no uso indevido de laxantes, diuréticos ou enemas.

Os principais problemas clínicos que daí decorrem são esofagites, erosão dos dentes e alterações cardiovasculares.

ESQUIZOFRENIA

A esquizofrenia é um transtorno grave, de causas desconhecidas, que se caracteriza por sintomas psicóticos e envolve alterações das emoções, pensamento e comportamento. Atinge em torno de 1% da população. Em adolescentes, a prevalência é estimada como sendo cinquenta vezes maior do que em crianças mais jovens, atingindo de um a dois por mil. Os sintomas nos meninos surgem em idade mais precoce do que nas meninas. Todos os sintomas de início da esquizofrenia na idade adulta podem ser manifestados por crianças atingidas pelo mesmo transtorno. Embora rara, a esquizofrenia pode acontecer em crianças pré-púberes, exibindo pelo menos dois dos seguintes aspectos: alucinações, delírios, discurso ou comportamento amplamente desorganizado e grave retraimento por, pelo menos, um mês.

As crianças portadoras de esquizofrenia falam pouco e são ambíguas no modo como se referem a pessoas, objetos e eventos. Há um declínio no nível de funcionamento do paciente; ou ele não atinge o desenvolvimento esperado. Seu pensamento tende a ser ilógico e possuir um conteúdo pobre, enquanto o discurso é desorganizado. Os delírios podem estar presentes em mais da metade dos casos, manifestando-se nas formas de perseguição, grandiosidade e de conteúdo religioso. A frequência dos delírios aumenta com a idade.

Podem expressar também alucinações auditivas: vozes – identificadas como algo ou alguém "dentro da cabeça" – parecem comentar as suas ações ou lhes dão ordens, para, por exemplo, matar a si próprio. Alucinações visuais podem igualmente ocorrer, na forma de imagens assustadoras, como o demônio, esqueletos e monstros. A capacidade da criança ou do adolescente de expressar afeto torna-se então muito limitada. Há uma incapacidade de distinguir entre a realidade interna e externa e as relações sociais ficam bastante prejudicadas, com retração e distanciamento sociais, agressividade ou inconveniência sexual.

A esquizofrenia com início na infância parece ser menos sensível aos medicamentos do que a de início na idade adulta ou na adolescência, havendo, portanto, pior prognóstico. O TUS é frequentemente encontrado em pacientes com esquizofrenia e, por outro lado, muitas substâncias de abuso possuem a capacidade de provocar efeitos psicóticos, de maneira transitória e mais relacionada à intoxicação. A maconha, por exemplo, que muitos jovens imaginam ser uma droga inofensiva, tem um alto potencial de desencadear sintomas psicóticos e precipitar a esquizofrenia em pessoas com vulnerabilidade genética.

TRATAMENTO

O uso nocivo ou a dependência de substâncias são transtornos psiquiátricos graves que devem sempre ser tratados. Sabemos que quanto mais precoce é o início do consumo de substâncias, maiores são os riscos de se criar a dependência e de repercussões mais graves na saúde do indivíduo. Portanto, o tratamento também deve ser iniciado de modo mais precoce possível, oferecendo à criança ou ao adolescente a oportunidade de acesso a cuidados especializados e a possibilidade de buscar alternativas mais ricas e saudáveis de se relacionar com o mundo. É preciso que os objetivos do tratamento sejam bem claros e definidos e que se saiba que a abstinência total nem sempre é obtida de imediato e de modo permanente, pois boa parte das vezes consiste em um processo tumultuado, com avanços e recuos.

Como em quase tudo nessa fase da vida, o tratamento para o jovem é uma experiência, um jogo. E uma das características importantes dessa fase é que a expectativa é de se viver o presente, o aqui e o agora. O futuro não é uma variável com muito peso nas tomadas de decisão do adolescente. Por isso, as tentativas de se propor o tratamento com argumentos sobre os prejuízos que as drogas provocam em longo prazo não sensibilizam essa população.

Na realidade, os estudos indicam que os adolescentes, em sua maioria, retornam a algum nível de consumo de álcool ou outra substância depois do tratamento. Mesmo assim, quando em abstinência, apresentam um menor grau de conflitos interpessoais, melhoram o rendimento nos estudos e participam mais de atividades sociais e ocupacionais. Os níveis de consumo nocivo de substâncias nesses pacientes tendem a se estabilizar entre seis a doze meses depois do tratamento. Um dado relevante é que as avaliações dos resultados desses tratamentos concluíram que eles podem ser efetivos e, de resto, sempre são melhores do que nenhum tratamento.

Sendo o TUS um problema complexo, que envolve várias dimensões da vida do jovem, parece claro que os tratamentos mais abrangentes, que procuram abordar as múltiplas necessidades do paciente, focalizando diversos alvos e recorrendo a diferentes técnicas, como as terapias comportamental e familiar, tendem a atingir melhores resultados. É nesse sentido que Oscar G. Bukstein afirma que diversas pesquisas demonstraram a efetividade de abordagens terapêuticas baseadas na família quando comparadas com intervenções não baseadas nela.

Os mesmos tratamentos comportamentais-cognitivos utilizados em adultos parecem produzir bons resultados em adolescentes com TUS. Para os jovens com transtorno de conduta, as técnicas mais efetivas parecem ser a técnica de resolução de problemas e o treinamento de habilidades sociais. A participação em grupos de auxílio mútuo tende a indicar abstinência e diversos programas de tratamento para adolescentes permanecem baseados nos doze passos do programa dos Alcoólicos Anônimos (AA) ou Narcóticos Anônimos (NA).

Além dessas técnicas terapêuticas, o tratamento farmacológico pode ser um outro recurso para tratar as comorbidades e os sintomas da abstinência, bem como para combater ou diminuir os efeitos das drogas. Contudo, até o presente, não existem evidências suficientes da eficácia dos agentes farmacológicos prescritos para adolescentes com TUS e, assim, o seu uso deve ser criteriosamente avaliado pelo psiquiatra. A prescrição de medicamentos psicoativos muitas vezes desperta o receio e a resistência de familiares, que já se encontram assustados e inseguros. O uso dessa medicação envolve dúvidas e preconceitos, além do medo de efeitos colaterais e do receio do próprio medicamento causar dependência.

Cabe ao médico fornecer todas as informações, justificando a necessidade de sua prescrição, dirimindo dúvidas e mostrando que o maior risco é o da enfermidade psiquiátrica não tratada agravar-se, prejudicando ainda mais a saúde do jovem e servindo como estímulo para o consumo das drogas. O fato é que cada transtorno psiquiátrico – de acordo com a idade, peso, antecedentes mórbidos pessoais e familiares do paciente – exigirá medicamentos adequados como, por exemplo, antidepressivos, estabilizadores de humor ou antipsicóticos que serão operacionalizados pelo psiquiatra.

O tratamento para os adolescentes com TUS e comorbidades psiquiátricas deve, preferencialmente, ser realizado em ambulatórios onde atividades estruturadas sejam ofertadas. Grande parte do tratamento pode realizar-se em grupo, incluindo o trabalho com os doze passos, questões familiares e psicoeducação sobre os efeitos das substâncias, sobre as dependências químicas e também sobre as etapas do tratamento, inclusive a possível recaída e a prevenção de recaída.

A adolescência, insistimos, é uma fase dinâmica e célere, em que as transformações são constantes e os ritmos são distintos de pessoa para pessoa. Não existe, portanto, um modelo definido que se aplique a todos os adolescentes – e nem há um tipo único de usuário de substâncias. Entre estes, a substância e seu modo de uso pode modificar-se a cada tempo e a forma de perceber e reagir às circunstâncias também é peculiar a cada um, em cada momento específico, principalmente se levada em conta a realidade brasileira, em que as diferenças sociais, econômicas e regionais são tão evidentes.

De qualquer forma, o tratamento para adolescentes usuários de substâncias, com ou sem comorbidades, deve ser organizado em três níveis de intervenções:

- as que visem o desenvolvimento global do adolescente – saúde, educação, profissionalização, atividades esportivas e culturais;
- as que estimulem a modificação de comportamentos, em especial o uso de substâncias;
- as que promovam a resolução de problemas associados, (comorbidades, conflitos com a lei, ameaças à integridade física) e a participação e a reestruturação da família e do ambiente.

As linhas gerais de avaliação e de tratamento foram apresentadas em capítulos específicos deste livro e, portanto, não serão aqui repetidas. Trata-se agora de tentar apontar as diferenças entre o que seria considerado como comportamentos normais do adolescente e quando esses comportamentos podem indicar um transtorno psiquiátrico específico, um TUS ou uma comorbidade psiquiátrica.

O ADOLESCENTE NORMAL

Na obra *Adolescência normal*, Arminda Aberastury e Maurício Knobel enumeram as características próprias dessa fase de desenvolvimento psicológico e emocional dos indivíduos. Juntas, elas significariam o que esses autores chamam, exatamente, de "síndrome do adolescente normal".

BUSCA DE SI MESMO E DA IDENTIDADE

As incontroláveis transformações ocorridas no corpo provocam no adolescente uma profunda instabilidade. Há uma modificação na percepção do próprio corpo, dúvidas a respeito de seu papel no mundo e seus valores. A forma dos outros verem-no também passa a ser diferente e isso se reflete em novas atitudes e em novas formas de relacionamento com a família, com os amigos e a necessidade de experimentar novos papéis sociais. É natural ocorrer a contestação dos padrões sociais, e a busca de sua própria identidade expressa-se na forma de vestir-se, na linguagem, nos gostos artísticos, estéticos e até na alimentação. Também é comum a identificação com novos ídolos – artistas, esportistas, políticos, professores e outros tipos de lideranças. Nessa fase, a necessidade de novas experiências, aliada a uma sensação de onipotência, tende a levar o jovem a expor-se a inúmeras situações de risco (esportes, velocidade, viagens, brigas), inclusive o uso de substâncias.

SEPARAÇÃO PROGRESSIVA DOS PAIS

Há um amadurecimento intelectual com o desenvolvimento do raciocínio abstrato, o que permite uma avaliação crítica de tudo. Os pais tornam-se alvo de questionamentos e de contestações e o jovem busca um distanciamento afetivo e físico, preferindo ficar em seu quarto, onde constrói seu próprio mundo.

VINCULAÇÃO COM O GRUPO

Ao afastar-se da família, o adolescente tende a procurar no grupo de amigos apoio e referências de valores e de atitudes para sua nova identidade. Ali ele se sente compreendido, falando a mesma linguagem, tendo os mesmos interesses e dificuldades.

DESENVOLVIMENTO DO PENSAMENTO ABSTRATO, NECESSIDADE DE INTELECTUALIZAR E FANTASIAR

De acordo com Jean Piaget, nessa fase o adolescente já é capaz de realizar complexas operações intelectuais, de pensar abstratamente e de imaginar mundos diferentes. Talvez daí surja o interesse pelo novo. A crítica desenvolve-se e também os interesses filosóficos, místicos, artísticos e as preocupações sociais podem despertar o interesse por ideais éticos e com participação em atividades construtivas e altruístas.

EVOLUÇÃO DA SEXUALIDADE

Mergulhado em uma violenta alteração hormonal, o adolescente é impelido, cada vez mais cedo, para a descoberta sexual, com suas angústias, inseguranças e dúvidas. As paixões são frequentes, e pode ainda não ser muito clara, nessa fase, a opção sexual.

Crises religiosas

Os jovens demonstram dúvidas, questionando todos os valores familiares e sociais vigentes, especialmente os religiosos. Podem oscilar entre fases místicas e fases de futilidade, com interesses apenas consumistas.

Vivência temporal singular

Para o adolescente quase só existe o agora, tudo tem que ser imediato. Há uma frustração com a espera e as prioridades são distintas daquelas dos adultos. Por isso as intervenções preventivas de hábitos de risco (inclusive uso de substâncias), que focalizam as consequências em um futuro distante, são ineficazes para essa faixa etária.

Atitude social reivindicatória

Na busca de sua nova identidade, o adolescente tende a ser questionador, veemente, enfático, apaixonado na defesa de suas ideias e valores, radical e desafiador em suas atitudes. Muitas vezes é difícil distinguir essas características naturais de comportamentos agressivos e destrutivos. Outras vezes, a incapacidade da família ou da escola ou outros grupos entenderem e lidarem com a rebeldia pode levar a confrontos graves e de difícil resolução.

Constantes flutuações de humor

Submetido a intensas pressões objetivas e subjetivas, o adolescente tende a oscilar entre crises depressivas, angústia, ansiedade, sentimentos de solidão e de vazio, e períodos de extrema disposição, alegria e sensação de onipotência e indestrutibilidade. Pode haver uma brusca mudança em seu estado emocional a partir de estímulos aparentemente sem muita importância, como um telefonema de um amigo ou um passeio frustrado.

Contradições sucessivas em todas as manifestações de conduta

O jovem pode mudar de ideia e de atitude de um momento para o outro, sem preocupar-se com a coerência, muitas vezes simplesmente pelo prazer de contestar ou de chamar a atenção. É claro que as combinações entre essas manifestações são inumeráveis e não seguem um protótipo e muitos adolescentes vivem essa transição sem grandes conflitos. As características que devem ser levadas em conta por pais, professores e todos os profissionais que trabalham com essa população são a agressividade, a impulsividade, a tristeza, o desânimo, a ansiedade, a insônia, as dificuldades escolares e de relacionamento social que persistem por um período longo e cuja intensidade afetam a vida do jovem, interferindo em seu desenvolvimento acadêmico, social e às vezes até profissional.

Cada caso deve ser avaliado de acordo com suas peculiaridades e seu grau de intensidade e duração. Por exemplo, um adolescente que passa a contestar os valores religiosos da família, que não quer mais frequentar a igreja, que modifica o modo de vestir-se e sua rotina diária e que fala de maneira agressiva com os pais e irmãos; mas continua frequentando a escola com bom comportamento e bom rendimento escolar, mantendo uma vida social intensa, com amigos de famílias conhecidas da sua própria família e demonstra interesses por esportes, embora faça questão de contradizer os adultos, principalmente em questões de política, pode estar apresentando sintomas de busca de sua identidade e de seu lugar no mundo, sem nenhum sintoma patológico. Outra adolescente, que frequenta regularmente a escola, com baixo aproveitamento e pouca integração com os colegas e que em casa é cordata e obediente, nunca contesta os adultos, mas tem pouca iniciativa para atividades de lazer e pouco interesse e pouca curiosidade, pode estar deprimida e necessitando de tratamento.

Todas as informações precisam ser cotejadas com a avaliação do ambiente em que o adolescente vive, a estruturação da família e seus antecedentes mórbidos para que o diagnóstico seja bem fundamentado. O importante é que as crianças e adolescentes recebam atenção e orientação para que possam atravessar o período de dúvidas e conflitos de uma forma segura e flexível, que permita a experimentação e o risco, mas que imponha limites precisos e coerentes quando o momento ou a atitude sejam inadequados, e que dê apoio e compreensão nas horas de dúvida e de decepções. A principal função é orientar e auxiliar o jovem na sua travessia, e não impedi-la.

Para isso, quanto mais informações corretas os pais, professores e profissionais de saúde tiverem sobre os interesses, comportamentos e objetivos dos jovens, de mais instrumentos disporão para ajudá-los. Principalmente porque o fenômeno do uso de drogas na juventude é bastante complexo e não dá margem a abordagens simples e soluções fáceis, que são, em sua maioria, preconceituosas, reducionistas e mistificadoras e, assim, trazem mais problemas e complicações à vida do jovem.

Diferenças entre adolescentes, e o uso de substâncias

Uma visão simplista, por exemplo, é a de que todo o uso de drogas é maligno e que os adolescentes devem simplesmente dizer não às drogas. Ou a de que, quando o jovem experimenta uma substância qualquer, torna-se imediatamente dependente ou põe em risco a si próprio, a família e a sociedade. Outra visão simplista, em sentido oposto, é a de que o uso de drogas é inofensivo ou que é uma questão exclusiva de decisão pessoal, de foro íntimo.

Para demonstrar que a realidade é muito mais rica e complexa, podemos citar os resultados de um importante estudo realizado nos Estados Unidos por Jonathan Shelder e Jack Block, intitulado *Adolescent drug use and psychological health: a longitudinal inquiry*, publicado em 1990 no *American Psychologist*. A pesquisa acompanhou, por quinze anos, crianças de três anos de idade até o início da idade adulta e concluiu que, perto dos dezoito anos, a maioria havia experimentado maconha, álcool e tabaco. Tentando esclarecer se experimentar drogas era um padrão em indivíduos curiosos, sociáveis e psicologicamente saudáveis, os participantes do estudo foram divididos em três grupos:

- abstêmios: aqueles que nunca experimentaram drogas ilícitas;
- aqueles que só experimentaram: pessoas que fumavam maconha, mas não mais do que uma vez ao mês e que tinham experimentado, no máximo, uma outra droga ilícita;
- usuários frequentes: aqueles que usavam maconha uma vez por semana ou mais e que tinham usado, no mínimo, uma outra droga ilícita.

As conclusões apontaram que o "usuário frequente é um adolescente problemático, alienado dos relacionamentos interpessoais, emocionalmente afastado e claramente infeliz, expressando seu mau ajustamento através de um comportamento claramente antissocial e de falta de controle". Mas o dado mais revelador é que o abstêmio típico não apresentava uma grande diferença, era "um indivíduo relativamente tenso, excessivamente controlado, emocionalmente contido, que é um pouco isolado socialmente e com falta de habilidades interpessoais". Por outro lado, os que apenas experimentaram eram os mais avançados, francos, alegres, charmosos e equilibrados dos três grupos.

A comparação das características dos pais dos participantes revelou que os pais dos futuros usuários frequentes e dos futuros abstêmios tinham muito em comum. Ou seja, uma inclinação a serem frios e insensíveis, mesmo com os filhos pequenos, pressionando seus filhos a realizarem conquistas, mas sem encorajá-los. De maneira geral, os pais daqueles que só experimentavam davam-lhes mais apoio.

Entretanto, os autores do trabalho não sugerem que o uso de drogas na adolescência é benigno. Pelo contrário, afirmam que o uso frequente, principalmente no início da adolescência, não só aponta para a preexistência de transtornos, bem como os torna piores. Assim, para adolescentes que são vulneráveis, que já apresentam problemas, a abstinência é um fator de proteção, porque o uso de substâncias provavelmente não permanecerá na experimentação inocente, mas evoluirá para o uso nocivo ou para a dependência.

Essas conclusões demonstram a importância e a necessidade da identificação precoce dos sinais e sintomas de transtornos psiquiátricos em crianças e adolescentes e também a necessidade de encaminhamento para tratamento especializado. O estudo também indica que educar o adolescente, informando que experimentar a substância conduz à dependência, não produz a abstinência; mas pode originar uma ansiedade avassaladora, que pode ela mesma favorecer o uso de drogas, ou a ideia que os adultos que consomem drogas estão desencaminhados de modo definitivo.

Outros estudos apontam que o abuso de substâncias na adolescência pode se tratar de dois problemas distintos. Um diz respeito a todos os adolescentes com dificuldades de julgar se devem experimentar as drogas e, em caso afirmativo, quando; e aqueles que sob influência delas podem sofrer acidentes fatais ou outras consequências graves. Para estes é necessário advertência, limite, freio, controle, prevenção e proteção. O segundo problema relaciona-se aos adolescentes que tentam resolver dificuldades ou amenizar o estresse através do uso de substâncias. Para eles as drogas promovem um alívio temporário, mas com o decorrer do tempo há agravamento do risco de dependência. Para esses jovens, outras dimensões de suas vidas estão afetadas – tais como a família, a escola, o relacionamento com a lei – e as drogas complicam ainda mais as suas dificuldades. Todos eles precisam de uma ajuda ampla, diversificada e acessível.

Em estudo recente, o psiquiatra Ralph Tarter e seus colaboradores concluíram que a deficiência para controlar o comportamento e regular emoções relacionadas com demandas situacionais foi associada com a probabilidade de início precoce de transtorno por uso de substâncias. Também se chegou à conclusão de que jovens com alto risco para esse problema frequentemente apresentam impulsividade, agressão reativa, busca de sensações e tendência excessiva a correr riscos, ou seja, colocar-se em situações de perigo.

Outras situações encontradas pelos autores e que estão associadas com jovens com alto risco para TUS são irritabilidade, afetividade negativa (pouca expressão de afeto) e temperamento difícil. Os autores da pesquisa afirmam que os jovens com risco elevado de desenvolver o transtorno por uso de substâncias, quando comparados com a população em geral, tendem a desenvolver o transtorno de déficit de atenção e hiperatividade, transtorno desafiador opositivo, transtorno de ansiedade e transtorno depressivo.

Portanto, existem evidências científicas suficientes que demonstram características comportamentais e problemas psiquiátricos que predispõem os jovens a um alto risco de desenvolverem problemas relacionados ao uso de substâncias. Como consequência, também é possível fazer-se um trabalho preventivo, contando com o auxílio de educadores e dos próprios pais, desde que estes sejam orientados a procurar auxílio profissional especializado tão logo identifiquem os sintomas em crianças e adolescentes. Para isso, é claro, os serviços de saúde devem existir em número suficiente e com capacitação adequada para atender a essa população.

No futuro, novos conhecimentos surgirão a partir de novos estudos e pesquisas, aperfeiçoando a fundamentação científica para o entendimento dessas comorbidades e de suas múltiplas causas: biológicas, psicológicas, culturais, sociais e ambientais. Parece claro que o uso de drogas na infância e na adolescência e as comorbidades psiquiátricas envolvem uma dimensão e uma discussão mais ampla, em que toda a sociedade precisa debater a forma como quer relacionar-se com as drogas e que papel quer delegar à nossa infância e nossa à juventude. Uma discussão, sem dúvida, que ultrapassa os limites desse capítulo; mas não as exigências da realidade.

BIBLIOGRAFIA

ABERASTURY, A.; KNOBEL, M. *Adolescência normal.* Porto Alegre: Artmed, 2000.

APOLINÁRIO, J.C.; CLAUDINO, A. "Transtornos alimentares". *Revista Brasileira de Psiquiatria.* 22 (Suplemento II). 2000. 28-31.

ASSOCIAÇÃO PSIQUIÁTRICA AMERICANA (APA). *Manual diagnóstico e estatístico de transtornos mentais – DSM-IV.* Porto Alegre: Artmed, 1995.

ASSUNÇÃO, F.; KUCZINSKY, E. "Transtornos do humor". In: *Tratado da infância e da adolescência.* São Paulo: Atheneu, 2003.

BAHALS, S.C. *A depressão em crianças e adolescentes.* São Paulo: Lemos Editorial, 2004.

BERGER, K. *O desenvolvimento da pessoa – da infância à adolescência.* Rio de Janeiro: LTC Editora, 2003.

BORDIN, I.; OFFORD, D. "Transtorno de conduta e comportamento antissocial". *Revista Brasileira de Psiquiatria.* 22 (Suplemento II). 2000. 12-5.

BUKSTAIN, O. G. "Adolescent substance abuse". In: KAPLAN, H.; SADOCK, B. *Comprehensive textbook of psychiatry.* Philadelphia: Lippincott Williams &Wilkins, 2000.

CASTILLO, A. R.; RECONDO, R.; ASHBAR, F.; MANFRO, G. "Transtornos de ansiedade". *Revista Brasileira de Psiquiatria,* 22 (Suplemento II). 2000.20-3.

CURATOLO, E. "Transtorno de conduta". In: ASSUNÇÃO, F.; KUCZYNSKI, E. *Tratado da infância e da adolescência.* São Paulo: Atheneu, 2003.

DRYFOOS, J. *Adolescents at risk: prevalence and prevention.* New York: Oxford University Press, 1990.

DUBOVSKY, S.; DUBOVSKY, A. *Transtornos do humor.* Porto Alegre: Artmed, 2004.

FEINSTAIN, A R. "The pre-therapeutic classification of co-morbidity in chronic disease". *Journal of Chronic Diseases, 23*: 1970. 45-468.

FU, L.; CURATOLO, E.; FRIDRICH, S. "Transtornos afetivos". *Revista Brasileira de Psiquiatria.* 22 (Suplemento II): 2000. 24-7.

GOODMAN, R.; SCOTT, S. *Child psychiatry.* Londres: Blackwell Science, 2001.

GOUVEIA, V.V.; BARBOSA, G.A.; ALMEIDA, H.J. "Inventário da depressão infantil – estudo com escolares de João Pessoa". *J Bras Psiquiatria,* 44 (7):345-9,1995.

KAMINER, Y. *Adolescent substance use.* New York: Plenum Medical Book Company, 1994.

KAPLAN, H.; SADOCK, B. *Comprehensive textbook of psychiatry.* Philadelphia: Lippincott Williams &Wilkins, 2000.

KAPLAN, H.; SADOCK, B.; GREBB, J. *Compêndio de psiquiatria.* Porto Alegre: Artmed, 1997.

KERNBERG, P.; WEINER, A.; BARDENSTEIN, K.. *Transtornos da personalidade em crianças e adolescentes.* Porto Alegre: Artmed, 2003.

LEWIS, Melvin. *Tratado de infância e adolescência.* Porto Alegre: Artmed, 1995.

MARQUES, A. C.; CRUZ, M. "O adolescente e o uso de drogas". *Revista Brasileira de Psiquiatria.* 22 (Suplemento II): 2000. 32-6.

MEZZACAPPA, E.; EARLS, F. "The adolescent with conduct disorder". *Adolesc Med,* 9 (2): 1998. 363-71.

ORGANIZAÇÃO MUNDIAL DE SAÚDE (OMS). Classificação estatística internacional de doenças e problemas relacionados à saúde – CID -10. São Paulo: Edusp, 1995.

PAGLIARO, A. M.; PAGLIARO, L.A. *Substance use among children and adolescent.* New York: John Wiley Sons, Inc., 1996.

PATAKY, C. "Mood disorders and suicide in children and adolescent". In: KAPLAN, H.; SADOCK, B. *Comprehensive textbook of psychiatry*. Philadelphia: Lippincott Williams &Wilkins, 2000.

ROHDE, L. A.; BARBOSA, G.; TRAMONTINA; S.; POLANCZIK, G. "Transtorno de déficit de atenção/hiperatividade". *Revista Brasileira de Psiquiatria*. 22 (Suplemento II): 2000. 7-11.

ROHDE, L. A.; ROMAN, T.; ARONIVICH, V. In: ASSUNÇÃO, F.; KUCZYNSKI, E.. *Tratado da infância e da adolescência*. São Paulo: Atheneu, 2003.

RUTTER, M.; TAYLOR, E. *Child and adolescent psychiatry*. Londres: Blackwell Science, 2002.

SANTROCK, J. W. *Adolescência*. Rio de Janeiro: LTC Editora, 2001.

SCIVOLETO, S.; MARTINS, T. "Drogas e álcool". In: ASSUNÇÃO, F.; KUCZYNSKI, E. *Tratado da infância e da adolescência*. São Paulo:Atheneu, 2003.

SHEDLER, J.; BLOCK, J. "Adolescent drug use and psychological health: a longitudinal inquiry". *American Psychologist*, 45, 612-630, 1990.

TARTER, R.; KIRISCI, L.; MEZZICH, A.; CORNELIUS, J. "Neurobehavioral disinhibition in childhood predicits early age at onset of substance use disorder. *Amercian Journal of Psychiatry, 160: 2003. 1078-1085.*

A IMPORTÂNCIA DA AVALIAÇÃO INICIAL

Ana Cecília Marques

Atualmente, em função de fatores ambientais, políticos e socioeconômicos, a formação e o processo de diferenciação do adolescente se dá de forma muito mais complexa do que, por exemplo, há vinte anos. Com isso, o início do uso de substâncias psicoativas tornou-se bem mais precoce e, por consequência, a triagem e o encaminhamento adequado para tratamento de casos de dependência se constituem um desafio especial. Sem dúvida, um jovem que faz abuso de álcool aos treze anos necessitará de muito mais recursos terapêuticos do que outro, que se inicia no uso abusivo apenas aos dezenove anos de idade.

Os jovens raramente buscam ajuda por conta própria, principalmente quando estão em dificuldades relacionadas ao uso de drogas. Eles tampouco estabelecem relação direta entre alterações de seu comportamento, pensamento e mesmo de seu funcionamento orgânico com o uso destas substâncias, uma vez que, naturalmente, seus corpos e mentes encontram-se em uma fase de modificações contínuas. Aqueles que percebem algum efeito nocivo tendem a minimizá-lo – ou negá-lo –, argumentando para si próprios que "isso não é nada", que o problema logo vai se resolver, sem a ajuda ou intervenção de ninguém. Portanto, dependendo da forma com que o jovem for abordado, seja por familiares, amigos, professores ou mesmo por um profissional especializado, a resistência pode aumentar consideravelmente.

Assim, cabe a todos aqueles que puderem abordar o jovem esse momento de problemas, um papel delicado, mas fundamental no processo de observação precoce de seu possível envolvimento com o uso de drogas. Adolescentes que passam a apresentar problemas escolares diversos, como dificuldades em acompanhar o conteúdo das aulas, problemas de adaptação, transtorno de conduta (ver capítulo de Marco Bessa neste livro) ou até mesmo abandono dos estudos, devem ser alvo de uma avaliação cuidadosa e acompanhamento por parte da escola, e se for o caso, encaminhados para um profissional especializado. Outras pistas de possível envolvimento com drogas, além dos problemas escolares, são as dificuldades no ajustamento familiar e as recorrências clínicas, muitas vezes levando o jovem às salas de emergência como vítimas de acidentes.

Cada ambiente deve ter os seus próprios mecanismos de avaliação de problemas e possibilidades de atuação. Assim, a escola usará seus parâmetros e fará o seguimento baseado na estabilização dos problemas detectados. O serviço de saúde, geral ou especializado, poderá confirmar se há ou não transtorno por uso de substâncias e, também, se há alguma possível associação com outro transtorno psiquiátrico, a partir de uma avaliação especialmente desenhada. O manejo dessa avaliação em qualquer ambiente deve ser, de preferência, afetivo e claro, com o objetivo explícito de se obter a devida cooperação do adolescente, reforçando-se o sigilo absoluto das informações ali colhidas. Em ambos, deve-se desenvolver uma entrevista livre, em que o jovem responda a duas questões básicas: se ele percebe a mudança em seu comportamento e se ele conhece os motivos dessa alteração. Se for avaliado em uma consulta clínica-psiquiátrica ou psicológica, a pergunta pode ser o que ele pensa ter de errado com ele e se ele sabe quais são as causas. Isso também auxiliará no estabelecimento de um vínculo entre o profissional e o adolescente submetido à avaliação. Desse modo, o objetivo principal da primeira entrevista é o desenvolvimento de um bom relacionamento, sempre baseado na confiança mútua.

Nos serviços de saúde existem vários níveis de avaliação: a triagem, que é breve e focalizada; a avaliação focalizada e detalhada, desenvolvida em situações já com evidências de problemas e que, portanto, exigirá mais detalhamento; e a avaliação especializada e estruturada, esta realizada em serviços especializados, mais intensiva e com múltiplos recursos. O nível de avaliação dependerá do objetivo do serviço, das condições locais e do preparo da equipe.

TRIAGEM

A triagem, de acordo com a nomenclatura recomendada pelo National Institute on Alcohol Abuse and Alcoholism, é um processo que identifica possíveis fatores de risco para a *doença* ou desordem. É um procedimento breve, realizado em no máximo trinta minutos, no qual se define a probabilidade de existirem problemas e a necessidade de o indivíduo ser encaminhado para uma avaliação mais detalhada. Assim, a triagem identifica o possível risco e a gravidade, podendo ser aplicada em populações diferentes, por qualquer profissional.

Nos trinta minutos previstos para a triagem, é possível realizar todo o processo, aplicar um questionário para o adolescente e seu responsável e, além disso, discutir os resultados da avaliação. Ela pode ser realizada inclusive por telefone ou computador, agendando-se um posterior contato presencial, muito embora existam autores e especialistas que questionem a eficácia desse tipo de intervenção.

De todo modo, os procedimentos da triagem devem estar focados na verificação de sinais ou fatores que indiquem problemas relacionados ao uso de substâncias (*red flags*). São alguns exemplos destes sinais e sintomas: faltas frequentes à escola; história de trauma e acidente frequentes; episódios depressivos e de ansiedade abruptos; alterações gastrointestinais, sexuais e do sono. Para adolescentes de risco, isto é, aqueles que apresentam os fatores de risco, mesmo uma triagem negativa deve ser seguida de uma reavaliação e de um acompanhamento de no mínimo seis meses. O leitor pode se remeter ao capítulo de Zili Sloboda neste volume para uma lista de fatores de risco.

Naturalmente, não basta que o jovem apresente um sinal ou sintoma para ser diagnosticado como problemático, pois alguns jovens se envolvem temporariamente com o uso de substâncias, mas o interrompem quando se tornam mais velhos. Assim, os profissionais que conduzem essa triagem devem ser sensíveis ao potencial de risco de estigmatizar o jovem como usuário problemático ou dependente. É possível, então, que diante de problemas escolares devidamente elucidados e relacionados ao uso de drogas psicoativas, a própria equipe pedagógica-educional possa acompanhar a estabilização do jovem – sem necessidade de encaminhamento para profissional externo à escola – desde que alguns parâmetros sejam definidos no início da intervenção e reavaliados ao final de um período, previamente combinado com o jovem, a família e a escola.

É preciso ficar atento também para o fato de que existe um consenso, na literatura científica, de que o transtorno por uso de substâncias é um fator indicativo de comportamento de risco para doenças sexualmente transmissíveis, entre elas a aids. De acordo com uma pesquisa sobre comportamentos de risco, realizada pelo Centers for Disease Control and Prevention, nos EUA, metade dos estudantes do ensino médio já praticaram sexo. Um quinto deles, manteve relações sexuais com mais de seis parceiros, sendo que apenas metade usou preservativos da última vez. O uso de drogas parece, de fato, encorajar o comportamento sexual de risco, pois um quarto desses jovens estava sob efeito de drogas no último relacionamento sexual. Esses dados indicam a incontestável importância do treinamento sobre o tema para os profissionais e o conhecimento da forma mais adequada de encaminhar o problema.

Levando em consideração todos estes fatos sobre a triagem, é possível utilizar esse recurso por qualquer indivíduo, pais, professores ou profissionais que identifique alguma mudança no jovem e se comprometa a avaliar o adolescente dentro de um processo contínuo e multidimensional, investigando a saúde física e mental, o comportamento e o relacionamento social e familiar, o ajustamento escolar ou profissional, as atividades de lazer e, finalmente, o possível uso de drogas e o risco de ter os problemas atuais a ele relacionados.

Para jovens que já têm o diagnóstico de Transtorno por Uso de Substâncias Psicoativas (TUS) com triagem anterior positiva, a avaliação será direcionada ao consumo e buscará os problemas com mais profundidade. O Protocolo de Avaliação Especializada deve utilizar múltiplos recursos, investigando as possíveis repercussões em várias áreas da vida do jovem. Deve-se atentar para quatro fatores básicos: a gravidade do uso; a manutenção de fatores de risco para uso; outra doença psiquiátrica; distorção nas respostas, isto é, mentiras e manipulações das informações. Procede-se a uma entrevista ampla e a seguir focaliza-se no uso de drogas: o possível uso nas 24 horas que antecederam a consulta, a via de administração, a intensidade de uso no último mês e no último ano (quantidade e frequência), o padrão desse uso (com quem usa, onde usa etc.), os efeitos físicos e psicológicos, além da influência que as drogas estão provocando em outras áreas da vida do entrevistado. Investigar toda a história de vida em relação ao uso de substâncias, incluindo lícitas, prescritas e ilícitas; e a ocorrência de tratamentos anteriores. A autoestima e a motivação, bem como as habilidades de lidar com situações de risco, a atividade sexual e os comportamentos de risco devem ser igualmente investigados. Na pesquisa de antecedentes familiares (consumo de drogas ou a presença de outro diagnóstico psiquiátrico na família), a inclusão da família pode ser proposta. Em resumo, os objetivos dessa fase da avaliação são os seguintes: identificar se o usuário de risco já evoluiu para dependência; investigar os problemas relacionados e para quais deles deverá haver tratamento; planejar as intervenções necessárias; envolver, no processo de tratamento, o familiar mais adequado.

Questionários

Um recurso comumente utilizado em ambiente de saúde para melhorar a capacidade de realizar um diagnóstico é a aplicação de questionários ou escalas, apesar de a literatura científica a respeito comprovar que o relato dos jovens sobre o uso de drogas é geralmente confiável, desde que estabelecido um clima de confiança. Para usá-los, faz-se necessário não só traduzi-los, mas adaptá-los e modificá-los segundo as necessidades e especificidades do público-alvo. Esses questionários podem ser divididos em três categorias específicas:

- questionários para triagem: aplicados por dez minutos, no máximo, com o objetivo de identificar o adolescente que faz uso e está sob risco. Apropriados em ambientes em que o contato deve ser breve e em que se espera que um grupo grande de adolescentes seja avaliado.

- questionários para uma avaliação mais detalhada: duração de dez a sessenta minutos, investiga diversas áreas da vida que possam ser afetadas pelo uso das drogas. Apropriado para o ambiente em que o contato pode ser mais longo. Em serviço especializado podem ser investigadas a saúde global; a qualidade de vida; a expectativa do paciente quanto ao tratamento; o estado de motivação; o grau de percepção de problemas, os recursos sociais, pessoais e financeiros.

Um detalhe importante é que o questionário deve ser aplicado com o jovem sozinho, sem a presença dos pais. Existem entrevistas com versões específicas para aplicação com os pais, em que os dados sejam comparados com os fornecidos pelos filhos. Para aplicá-las, são necessários treinamentos e inclusões de sessões especiais com essa finalidade. A escolha de qualquer um dos questionários disponíveis dependerá dos objetivos e, naturalmente, dos custos.

O National Institute on Drug Abuse, órgão americano mundialmente reconhecido recomenda uma série de questionários e escalas incluídos na tabela a seguir. No Brasil, a única escala validada é o Drug Use Screening Inventory, que serve para identificar jovens de risco. Para os adolescentes dependentes em tratamento,s foi desenvolvida a Teen Addiction Severity Index (T-ASI), já traduzida para o português e ainda não validada. O T-ASI é uma entrevista adaptada ao adolescente, que investiga várias áreas de sua vida, como o grupo que frequenta e o desempenho escolar.

SUMÁRIO DAS ESCALAS E QUESTIONÁRIOS
PARA ADOLESCENTES USUÁRIOS DE SUBSTÂNCIAS

PARA TRIAGEM
Client Substance Index – Short (CSI-S)
Drug and Alcohol Problem (DAP)
Drug Use Screening Inventory Revised (DUSI-R)
Perceived Benefit of Drinking and Drug Use
Personal Experience Screening Questions (PESQ)
Problem Oriented Screening Instrument for Teenagers (POSIT)
Substance Abuse Subtle Screening Inventory (SASSI)

PARA ÁLCOOL
Adolescent Alcohol Involvement Scale (AAIS)
Adolescent Drinking Index (ADI)
Rutgers Alcohol Problem Index (RAPI)

ENTREVISTAS DIAGNÓSTICAS
Diagnostic Interview for Children and Adolescent (DICA)
Diagnostic Interview Schedule for Children (DISC-C)
Kiddies SADS (K-SADS)
Structured Clinical Interview for DSM
Adolescent Diagnostic Interview (ADI)
Customary Drinking and Drug Use Record (CDDR)

AVALIADOR

Em ambientes da área de saúde, o profissional deve ser muito bem treinado no manejo com jovens e na aplicação de protocolos sistematizados. Deve fazer parte de uma equipe multidisciplinar, em que cada profissional tem sua função bem estabelecida. Escolas, serviços vocacionais, judiciais e religiosos devem ter também profissionais treinados. São considerados pré-requisitos exigidos para os membros de uma equipe de avaliadores em todos os ambientes: conhecimento das várias etapas do psicodesenvolvimento e dos problemas comuns a cada uma; ter habilidade para avaliar riscos, planejar e intervir, além de estabilidade psicológica para se comunicar com jovens "resistentes". Também é importante saber quais casos devem obrigatoriamente ser participados aos pais e quais podem ser inicialmente tratados apenas no âmbito da escola. É essencial conhecer as leis que protegem crianças e adolescentes, a exemplo do ECA, e saber adequá-las a cada caso; e também conhecer a rede local, para o caso de encaminhamento. Outra forma valiosa para se obter informações na fase de avaliação é a família. Nesse aspecto, é importante que seja respeitada a lei sobre o responsável pelo jovem e, também, a opinião do próprio adolescente. Uma vez garantido ao jovem o sigilo das informações pessoais, os pais devem *sempre* ser informados sobre possíveis riscos de suicídio, síndrome de abstinência grave, intoxicação grave e abuso sexual.

OUTRAS FONTES DE INFORMAÇÃO

Além dos questionários, métodos laboratoriais para detecção de uso de drogas no organismo são possíveis coadjuvantes na avaliação inicial e no tratamento do jovem dependente. Esses métodos são utilizados com frequência em unidades de desintoxicação, em serviços de tratamento especializado e no sistema judiciário. Porém, os testes sempre devem ser aplicados com consentimento e conhecimento prévio do adolescente, que deve receber uma explicação detalhada sobre os motivos de sua prescrição. É fato que o uso de testes na urina e no sangue podem melhorar a efetividade das intervenções, na medida em que promovem um esforço no controle do desejo, frente a possibilidade de recaída e detecção por meio da testagem. Toda intervenção, incluindo a testagem, deve ser parte de um contrato inicial, em que os procedimentos são explicados e acordados com o paciente. Essa estratégia deixa o profissional e o paciente bastante confortáveis com tudo que será aplicado a seguir.

A coleta de informações de outras fontes, como a escola e o histórico de tratamentos anteriores, também é bem-vinda. Sabemos que as entrevistas com familiares ou amigos constituem um "luxo" nos protocolos de triagem, mas desde que se tornem possíveis, auxiliarão a elaborar um diagnóstico mais preciso e um consequente encaminhamento mais adequado do paciente. É preciso, contudo, ponderar as informações recebidas por esse meio. Existem dados mostrando, por exemplo, que os pais informam melhor sobre problemas de atenção e de conduta, como roubo de dinheiro, do que sobre alterações de humor.

O novo conceito dos transtornos relacionados ao uso de álcool e outra drogas rejeitou a ideia da existência apenas do dependente e do não dependente. Existem, em vez disso, padrões individuais de consumo que variam de intensidade ao longo de uma linha contínua. Qualquer modo de consumo pode trazer problemas para o indivíduo· Por exemplo, o consumo de álcool em baixas doses, cercado das precauções necessárias à prevenção de acidentes relacionados, faz desse um consumo de baixo risco. Há também, no entanto, indivíduos que bebem eventualmente, mas são incapazes de controlar ou adequar seu modo de consumo. Isso pode levar a problemas sociais (brigas, faltas no emprego), físicos (acidentes) e psicológicos (heteroagressividade). Diz-se que tais indivíduos fazem um uso nocivo do álcool. Por fim, quando o consumo se mostra compulsivo e destinado a evitar de sintomas de abstinência e cuja intensidade é capaz de ocasionar problemas sociais, físicos e ou psicológicos, fala-se em dependência.

DIAGNÓSTICO

No ambiente especializado em tratamento, os profissionais de saúde utilizam os critérios extraídos das entrevistas estruturadas do *Manual Diagnóstico e Estatístico de Transtornos Mentais*, o DSM-IV, elaborado pela Associação Psiquiátrica Americana, com base em pesquisas e experiências clínicas entre adultos. Contudo, vale dizer que alguns termos utilizados nas entrevistas incluídas no DSM-IV são considerados imprecisos para os jovens. Expressões como "grandes quantidades", "período mais longo", "desejo persistente", "uso recorrente", "atividades importantes" e "controle comprometido" não são claras para eles, do mesmo modo que, para os profissionais da área, a caracterização de tolerância, intoxicação e abstinência se torna igualmente difícil de precisar.

De acordo com o DSM-IV, três critérios devem ser preenchidos para se obter o diagnóstico de dependência. Jovens que preencham apenas dois, portanto, ficarão sem diagnóstico. Em 1998, o pesquisador P. A. Harrison e seus colaboradores encontraram alta porcentagem de adolescentes com diagnóstico de dependência que apresentavam, na verdade, critérios de abuso. Estudando os dez critérios – os de dependência e os de abuso – juntos, os autores verificaram um padrão de agrupamento que ocorrem em três estágios: precoce, intermediário e tardio, relacionados ao desenvolvimento do transtorno do uso de substâncias em adolescentes. Dessa maneira, propuseram uma classificação diagnóstica alternativa, em que a presença de um ou dois sintomas poderia ser identificada como abuso, três ou quatro sintomas juntos, como abuso sério ou risco de dependência, e cinco ou mais sintomas, como indicadores de dependência.

Para o diagnóstico de transtornos relacionados ao uso de substâncias, utiliza-se também a *X Classificação de transtornos mentais e de comportamento da Organização Mundial da Saúde* (CID-10). Ali, no capítulo sobre transtornos mentais e de comportamento decorrentes do uso de substâncias psicoativas, encontram-se os critérios diagnósticos para vários estados, sendo os mais importantes: a intoxicação aguda, o uso nocivo, a síndrome de dependência e o estado de abstinência. O diagnóstico de síndrome de dependência usualmente só deve ser feito se três ou mais dos seguintes requisitos estiveram presentes durante o último ano:

- forte desejo ou senso de compulsão para consumir a substância;
- dificuldades em controlar o comportamento de consumir a substância em termos de início, término ou níveis de consumo;
- estado de abstinência fisiológico quando o uso da substância cessou ou foi reduzido;
- evidência de tolerância, de tal forma que doses crescentes da substância são requeridas para alcançar efeitos originalmente produzidos por doses mais baixas (exemplos claros são encontrados em indivíduos dependentes de álcool e de opiáceos, que podem tomar doses diárias suficientes para matar ou incapacitar usuários não tolerantes);
- abandono progressivo de prazeres ou interesses alternativos em favor do uso da substância, aumento da quantidade de tempo necessária para obter ou tomar a substância ou para se recuperar de seus efeitos;

• persistência do uso da substância, a despeito da evidência clara de consequências manifestamente nocivas. Devem-se fazer esforços para determinar se o usuário estava realmente – ou se era possível esperar que estivesse – consciente da natureza e extensão do dano.

A Organização Mundial de Saúde define uso nocivo como "um padrão de uso de substâncias psicoativas que está causando dano à saúde", de natureza física ou mental.

Após todas essas considerações, voltando o foco para a importância da avaliação do jovem que em algum momento do desenvolvimento psicossocial e biológico muda de curso, é importante lembrar que:

• a entrevista realizada por qualquer profissional, integrante de equipe escolar ou serviço de saúde, deve ser aberta, sem preconceitos e voltada para o estabelecimento de um vínculo, uma aliança, pois esse momento é muito especial e deve ser garantido para a continuidade do processo de investigação sobre consumo de substâncias psicoativas;
• o diagnóstico deve ser a meta, com participação proativa do jovem e dos familiares na sua construção, buscando inicialmente diferenciar o uso experimental, abuso e dependência, e todos os fatores que contribuem para o transtorno;
• a escolha do formato da avaliação depende do ambiente e possibilitará um melhor pareamento com a intervenção subsequente.

A avaliação inicial é um importante instrumento de identificação de problemas e encaminhamento que deve ser utilizado por profissionais de diversas áreas, incluindo educadores e profissionais de saúde. É importante, no entanto, que a prática não se torne uma "caça às bruxas" e que o profissional evite entender qualquer mudança de comportamento do jovem como necessariamente associado ao consumo de drogas.

Bibliografia

ACHENBACH, T.M. Comorbidity in child and adolescent psychiatry: Categorical and quantitative perspectives. Journal of Child and Adolescent Psychopharmacology, 1. 1990: 271-278.

ACHENBACH, T.M.; Edelbrock, C.S. Behavioral problems and competencies reported by parents of normal and disturbed children aged 4-16. Monographs of the Society for Research in Child Development 46(1, Serial No. 88), 1981.

ALLEN, J. P.; Columbus, M. (1995) Assessing alcohol problems: A guide for clinicians and researches. Treatment Handbook Series, Number 4. Bethesda MD: National Institute on Alcohol Abuse and Alcoholism.

AMERICAN ACADEMY OF PEDIATRICS. The Classification of Child and Adolescent Mental Diagnoses in Primary Care: Diagnostic and Statistical Manual for Primary Care (DSM-PC) Child and Adolescent Version. Elk Grove Village, IL: American Academy of Pediatrics, 1996.

AMERICAN PSYCHIATRIC ASSOCIATION. Diagnostic and Statistical Manual of Mental Disorders, 4th ed. (DSM-IV). Washington, DC: American Psychiatric Association, 1994.

ANNIS, H. M. ; Davis, C. S. (1988). Relapse prevention. In R. K. Hester & W. R. Miller (Eds.); Handbook of Alcoholism Treatment Approaches (170-182). New York: Pergamon Press.

BABOR, T. F.; Stephens, R.S.; Marlatt, G.A.(1987) Verbal report methods in clinical research on alcoholism:response bias and its minimization. Journal of Studies on Alcohol, 48, 410-424.

BABOR, T.; Hofmann, M.; Delboca, F.; Hesselbrock, v.; Meyer, R.; Dolinsky, Z.; Rounsaville, B. (1992). Types of alcoholics, I: Evidence for an empirically derived typology based on indicators of vulnerability and severity. Archives of General Psychiatry 49:599-608.

BABOR, T. F.; Del Boca, F. KM. A. Jacobi, B.; Higgins-Biddle, J.; Hass, W. (1991). Just say Y.E.S: Matching adolescents appropriate interventions for alcohol and other drug-related problems. Alcohol Health and Research World, 15:77-86.

BAUMRIND, D.; Moselle, K.A. A developmental perspective on adolescent drug abuse. Advances in Alcohol and Substance Abuse 4:41-67, 1985.

BROWN, E.; FranK, D.; Friedman, A. (1995) Supplementary Administration Manual for the Expanded Female Version of the Addiction Severity Index (ASI) Instrument, The ASI-F. Herndon, VA: Head & Co., Inc.

BUKSTEIN, O. G.; Brent, D. A.; Kaminer, Y. (1989). Comorbidity of substance abuse and other psychiatric disorders in adolescents. Am J Psychiatry 146(9):1131-1141.

BUKSTEIN, O G. (2000) Disruptive behavior disorders and substance use disorders in adolescents. Journal of Psychoactive Drugs, 32(1): 67-78.

CAMPANELLI, P. C.; Dielman, T. E.; Shope, J. T. (1987). Validity of adolescent' sel-reports of alcohol use misuse using a bogus pipeline procedure. Adolescence, 22,7-22.

CENTERS FOR DISEASE CONTROL AND PREVENTION. http://www.cdc.gov/nccdphp/dash/yrbs/ov.htm [Accessed April 6, 1998].

CENTERS FOR DISEASE CONTROL (1997) Youth risk behavior surveillance. United States,. In: CDC surveillance summaries, 1998. MMWR 1998:47(No. SS-3).

CENTER FOR SUBSTANCE ABUSE TREATMENT. Developing State Outcomes Monitoring Systems for Alcohol and Other Drug Abuse Treatment. Treatment Improvement Protocol (TIP) Series, Number 14. DHHS Pub. No. (SMA) 95-3031. Washington, DC: U.S. Government Printing Office, 1995a.

CENTER FOR SUBSTANCE ABUSE TREATMENT. Combining Alcohol and Other Drug Abuse Treatment With Diversion for Juveniles in the Justice System. Treatment Improvement Protocol (TIP) Series, Number 21. DHHS Pub. No. (SMA) 95-3051. Washington, DC: U.S. Government Printing Office, 1995b.

CHILDREN'S DEFENSE FUND. The Adolescent and Young Adult Fact Book. Washington, DC: Children's Defense Fund, 1991.

COSTELLO, A.; Edelbrock, C., Costello, A. J. (1985). Validity of the NIMH Diagnostic Interview Schedulle for children: A comparison between pediatric and psychiatric referrals. Journal of abnormal Child Psychology and Psychiatry, 13:579-595.

CROWLEY, T.J.; Riggs, P.D. (1995) Adolescent substance use disorder with conduct disorder and comorbid conditions. In NIDA Research Monograph n.156, Rockville, U.S. Department of Health & Human SERVICES, 49-111.

DACKIS, C.A.; Gold, M.A. Addictiveness of central stimulants. Advances in Alcohol and Substance Abuse, 9: .9-26, 1990.

DEMBO, R., Associates. Prototype Screening/Triage Form for Juvenile Detention Centers. Tampa, FL: Department of Criminology, University of South Florida, 1990.

DEMBO, R.; Williams, L.; Fagan, J.; Schmeidler, J. The relationships of substance abuse and other delinquency over time in a sample of juvenile detainees. Criminal Behavior and Mental Health 3:158-179, 1993a.

DEMBO, R.; Williams, L.; Schmeidler, J. Addressing the problems of substance abuse in juvenile corrections. In: Inciardi, J.A., ed. Drug Treatment in Criminal Justice Settings. Newbury Park, CA: Sage, 1993b.

DEMBO, R.; Williams, L.; Wish, E.D.; Berry, E.; Getreu, A.; Washburn, M.; Schmeidler, J. Examination of the relationships among drug use, emotional/psychological problems, and crime among youths entering a juvenile detention center. International Journal of the Addictions 25(11):1301-1340, 1990a.

DEMBO, R.; Williams, L.; Wish, E.D., Schmeidler, J. Urine Testing of Detained Juveniles to Identify High-Risk Youth. Washington, DC: U.S. Department of Justice, 1990b.

Dupre, D.; Miller, N.; Gold, M.; Rospenda, K. Initiation and progression of alcohol, marijuana, and cocaine use among adolescent abusers. The American Journal on Addictions, v.4:43-48, 1995.

Edelbrock, C.; Costello, A. J.; Dulcan, M. K.; and Kalas, R. (1986). Parent-child agreement on child psychiatric symptons assessment via structured interview. Journal of child Psychology and Psychiatry 27:181-190.

Farrell, M.; Strang, J. (1991). Substance use and misuse in childhood and adolescence. Journal of Child Psychology and Psychiatry, 32:109-128.

Farrell, A. D.; Danish, S. J. & Howard, C. W. (1992). Relationship between drug use and other problem behaviors in urban adolescents. Journal of Consulting and Clinical Psychiatry, 60,705-712.

Farrell, M.; Howes, S.; Bebbington, P.; Brugha, T.; Jenkins, R.; Lewis, G.; Marsden, J.; Taylor, C.; Meltezer, H. (2001) Nicotine, Alcohol and drug dependence and psychiatric comorbidity: Results of a national hosehold survey. Br J Psychiatry, vol 179:432-437.

Galduróz, JCF; Noto, AR.; Carlini, EA. (1997) IV Levantamento Sobre o Uso de Drogas entre Estudantes de 1° e 2° graus em 10 capitais Brasileiras UNIFESP/CEBRID.

Harrel, A.; Wirtz, P. M. (1989). Screening for adolescent problem drinking: Validation of a multidimensional instrument for case identification. Psychological Assessment, 1(1):61-63.

Harrison, P. A.; Fulkerson, J. A.; Beebe, T. J. DSM-IV substance use disorder criteria for adolescents: A critical examination based on a statewide school survey. American journal of Psychiatry 155:486-492.

Havighurst, R. J. Developmental Tasks and Education, 3rd ed. New York: David McKay, 1972.

Helzer, J. E.; Burman, A.;McEvoy, L. T. (1991). Alcohol abuse and dependence. In: Robins, l.; and Regier, D. eds. Psychiatric Disorders in America. The epidemiological Catchment Area Study. New York: MacMillan, 81-115.

Hesselbrock, M. N.; Meyer, R. E.; keener, J. J. (1985). Psychopathology in hospitalized alcoholics. Archives of General Psychiatry, 42:1050-1055.

Hoffman, N. G.; Halikas, J. A.; Mee-Lee, D. (1987). The Cleveland Admission, discharge and Transfer Criteria: Model for Chemical Dependency Treatment Programs, Cleveland: Greater Cleveland Hospital Association.

Ivens, C.; Rehm. (1988). Assessment of childhood depression: Correspondence between reports by child, mother, and father. Journal of the American Academy of Child and Adolescent Psychiatry 6:738-741.

Jainchill, N.; Yagelka, J.; DeLeon, G. Adolescent admissions to residential drug treatment: HIV risk behaviors pre-and post-treatment. Psychology of Addictive Behaviors, in press.

Jessor, R.; and Jessor, S. L. (1977). Problem Behavior and Psychosocial Development: A Longitudinal Study of Youth. New York: Academic Press.

Jones, K. L.; Smith, D. W.; Ulleland, C. N.; Streissguth, A. P. (1973). Pattern of malformation in offspring of chronic alcohol mothers. Lancet, 1,1267-1271.

Kaminer, Y (1991). Adolescent substance abuse. In R . J. Frances & S. I. Miller (Eds.), Clinical Textbook of Addictive Disorders (pp. 320-346). New York: Guilford Press.

Kaminer, Y., Wagner, E.; Plummer, B., & Seifer, R. (1993). Validation of the Teen Addiction severity Index (T-ASI): Preliminary findings. American Journal on Addiction, 2 ,221-224.

Kaminer, Y. (1994). Adolescent Substance Abuse: A Comprehensive Guide to Theory and Practice. New York, Plenum Medical Press.

Kandel, D. B. (1982). Epidemiological and psychosocial perspective on adolescent drug use. Journal of the American Academy of Child Psychiatry, 20,328-347.

Kosten, T. R.; Rounsavillle, B. J.. Kleber, H. D. (1983). Concurrent validity of the Addiction severity Index. The Journal of nervous and Mental Disease, 171:606-610.

Leigh, B.C.; Stall, R. Substance use and risky sexual behavior for exposure to HIV. Issues in methodology, interpretation, and prevention. American Psychologist 48(10):1035-1045, 1993.

Lewinsohn, P. M.; Rohde, P.; & Seeley, J. R. (1996). Alcohol consumption in high school adolescents: Frequency of use and dimensional structure of associated problems. Addiction, 91,375-390.

Liddle, H.A.; Dakof, G.A. Family-based treatment for adolescent drug use: State of the science. In: Rahdert, E., and Czechowicz, D., eds. Adolescent Drug Abuse: Clinical Assessment and Therapeutic Interventions. Rockville, MD: National Institute on Drug Abuse, 1995. pp. 218-254.

Maisto, S. A.; Connors, G. J.; Allen, J. P. (1995). Contrasting self-report screens for alcohol problems: A review. Alcoholism: Clinical and experimental research 19:1510-1516.

Mayfield, D.; McLead, G; Hall, P. (1974). The CAGE questionnaire: Validation of a new alcoholism screening instrument. American Journal of Psychiatry, 131:1121-1123.

MAYER, J.; Filstesd, W. J. (1979). The Adolescent Alcohol Involvement scale: Na instrument for measuring adolescent use and misuse of alcohol. Journal of studies on Alcohol 40:291-300.

MCLELLAN, A. T.; Luborsky, L.; Cacciola, J.; Evans, F.; Barr, H. L.;O'Brien, C. P. (1985). New data from the Addiction Severity Index: Reliability and validity three. Journal of Nervous and Mental Disease, 173(7):412-423.

MARTIN, C.S.; Kaczynski, N.A.; Maisto, S.A.; Bukstein, O.M.; Moss, H.B. Patterns of DSM-IV alcohol abuse and dependence symptoms in adolescent drinkers. Journal of Studies on Alcohol 56:672-680, 1995.

MARTIN, C. S.; Kaczynski, N. A.; Maisto, S. A.; Tarter, R. E. (1996 a). Polydrug use in adolescent drinkers with and without DSM-IV alcohol abuse and dependence. Alcoholism : Clinical and experimental Research 20:1099-1108.

MARTIN, C. S.; Langenbucher, J. W.; Kczynksi, N. A.;Chug, T. (1996b). Staging in the onser of DSM-IV alcohol abuse and dependence symptoms in adolescent drinkers. Journal of studies on alcohol 57:549-558.

MCLELLAN, A.T.; Luborsky, L.; Woody, G.E.; O'Brien, C.P. (1980) An improved diagnostic evaluation instrument for substance abuse clients: The Addiction Severity Index. The Journal of Nervous and Mental Disease 168(1):26-33.

MCLELLAN, T.; Dembo, R.; Witers, K. C. (1998). Screening and Assessment of Substance-Abusing Adolescents. Treatment Improvement Protocol ((TIP) Series- revised. Rockville, MD: Center for Substance Abuse treatment, U. S. Department of Health and human Services.

NATIONAL INSTITUTE ON ALCOHOL ABUSE AND ALCOHOLISM. Screening for alcoholism. Alcohol Alert 8(PH285):1-4, 1990.

NATIONAL INSTITUTE ON DRUG ABUSE. Monitoring the Future Study. Rockville, MD: National Institute on Drug Abuse, 1996.

NEWCOMB, M.D.; Bentler, P.M. Substance use and abuse among children and teenagers. American Psychologist 44:242-248, 1989.

OETTING, E.R.; Beauvais, F.; Edwards, R.; Waters, M. The Drug and Alcohol Assessment System. Fort Collins, CO: Rocky Mountain Behavioral Sciences Institute, 1984.

ORVASCHEL, H.; Puig-Antich, J.; Chambers, W.; Tabrizi, M.A.; Johnson, R. Retrospective assessment of prepuberty major depression with the Kiddie-SADS-E. Journal of the American Academy of Child Psychiatry 21:392-397, 1982.

OWEN, P. L..;Nyberg, L. R. (1983). Assessing alcohol and drug problems among adolescents: Current practices. J Drug Educ. 13:249-254.

RAHDERT, E. R. The Adolescent Assessment/Referral System Manual. Rockville, MD: U. S. Department of Health and Human Services, ADAMHA, National Institute on Drug Abuse, DHHS Publ. No. (ADM)91-1735.

SELZER, M. L. (1971). The Michigan Alcoholism Screening Test: The quest for a new diagnostic instrument. American Journal of Psychiatry, 127:1653-1658.

SHEDLER, J.; Block, J. Adolescent drug use and psychological health. American Psychologist 45:612-630, 1990.

SKINNER, H. A. (1982). The Drug Abuse Screening Test. Addictive Behaviors, 7:363-371.

STINCHFIELD, R.D. Reliability of adolescent self-reported pretreatment alcohol and other drug use. Substance Use and Misuse 32:425-434, 1997.

STEWART, D. G.; Brown, S. A. (1995). Withdrawal and dependency symptoms among adolescent alcohol and drug abusers. Addiction 90:627-635.

STINCHFIELD, R. D. (1997). Reliability of adolescent self-reported pretreatment alcohol and other drug use. Substance Use and Misuse 32:63-76.

SUBSTANCE ABUSE AND MENTAL HEALTH SERVICES ADMINISTRATION (SAMHSA), CENTER FOR SUBSTANCE ABUSE TREATMENT. Treatment for alcohol and other drug abuse: Opportunities for coordination. DHHS Publication No. (SMA) 94-2075. Rockville MD: Substance Abuse and Mental Health Services Administration, 1994.

SZAPOCZNIK, J.; Perez-Vidal, A.; Brickman, A.L.; Foote, F.H.; Santisteban, D.; Hervis, O.; Kurtines, W. Engaging adolescent drug abusers and their families in treatment: A strategic structural systems approach. Journal of Consulting and Clinical Psychology 56(4):552-557, 1988.

SOBELL, M. B.; Breslin, F.C.; Sobell, L. C. (1998). Project MATCH: the time come...to talk of many things. J Stud Alcohol, 59(1):124-5.

SPITZER, R.L., Williams, J.B. Structured Clinical Interview for DSM-III-R. New York: Biometrics Research Department, New York State Psychiatric Institute, 1987.

SCIVOLETTO, S. Henriques, Jr.; Sg., Andrade, AG. (1997). Uso de drogas por adolescentes que buscam atendimento ambulatorial: comparação entre "crack" e outras drogas ilícitas: um estudo piloto. Revista ABP, 19(1):7-17.

TARTER, R.E. Evaluation and treatment of adolescent substance abuse: A decision tree method. American Journal of Drug Alcohol Abuse 16(1 and 2):1-46, 1990.

TURNER, C.F.; Ku, L.; Rogers, S.M.; Lindberg, L.D.; Pleck, J.H.; and Sonenstein, F.L.

ADOLESCENT SEXUAL BEHAVIOR, drug use, and violence: increased reporting with computer survey technology. Science 280(5365):867-873, 1998.

WEISSMAN, M. M.; Wickramaratne, P.; Warner, V.; John, K.; Prusoff, B. A.; Merikangas, K. R.; Gammon, G. D. (1987). Assessing psychiatric disorders in children: Discrepancies between mothers' and children's reports. Archives of General Psychiatry 44:747-753.

WELNER, Z.; Reich, W.; Herjanic, B.; Jung, K.; Amado, K. Reliability, validity, and parent-child agreement studies of the Diagnostic Interview for Children and Adolescents (DICA). Journal of American Academic Child Psychiatry 26:649-653, 1987.

WINTERS, K.C. The need for improved assessment of adolescent substance involvement. Journal of Drug Issues 20(3):487-502, 1990.

WINTERS, K.C. Assessment of Adolescent Alcohol and Other Drug Abuse: A Handbook. Los Angeles, CA: Western Psychological Services, 1994.

WINTERS, K. C.; Henly, G. A. (1988). Assessing adolescents who abuse chemicals: The chemical dependency adolescent assessment project. NIDA Research Monograph, 77:4-18.

WINTERS, k. C.; Latimer, W.; Stinchfield, R. D. (in press). The DSM-IV criteria for adolescent alcohol and cannabis use disorders. Journal of Studies on Alcohol.

WINTERS, K. C.; Stinchfield, R. D.; Fulkerson, J.;Henly, G. A. (1993). Measuring alcohol and cannabis use disorders in na adolescent clinical sample. Psvchologv of Addictive Behaviors, 7(3):185-196.

WINTERS, K. C.; Stinchifield, R. D.; Henly, G. A. (1993). Futher validation of new scales measuring adolescent alcohol and other drug abuse. Journal of Studies on Alcohol, 54(5):534-41.

WINTERS, K. C.; Stinchifield, R. D.; Henly, G. A. (1996). Convergent and predictive validity of scales measuring adolescent substance abuse. Journal of child and Adolescnet substance Abuse 5:37-55.

WILLIAMS, R. A.; Feibelman, N. D.; Moulder, C. (1989). Events precipitating hospital treatment of adolescent of adolescent drug abusers. Journal of the American academy of Child and adolescent Psychiatry, 28:70-73

WORLD HEALTH ORGANIZATION (1992). The ICD-10 Classification of Mental and Behavioural Disorders. Geneva. World Health Oraganization.

O TRATAMENTO DE ADOLESCENTES COM TRANSTORNOS POR USO DE SUBSTÂNCIAS PSICOATIVAS

Yifrah Kaminer
e Claudia Szobot

Os transtornos por uso de substâncias psicoativas (TUS) são um importante problema de saúde pública, estimando-se que correspondam à principal categoria de transtornos mentais em adolescentes acima dos dezesseis anos. Paradoxalmente, sabe-se relativamente pouco sobre a efetividade dos diferentes tipos de tratamento para eles, de forma que o conhecimento nessa área está bem atrás do conhecimento disponível para adultos com TUS, ou do conhecimento em relação a outros transtornos mentais iniciados na infância e na adolescência.

O tratamento de adolescentes com TUS, mesmo quando efetivo, é caracterizado por maiores taxas de abandono e por menor sucesso terapêutico em comparação ao tratamento de outros transtornos mentais. Assim, são importantes algumas considerações gerais:

- independentemente da modalidade de tratamento utilizada, é fundamental a compreensão dessa etapa do ciclo da vida em termos de capacidades cognitivas e de conflitos evolutivos. Como essa é uma etapa caracterizada pela busca de uma identidade própria, o jovem estará às voltas com questões de autonomia e, por isso, terá dificuldades em receber ajuda. Os adolescentes costumam ser onipotentes, dificultando a capacidade de estarem alertas a riscos e problemas. Além de tudo, há nessa idade uma limitação para vislumbrar o futuro e para associar comportamentos atuais com repercussões futuras, mostrando que algumas abordagens utilizadas com adultos serão de uso limitado em adolescentes, pelo diferente perfil cognitivo. Essas questões vão ao encontro do fato observado por profissionais e por familiares de adolescentes com TUS: tais pacientes costumam ser resistentes ao tratamento para a dependência química, sobretudo nos estágios mais iniciais. Ou seja, os conflitos com a autonomia ("ninguém manda em mim") e a onipotência ("paro quando eu quiser"; "comigo vai ser diferente") podem impor dificuldades na detecção de problemas e no início do tratamento. O mais habitual é que o jovem inicie o tratamento relutante, por pressão dos pais ou do sistema judiciário. É importante que o profissional tenha isso em mente no sentido de melhor consolidar a aliança terapêutica.

- indivíduos com TUS, em qualquer etapa do ciclo da vida, tendem a negar e a minimizar o problema. Assim, é importante que os pais ou responsáveis busquem auxílio ou orientação mesmo que o filho inicialmente não demonstre interesse. Por uma questão de etapa do desenvolvimento, um adolescente pode demorar ainda mais a perceber que precisa de ajuda do que um adulto, por exemplo. Além do que, como grande parte dos adolescentes experimenta drogas, o paciente acredita que está fazendo algo que "todo mundo na minha idade faz". Por exemplo, um rapaz informa que bebe ao redor de dez latinhas de cerveja quando sai à noite, no intervalo de três horas. Quando convidado a pensar sobre essa conduta, responde: "todo mundo na minha idade bebe, ainda mais quando faz festa".
- o tratamento da dependência química em adolescentes tem um curso heterogêneo, resultado da própria heterogeneidade clínica do TUS. O tratamento pode ser um processo relativamente longo, alternando períodos de piora com períodos de melhora. Mesmo durante o tratamento, podem ocorrer recaídas e as taxas de abandono de tratamento são altas. Há relatos de que, por exemplo, 60% dos adolescentes recaem ao longo dos três primeiros meses após terem completado um programa de tratamento. A variabilidade no sucesso e na taxa de adesão ao tratamento dependem de variáveis como a gravidade da dependência química, o funcionamento global do adolescente antes de ter iniciado o uso de drogas, a motivação ao tratamento e a presença de comorbidade psiquiátrica. Mencionaremos dois exemplos para ilustrar. Primeiro, o de um jovem com dezoito anos, usando maconha diariamente há um ano, com prejuízo acadêmico e social. Na avaliação, constata-se que o uso de maconha iniciou-se após um episódio de depressão, em que o paciente relatou usar maconha para se sentir menos angustiado, mas não quer seguir assim, acha "errado" usar drogas. Já outro adolescente, da mesma idade, faz uso diário de

maconha há quatro anos, e de cocaína e álcool há três anos. Já teve um acidente de moto, alcoolizado. Esse jovem ressalta que só está na consulta por causa dos pais, que são de outra geração e não entendem que usar drogas é normal nos tempos atuais. Na avaliação, a única comorbidade encontrada é um transtorno de conduta. Não é difícil admitirmos que o curso do tratamento tende a ser mais crônico e com mais entraves no caso do segundo paciente. Às vezes pode-se, ainda, se tratar de uma experimentação "normal" de drogas, sem necessidade de um tratamento, apenas de orientações.

• a modalidade de tratamento em grupo, independentemente do referencial teórico, demonstra-se de especial interesse nessa população. O grupo proporciona treinamento de habilidades, como por exemplo, simular uma entrevista de emprego, treinando questões como apresentação pessoal e comunicação. O grupo, também, pode facilitar mudanças cognitivas, afetivas e comportamentais. Pode ser bom para o adolescente deparar-se com outros jovens como ele e que apresentam problemas parecidos. Além do que, o uso de drogas nessa fase comumente passa por eventos grupais e o grupo pode reproduzir, em um ambiente terapêutico, algumas das pressões que os jovens sofrem no dia a dia. A composição dos grupos é um fator muito importante. É possível que estejam presentes adolescentes de ambos os gêneros e também com diferentes motivações e gravidade do TUS. Entretanto, algumas precauções são indicadas, como não envolver perfis muito diferentes de pacientes (por exemplo, usuário de drogas injetáveis e usuários de maconha), e cuidados com a inclusão de pacientes com transtorno de conduta, que se demasiados em um grupo, podem prejudicar a coesão. De qualquer forma, é importante que o adolescente também tenha um espaço individual, sobretudo no início do tratamento. É comum que, antes de ingressar em um grupo, o paciente tenha algumas sessões individuais de Terapia Motivacional.

Sabe-se que de 70 a 80% dos adolescentes apresentam algum outro diagnóstico psiquiátrico além da dependência química (ver, neste livro, o capítulo "Quando o uso de drogas ocorre junto com outros transtornos psiquiátricos"). A comorbidade pode preceder a dependência química, apenas coexistir com ela ou, ainda, ser uma consequência da mesma. De qualquer forma, sabe-se que a comorbidade, se não contemplada no plano de tratamento, piora o prognóstico do paciente. Assim, é importante que um adolescente com uso problemático de drogas seja extensivamente investigado para outros diagnósticos psiquiátricos com profissional habilitado na área de infância e adolescência.

• é fundamental um claro contrato terapêutico com o adolescente e também com os pais. Deve-se combinar, desde o início, questões como o direito à privacidade e à confidencialidade. Da mesma forma, acreditamos que o paciente e os pais devem saber em que situações haverá quebra de sigilo e de que forma isso será feito. É importante ter acordos claros em relação ao uso, ou não, de testes de urina para detecção do uso de drogas e álcool. O emprego desses testes é bastante controverso, não havendo um consenso. Parece-nos não haver uma regra, predominando o ajuste melhor para a dupla terapeuta-paciente. Mesmo que se comece o tratamento sem os testes rotineiros, pode ser importante comunicar ao paciente, no início do tratamento, que essa decisão, com o passar do tempo e de acordo com algumas circunstâncias, pode ser reconsiderada. É o caso, por exemplo, da suspeita de o paciente omitir informações, como não relatar as possíveis recaídas. Entretanto, salientamos que o teste não encerra o assunto, pois se o paciente não está conseguindo admitir as recaídas, pode haver algum problema na relação terapeuta-paciente, o que é um sinal de alerta para abandono de tratamento.

- a psicofarmacoterapia na dependência química em adolescentes está mais vinculada ao tratamento das comorbidades associadas. Até o momento, não há medicações comprovadamente efetivas para a redução da fissura nessa faixa etária.

Tipos de tratamento para adolescentes

Existem diferentes tipos de tratamento para o uso de drogas em adolescentes. A escolha do tratamento dependerá, inicialmente, de questões como a presença de situações de risco, tipo de droga utilizada, grau de suporte familiar ou social e grau de prejuízo no funcionamento global.

Tratamentos não ambulatoriais

Os tratamentos não ambulatoriais correspondem à menor parcela de modalidades de tratamento. Entretanto, são recursos importantes, sobretudo em situações de risco ou de falta de suporte familiar.

Internação Psiquiátrica: Algumas situações sugerem a necessidade de uma internação em ambiente protegido. Ressaltamos, porém, que no Brasil existem leis a respeito da internação de crianças e adolescentes, destacando-se a necessidade de um ambiente propício à essa etapa do desenvolvimento. O Estatuto da Criança e do Adolescente, em seu Artigo 12, recomenda que os adolescentes sejam internados com o acompanhamento de um familiar ou responsável, em tempo integral. A internação em unidade fechada fica reservada a situações extremas. Uma unidade psiquiátrica designada a adultos psicóticos não é um ambiente recomendado para a internação de um adolescente usuário de drogas.

São fortes indicativos da necessidade de internação: risco de suicídio ou de homicídio, uso grave e descontrolado da droga, condutas de risco para obter a droga (exemplo: prostituir-se), surto psicótico e incapacidade de aderir a um programa ambulatorial, conflito grave com a lei e, muitas vezes, situações sociais, como ameaça de morte por traficantes.

Comunidade Terapêutica (CT): a CT proporciona um tratamento continuado, de vários meses, em que o adolescente, afastado do convívio social e familiar, passará por um longo período de abstinência, aprendendo novas habilidades pessoais e sociais. Na CT, desenvolve-se um trabalho altamente estruturado e bem definido, no sentido do paciente ir recuperando (ou aprendendo) habilidades pessoais e sociais prejudicadas ao longo dos últimos anos. Os pacientes são, por exemplo, responsáveis pelo trabalho para a própria manutenção (cozinhar, lavar roupas etc.) e as atividades ao longo do dia envolvem responsabilidades claras para cada membro da comunidade.

É importante que a CT seja específica para adolescentes. Em comparação ao trabalho com adultos em CT, sabe-se que o tempo de permanência dos adolescentes é menor e também que eles precisam de mais auxílio e supervisão dos membros da equipe. Também, os adolescentes têm outras necessidades que diferem das necessidades dos adultos, como mais ênfase no estudo e na educação do que no trabalho e mais envolvimento da família.

Espera-se que a Comunidade Terapêutica esteja devidamente registrada na Secretaria da Saúde. Lamentavelmente, ressaltamos o grande número de "fazendas" designadas ao tratamento de dependentes químicos e que, várias vezes, não têm um programa terapêutico claro, tampouco um médico responsável. Não raramente, o cunho é apenas religioso e o uso de medicações é proibido. Essas situações não correspondem ao que nós, profissionais da saúde, entendemos como uma Comunidade Terapêutica de fato.

A CT é indicada para pacientes com uso muito grave de drogas e que já fizeram tentativas malsucedidas em outras modalidades de tratamento. Também é indicada para aqueles pacientes com fraco suporte familiar. A internação em CT é voluntária. Às vezes, o paciente pode ser internado em uma unidade psiquiátrica, mesmo que não voluntariamente, para protegê-lo dos riscos mas também para motivá-lo a ir para uma CT. Mencionaremos dois exemplos em que se fez a indicação de CT:

Exemplo 1: paciente com dezenove anos, usuário pesado de maconha desde os treze, e de solventes desde os dezesseis anos. Passava os dias em casa, fumando maconha. Todos os amigos eram usuários pesados de drogas. Não estudava e não trabalhava. Fez dois anos de tratamento individual para drogas, de foco predominantemente cognitivo-comportamental, sem sucesso. A família fez Terapia de Família por um ano e o paciente foi internado três vezes, por uso de solventes. Após cada internação, conseguiu manter a abstinência por um ou dois dias. Os pais, separados, não conseguiam se organizar para oferecer um suporte, de forma que o paciente passava várias horas do dia sozinho em casa. Estava cognitivamente muito prejudicado para poder pensar no futuro, prevenir recaídas etc. Após mais uma recaída com solventes, foi novamente internado, compulsoriamente. Na internação, trabalhou-se a motivação para ir para uma CT, fazendo-se todos os arranjos necessários, como possibilitar ao paciente conversar pessoalmente com um responsável pela CT. O paciente saiu da internação, voluntariamente, direto para uma CT, onde ficou por cinco meses.

Exemplo 2: Paciente com quinze anos, encaminhado pelo Sistema Judicial por uso de maconha, solventes e roubos. A mãe estava com câncer, em estado terminal, e o pai era alcoolista, incapaz de impor limites ao filho. Não havia ninguém na família extensiva para auxiliar. O paciente passava as noites fora de casa, voltava alcoolizado e com cheiro de solventes. Não comparecia às consultas ambulatoriais. Foi internado voluntariamente uma vez, mas a poucos dias da alta já estava no mesmo nível de uso de drogas pré-baixa. O paciente foi encaminhado para uma CT.

Tratamentos ambulatoriais

É consenso que uma maior atenção, em termos de saúde pública, deve ser dada à prevenção primária e ao tratamento ambulatorial. Em aproximadamente 70% dos casos, a indicação será de tratamento ambulatorial. Nesse caso, há diferentes modalidades disponíveis e com efetividade cientificamente comprovada, como listaremos a seguir.

Terapia Motivacional (TM): a TM deriva das indagações de William Miller sobre alguns problemas de relação terapeuta-paciente muito comuns na área de dependência química, como longas argumentações e altas taxas de abandono de tratamento.

Base teórica: Uma das constatações de Miller foi que parte importante do insucesso no tratamento da dependência química resulta da falta de motivação dos pacientes para mudanças e também de uma tendência dos pacientes a negarem a gravidade do problema. A partir daí, investiu-se mais na técnica de Entrevista Motivacional, cujo objetivo é auxiliar o paciente a aumentar a motivação para mudança de comportamento. Muito tem sido estudado nos últimos anos sobre como e por que as pessoas mudam. Viu-se que há certos padrões de mudança e que, de acordo com o padrão predominante em um paciente em um determinado momento, haverá maior ou menor receptividade ao tipo de intervenção do terapeuta.

Atualmente, a motivação à mudança é compreendida como um fenômeno complexo e flutuante, que envolve uma inter-relação dinâmica entre estágios, processos e níveis de mudança. A motivação à mudança não corresponde, portanto, a um traço de personalidade.

A identificação do estágio de mudança predominante no paciente é fundamental para o emprego da TM: a partir daí o terapeuta poderá decidir, por exemplo, se a abordagem deve ser no sentido de ajudar o paciente a desenvolver ou consolidar o desejo de mudança, ou se, ao contrário, o paciente já está pronto para modificar algumas condutas. Assim, um dos princípios da TM é que terapeuta e paciente trabalhem dentro do mesmo estágio de mudança. São estágios de mudança:

- pré-contemplação: nesse estágio, o paciente ainda não se dá conta de que tem um problema com drogas, tampouco associa inúmeros prejuízos em sua vida com o uso, por mais grave que seja a situação externa ou mesmo de saúde física. Não há receptividade para uma autocrítica e há pouco desejo de conhecer mais sobre a droga que usa e sobre a dependência química, já que não há a percepção da existência de um problema. Uma frase típica de paciente nessa frase é algo como: "eu não tenho um problema".
- contemplação: nesse estágio o paciente está um pouco mais consciente da situação e mais aberto a abordagens como procurar obter informações sobre a droga que usa ou reavaliar o andamento da própria vida. Alguns questionamentos típicos dessa fase são: "eu gostaria mais de mim se não usasse maconha?", ou "eu não ficaria uma pessoa menos interessante se parasse de beber?". É um estágio em que o paciente se permite questionamentos, mas ao mesmo tempo está muito ambivalente a respeito de mudanças. Uma colocação comum de pacientes nesse estágio é: "talvez eu tenha um problema".
- preparação: corresponde a um menor nível de ambivalência, com o paciente dispondo de justificativas para agir diferente e para mudar o comportamento. O pensamento do paciente pode ser algo como: "eu tenho problemas e quero tentar mudar".
- ação: corresponde a um estágio em que o paciente já está comprometido com mudanças para evitar o uso de drogas. Pressupõe, portanto, que o paciente já esteja convencido de que tem problemas e que se sinta relativamente capaz de tentar enfrentá-los. É o caso de, por exemplo, estabelecer um limite para quanto bebe, ou evitar sair com quem usa drogas. O paciente pode dizer, por exemplo: "eu tenho tentado mudar algumas atitudes na minha vida".

- manutenção: é o estágio em que a abstinência já está estabelecida. Corresponde à manutenção de novos estilos de vida e à integração de hábitos e atitudes não condizentes com o uso de drogas. O paciente pode referir algo como: "nem sempre é fácil, mas tenho me esforçado para me manter sóbrio".

É importante destacar que os pacientes não transitam uniformemente de um estágio para o outro. Da mesma forma, é comum ocorrer retrocessos, como um paciente em ação voltar ao padrão antigo, muito ambivalente, questionando os motivos para abstinência. Esse conhecimento é de utilidade clínica, apontando a necessidade de constante reavaliação da motivação do paciente. Também há pacientes com muita dificuldade em transitar da preparação para a ação. Essa noção é importante porque as famílias, e o próprio paciente, podem se decepcionar muito com os retrocessos, bem como o terapeuta pode experimentar sentimentos contratransferenciais de raiva e de impotência.

Conhecidos os estágios de mudança há ainda que se destacar os processos de mudança e os níveis de mudança. Os processos de mudança dizem respeito a *como* o paciente faz modificações que o levam a progredir de um estágio para outro (por exemplo, processo de autoavaliação, para transitar para a ação, e controle de estímulos desencadeantes, para transitar da ação para a manutenção). Os níveis de mudança dizem respeito a o quê o paciente precisa mudar para superar os problemas aditivos (por exemplo: cognições distorcidas, problemas familiares ou conflitos intrapsíquicos). Esses três elementos – estágios, processos e níveis de mudança – interagem entre si e estão na base da TM. Seu entendimento é necessário para a compreensão da técnica da Terapia Motivacional.

Na TM, assume-se que as mudanças ocorrerão à medida em que o paciente tiver motivações próprias para tanto. Ou seja, a mudança não virá da vontade do terapeuta, dos pais, da escola ou do Sistema Judiciário. A TM é um tipo de tratamento muito empregado com adolescentes, pois à medida em que busca e solidifica motivações próprias e individuais para mudar, não ameaça a sensação de autonomia do paciente, aspecto bastante sensível em adolescentes. Ainda na TM a relação terapeuta-paciente não é vertical. O terapeuta pode ser visto como um facilitador do trânsito do paciente entre os estágios de mudança. Há alguns conceitos básicos para a adequada condução da TM:

- ambivalência: refere-se aos sentimentos ambivalentes do paciente sobre mudança. O paciente, ao mesmo tempo, quer e não quer se engajar em um tratamento. Assume-se, na TM, que isso é normal, sendo esperado que o paciente possa expor, sem sofrer críticas e retaliações, suas incertezas ao terapeuta. Por exemplo, um paciente pode ao mesmo tempo querer parar de fumar maconha, pois está pior na escola, e gostar de usar maconha, pois fica mais descontraído com os amigos.

• escuta reflexiva: refere-se aos comentários do terapeuta, no sentido de expressar compreender o que o paciente diz. Um exemplo pode ser o seguinte trecho de uma sessão:

Paciente: – Cada vez que falo ao telefone, o meu pai fica em cima, querendo ouvir.

Terapeuta: – Parece que o teu pai está sempre preocupado com quando irás usar drogas de novo.

É importante tentar manter-se próximo ao que o paciente falou. Caso o paciente não concorde com a intervenção, não é adequado tentar convencê-lo de que o terapeuta está certo, mesmo que esteja. Para facilitar a capacidade do paciente de pensar pensar melhor, é mais indicada uma abordagem do tipo "me fala mais um pouco sobre esse assunto, para eu poder entender melhor".

O terapeuta também pode destacar a ambivalência com colocações do tipo: "Você não está convencido de que quer parar de fumar maconha, mas ao mesmo tempo você não quer ter mais problemas em casa por causa disso".

• perguntas abertas: o desenvolvimento da motivação pode ser facilitado por perguntas abertas, que podem convidar o paciente a pensar sobre o assunto. Por exemplo, é preferível dizer "me conte sobre as suas primeiras experiências com maconha", a dizer "com que idade você fumou maconha pela primeira vez?".

A seguir, algumas estratégias para serem usadas na TM:

• expressar empatia e aceitação: é importante comunicar respeito pelo paciente, evitando um modelo de relação vertical. Em vez de confrontar, o melhor é convidar a pensar e gerar dúvidas. Essa estratégia é muito usada com pacientes em estágios de pré-contemplação e contemplação, bem como em situações de recaída.

• desenvolver a discrepância: explorar as discrepâncias que existem entre objetivos futuros e comportamentos atuais. O paciente verá que não existe coerência entre onde ele está agora e aonde quer estar no futuro, na sua vida. Assim, o paciente poderá, "por si mesmo", convencer-se de que alguns comportamentos são incompatíveis com alguns objetivos, fortalecendo a vontade de mudar. Essa estratégia também é importante nos estágios de pré-contemplação e contemplação. Para um adolescente, é importante concluir que se ele vai mudar algum padrão na vida, é porque ele próprio decidiu.

• evitar argumentação: a argumentação excessiva aumenta a resistência do paciente. O terapeuta não deve querer provar que está certo. Condutas dessa natureza podem inclusive causar um retrocesso nos estágios de mudança. O paciente pode querer provar que é autônomo se tornando mais defensivo e opositor. Em geral, as argumentações ocorrem quando o terapeuta depara-se com as ambivalências do paciente ou quando o trata como se estivesse em um estágio de mudança mais adiantado.

• lidar com as resistências: mais uma vez, quanto menos impositivo for o terapeuta, melhor. É indicado um convite a pensar sobre novas possibilidades, ou a ver o mesmo fenômeno sob outro ponto de vista, reforçando que qualquer mudança, mesmo que de opinião, depende do próprio paciente. É ele quem vai escolher o que é melhor para si, e o tratamento é uma chance de refletir melhor sobre algumas questões. É uma técnica importante para pacientes pré-contemplativos, e também em situações de recaídas.

• encorajar a sensação de competência: a sensação de competência refere-se ao quão hábil o paciente se sente para mudar algumas situações. O terapeuta deve ajudá-lo a desenvolver essa habilidade. Algumas condutas úteis nesse sentido são, por exemplo, indagar sobre períodos de menor consumo de drogas ou de abstinência e de objetivos atingidos com uso da força de vontade: "você está me dizendo que já conseguiu parar de usar cocaína, o que é algo que muitas pessoas acham difícil. Então, é possível que você agora também consiga parar de beber". Essa é uma estratégia importante para pacientes do estágio de preparação em diante.

De uma forma geral,vemos que a TM ocorre em duas fases. Na primeira, com pacientes em pré-contemplação/contemplação, a atitude do terapeuta visa motivar para a mudança, basicamente explorando as ambivalências. A partir do estágio de preparação, o foco está em buscar com o paciente estratégias para a obtenção dos próprios objetivos. Muitas vezes, as sessões de TM correspondem ao início do tratamento; depois, com o paciente mais motivado, é possível empregar técnicas cognitivo-comportamentais, como nos programas do Cannabis Youth Treatment Series. Destacamos que a noção de estágio de mudança é importante independentemente do referencial teórico em que a terapia se sustenta. Por mais adequada que seja uma técnica de prevenção de recaída sugerida a um paciente, de nada adiantará se ele julgar que não precisa mudar comportamentos. Entretanto, essa pode não ser a abordagem preferencial para um paciente com uso de drogas grave e descontrolado.

Terapia Familiar (TF): considera o comportamento de um indivíduo como decorrente das interações familiares individuais. O objetivo dessa abordagem é identificar padrões familiares precursores e mantenedores do uso regular de drogas. Sabe-se que, com adultos alcoolistas, existem padrões familiares repetitivos, identificáveis e relevantes para o início e perpetuação do alcoolismo. Com adolescentes, também há características familiares associadas ao uso de drogas, justificando-se a inclusão da família em algumas modalidades de intervenção. É o caso, por exemplo, do fraco monitoramento parental e de um sistema insuficiente de imposição de limites.

Os objetivos da TF são, geralmente, restabelecer a autoridade dos pais e melhorar a qualidade da relação entre pais e filhos. Convém salientar que famílias superprotetoras também podem ser prejudiciais. Um jovem que sempre foi "poupado" de fazer as tarefas sozinho, ou sentiu-se frustrado, pois os pais geralmente intervinham, pode ter muitas dificuldades na adolescência, já que a noção da sua própria competência está fragilizada. O jovem que se desenvolveu em um sistema desses pode se sentir incapaz de tomar certas iniciativas próprias de adolescentes e precisar, por exemplo, beber para conversar com pessoas desconhecidas em uma festa.

Existem diferentes modalidades de tratamento familiar avaliadas cientificamente, como a Terapia Multisistêmica e a Terapia Familiar Multidimensional. De forma geral, vários estudos metodologicamente robustos suportam um efeito no mínimo moderado da TF para o uso de drogas por adolescentes. Os resultados incluem, por exemplo, efeitos sobre o uso de maconha, cocaína e álcool. Também, a TF tem a capacidade de reduzir as faltas na escola, de melhorar o rendimento acadêmico, de evitar detenções e conduta agressiva, sintomas internalizantes (tristeza e ansiedade, por exemplo) e externalizantes (desafio a regras e agressão física) e delinquência. Apesar da TF exigir a presença de mais de uma pessoa no atendimento, as taxas de adesão ao tratamento são maiores do que em algumas modalidades de atendimento individual.

Em resumo, pode-se afirmar que há evidência científica para embasar o emprego da TF no tratamento de adolescentes usuários de drogas, ou em risco de se tornarem dependentes químicos. Convém salientar que as TF mais avaliadas cientificamente são as de enfoque cognitivo-comportamental, razão de serem as mais citadas neste capítulo. Alguns dos estudos disponíveis apresentam manuais que descrevem essa técnica, o que é importante para a aplicação clínica de um método comprovadamente efetivo, e para a replicação da pesquisa em outras culturas. É o caso, por exemplo, do Multidimensional Family Therapy for Adolescent Cannabis Users.

Terapia Cognitivo-Comportamental (TCC): a TCC considera o uso de drogas como um comportamento aprendido, iniciado e mantido em determinadas condições ambientais. A TCC embasa-se na teoria do aprendizado, em que o sujeito adquire novos comportamentos e sistemas de crenças como resultado de experiências vivenciadas. Os pilares desse paradigma incluem noções de condicionamento clássico (pavloviano) e de condicionamento operante. No condicionamento clássico, o aprendizado ocorre quando um estímulo, ou um evento, prediz outro estímulo, como consequência de uma relação lógica e perceptiva entre ambos. No condicionamento operante, o aprendizado é consequência (positiva ou negativa) de ações sobre um ambiente. Assim, o uso de drogas resultaria de um condicionamento, por exemplo: fumar maconha reduz a angústia, ao menos momentaneamente.

Na TCC outro conceito importante é o de pensamentos e crenças (cognições) que o paciente desenvolve, muitas vezes distorcidos ou supervalorizados. São pensamentos em geral rígidos e que pouco se modificam com as experiências. Existem os pensamentos antecipatórios, que envolvem expectativas de gratificação, por exemplo: "haverá uma festa muito boa hoje; mal posso esperar para *ficar ligado*". Há também as crenças focalizadas na ideia de alívio, como por exemplo: "domingo é muito chato! Só *chapado* para aguentar!". Existem ainda, as crenças permissivas, que consideram o uso de drogas aceitável: "cheirar cocaína de vez em quando não tem problema algum".

Além dos efeitos fisiológicos da droga, que contribuem para que o paciente mantenha o uso, o enfoque da TCC prioriza a compreensão e o manejo do uso de drogas a partir do aprendizado social e de crenças que o paciente passa a desenvolver com estímulos ambientais. Nessa perspectiva, o uso de drogas pode ser influenciado por uma série de fatores cognitivo-comportamentais, como o modelo de comportamento dos pais, irmãos e grupo social, expectativas quanto ao uso de drogas e crenças, e a capacidade de controlar o uso de drogas.

Uma série de estudos metodologicamente bem conduzidos atesta a efetividade da TCC no tratamento da dependência química em adolescentes. Estudos mais recentes compararam a TCC com outras modalidades de tratamento, e também desenvolveram intervenções baseadas em manuais, com maior replicabilidade externa dessa técnica. Destacamos o Cannabis Youth Treatment (CYT), experimento que comparou cinco intervenções efetivas para tratamento de dependência química, escolhidas randomicamente, demonstrando a equivalência entre TCC e outras conhecidas técnicas de tratamento.

Ressaltamos os manuais de orientação de técnicas de tratamento para adolescentes usuários de maconha, como o *Cannabis youth treatment series* (www.samsha.gov), que descreve intervenções cognitivo-comportamentais efetivas.

As intervenções envolvem a identificação de alguns fatores, internos ou externos ao sujeito, como ambiente, horário e humor, que desencadeiam o uso de drogas. Algumas técnicas empregadas na TCC são:

• tarefas para fazer em casa: o terapeuta pode encorajar o paciente a, por exemplo, listar os pensamentos automáticos associados ao uso de drogas, identificados entre uma sessão e outra. É importante valorizar na consulta o que o paciente fez.

• análise de vantagens x desvantagens: usuários de drogas tendem a supervalorizar as vantagens do uso de drogas e a minimizar as desvantagens. O terapeuta pode incentivar o paciente a listar as vantagens e as desvantagens, não sendo moralista ou crítico com as vantagens que o paciente identifica. Uma adolescente, por exemplo, listou como vantagens do uso diário de maconha o fato de ficar mais relaxada, achar a vida mais engraçada e de ser melhor para ouvir músicas e ver tevê. Como desvantagens, identificou piora nas relações sociais, brigas em casa, prejuízo na escola, mais apetite e o fato de ter sido um ano "dedicado à maconha", com poucas aquisições. Essa paciente ficou muito surpresa ao ver que o uso de maconha trazia, segundo a própria avaliação, mais prejuízos do que benefícios. Dessa forma, o paciente pode ser estimulado a avaliar as vantagens e desvantagens em parar de usar drogas.

• identificar as crenças associadas ao uso de drogas: pacientes usuários de drogas tendem a ter crenças como "minha vida está ruim mesmo, para que parar com as drogas?", "drogas me deixam mais criativo", "todo mundo usa drogas" etc.

• registro diário do uso de drogas: o paciente é incentivado a registrar o consumo de drogas, incluindo o contexto do uso (sozinho? com amigos?) e as consequências (nenhuma? tornou-se inconveniente? brigas em casa?)

• identificar situações de risco para recaídas: o paciente geralmente usa drogas em situações previsíveis. É, então, estimulado a pensar antecipadamente, como por exemplo, a reconhecer que se beber terá vontade de usar cocaína, ou que se ficar muito triste terá vontade de usar maconha, ou que sair com determinado grupo, aumenta a chance de usar drogas. O paciente é encorajado a buscar estratégias para evitar essas situações.

Os objetivos priorizados, bem como as estratégias cognitivas (grau de abstração exigido etc.) devem levar em conta o estágio do desenvolvimento em que o paciente se encontra. Às vezes, o adolescente pode iniciar o uso de drogas muito jovem, sem ter desenvolvido adequadamente algumas habilidades ao longo da adolescência. O tratamento deverá auxiliar na recuperação dessas lacunas, pois o paciente dispõe de um leque muito pequeno de comportamentos alternativos mais saudáveis.

Também parece-nos importante a integração da TCC com alguns conhecimentos da Terapia Motivacional. O uso de técnicas como lista de vantagens x desvantagens é indicado para um paciente em contemplação, e o emprego de identificação de situações de recaída é útil para um paciente em ação. Por fim, destacamos que a TCC pode ser aplicada em grupo, com bons resultados.

O TRATAMENTO DE ADOLESCENTES COM TUS E COMORBIDADES PSIQUIÁTRICAS

O fato do adolescente apresentar uma outra doença psiquiátrica pode aumentar o risco de que se torne usuário regular de drogas após a experimentação. Por outro lado, o uso regular de drogas aumenta as chances de desenvolvimento de outros transtornos mentais. Assim, reforçamos a necessidade do adolescente ser avaliado quanto a presença de outros diagnósticos, uma vez que apenas um em cada cinco pacientes não apresenta comorbidade psiquiátrica. As principais comorbidades encontradas apresentam tratamentos efetivos, que podem melhorar a adesão do paciente ao tratamento do uso de drogas, bem como o prognóstico da dependência química. Já o Transtorno de Conduta (TC), que apresenta tratamentos individuais menos efetivos, pode ser, por exemplo, um critério importante para a escolha de uma Terapia Familiar ao invés de outra modalidade, já que auxiliaria no monitoramento parental, em geral problemático nos jovens com TC.

CONCLUSÕES

Lamentavelmente, há escassez de estudos brasileiros sobre o assunto. Essa constatação é relevante pois sabe-se que existem importantes diferenças culturais tanto para o padrão de consumo de drogas quanto para a maior receptividade a determinada abordagem terapêutica. Também, é preciso conhecer que tipo de tratamento funciona melhor para cada perfil de paciente.

É importante ressaltar que o adolescente precisa ser atendido conforme a etapa de seu desenvolvimento. O profissional que o atende deve estar familiarizado com as características normais da adolescência e habilitado a avaliar a psicopatologia da infância e adolescência, e não apenas a dependência química. Deve-se, ainda, manter a motivação do paciente quanto ao tratamento, preservando a sensação de autonomia, fundamental na relação terapêutica.

BIBLIOGRAFIA

BECK, A.T.; WRIGHT, F.D.; NEWMAN, C.F.; LIESE, B.S. *Cognitive Therapy of Substance Abuse.* The Guilford Press, New York, 1993.

BIEDERMAN, J.; WILENS, T.E.; MICK, E., FARAONE, S.V.; SPENCER. T. "Does attention-deficit hyperactivity disorder impact the developmental course of drug and alcohol abuse and dependence?" *Biol Psychiatry* 1998, Aug 15; 44(4):269-73

BROWN, S.A., VIK, P.N., CREAMER, V. "Characteristics of relapse following adolescent substance abuse treatment". *Addictive Behaviors* 1989; 14:291-300.

BUKSTEIN, O.G.; GLANCY, L.J.; KAMINER, Y. "Patterns of affective comorbidity in a clinical population of dually diagnosed adolescent substance abusers". *J Am Acad Child Adolesc Psychiatry* 1992; 31(6):1041-5.

CANNABIS YOUTH TREATMENT (CYT) GROUP: CANNABIS YOUTH TREATMENT (CYT) EXPERIMENT: PRELIMINARY FINDINGS. A report to the Center for Substance Abuse Treatment (CSAT), Rockville, MD, September 7, 2000.

CLARK, D.B.; POLLOCK, N.; BUKSTEIN, O.G.; MEZZICH, A.C.; BROMBERGER, J.T.; DONOVAN, J.E.
"Gender and comorbid psychopathology in adolescents with alcohol dependence". *J Am Acad Child Adolesc Psychiatry* 1997; 36(9):1195-203.

COSTELLO, E.J.; MUSTILLO, S.; ERKANLI, A.; KEELER, G.; ANGOLD, A. "Prevalence and development of psychiatric disorders in childhood and adolescence". *Arch Gen Psychiatry* 2003; 60(8):837-44.

ERIKSON, E. *O ciclo da vida completo.* Porto Alegre: Artes Médicas, 1998.

ESTATUTO DA CRIANÇA E DO ADOLESCENTE. Lei número 8.069, de 13 de julho de 1990.

FRIEDMAN A. "Family therapy vs parent groups: effects on adolescent drug abusers". *Am J Family Ther* 1989;17:335-347.

JAINCHILL, N.; BHATTACHARYA, G.; YAGELKA, J. "Therapeutic communities for adolescents". In: Rahdert, E.; Czechowicz, D. *Eds adolescent drug abuse: clinical assessment and therapeutic interventions.* Rockville, M.D. National Institute on Drug Abuse 1995; 190-217.

KAMINER, Y.; BLITZ, C.; BURLESON, J.; SUSSMAN, J.; ROUNSAVILLE, B.J. "Psychotherapies for adolescent substance ABUSERS: TREATMENT OUTCOME. *J NERV MENT DISEASE* 1998; 186:684-690.

KAMINER, Y.; BURLESON, J.; GOLDBERGER, R. "Cognitive-behavioral coping skills and psycho-education therapies for adolescent substance abuse". *J Nerv Ment Disease* 2002; 190:737-745.

LIDDLE, H.A. Multidimensional Family Therapy for Adolescent Cannabis Users. Cannabis Youth Treatment Series, volume 5: Substance Abuse and Mental Health Services Administration; Cannabis Youth Treatment (CYT) Manual Series, 4. Rockville, MD: Center for Substance Abuse.

MARLATT, G.A., GORDON, J.R. (Eds.). *Relapse prevention: maintenance strategies in the treatment of addictive behaviors.* 1985. New York: Gilford Press.

PROCHASKA, J.O.; DICLEMENTE, C.C. "Toward a comprehensive model of change". In: Miller, W.R., Heather N. Eds Plenum Press: Treating Addictive Behaviours, Process of Change, 1986, 3-27.

ROHDE, P.; Lewinsohn, P.M.; Seeley, J.R. "Psychiatric comorbidity with problematic alcohol use in high school students". *J Am Acad Child Adolesc Psychiatry*; 1996 Jan;35(1):101-109.

SAMPL, S.; KADDEN, R. Motivational Enhancement Therapy and Cognitive Behavioral Therapy for Adolescent Cannabis Users: 5 sessions. 2002. Cannabis Youth Treatment Series, volume 1. Substance Abuse and Mental Health Services Administration; Cannabis Youth Treatment (CYT) Manual Series, 4. Rockville, MD: Center for Substance Abuse.

SANTISTEBAN, D.A.; Szapocznik, J. "Bridging theory research and practice to more successfully engage substance abusing youth and their families into therapy". *J Child Adolesc Substance Abuse* 1994; 3:9-24.

WALDRON, H.B.; SLESNICK, N.; BRODY, J.L.; TURNER, C.; PETERSON, T.R. "Treatment outcomes for adolescent substance abuse at 4- and 7-month assessments". *Journal of Consulting and Clinical Psychology* 2001; 69: 802-813.

WALDRON, H.B. "Adolescent substance abuse and family therapy outcome: A review of randomized trials". In: T. H. Ollendick; R. J., Prinz (Eds.). *Advances in Clinical Child Psychology*, Volume 19 (pp. 199-234). 1997. New York: Plenum.

Terapia familiar sistêmica

Bernard Geberowicz

Atualmente, os primeiros contatos com as drogas se dão na adolescência. As terapias familiares, dentro desse período de diferenciação e de tomada de autonomia dos adolescentes em relação aos membros das famílias, possuem vários interesses e objetivos:

- permitem a cada um falar de suas dificuldades e de seus sofrimentos relacionais, num ambiente que evita a busca de "culpados";
- permitem trabalhar o aspecto disfuncional da dinâmica familiar. Esse aspecto pode ser parcialmente responsável por dificuldades, mas é evidente que ele é também consequência da vida em família com um paciente que apresenta sintomas inquietantes;
- possuem interesse "preventivo" para os irmãos ou mesmo para os pais, se esses ainda forem vivos. Sabe-se que grande parte dos irmãos e irmãs de pacientes dependentes estão arriscados a desenvolver um outro diagnóstico psiquiátrico: depressão, problemas na escola, anorexia, ou mesmo dependência química.

Há mais de vinte anos as terapias familiares, e dentro delas o modelo sistêmico, vêm conquistando lugar cada vez mais destacado no tratamento das dependências. O trabalho junto às famílias em que um dos membros encontra-se na condição de usuário nocivo ou dependente de drogas complementa o papel de outros tratamentos, seja em nível ambulatorial ou de internação.

A dependência de drogas provoca profundas dificuldades psicológicas no indivíduo, prejudica a inserção social e causa transtornos às relações familiares. Além disso, suscita múltiplas questões morais, éticas ou mesmo políticas à atuação do corpo médico, social e judiciário. Assim, no modelo familiar sistêmico, o eixo em que se trabalha não é a observação de uma perspectiva individual, mas a compreensão global do lugar e função que a dependência ocupa no sistema familiar.

Entre dependências e liberdades, o objetivo das terapias familiares é autorizar membros de um sistema a vivenciar um processo de *individuação*. É nesse sentido que essas terapias complementam as terapias individuais, mais centradas no intrapsíquico. Em poucas palavras, no lugar em que as outras duelam em busca de um *significado*, as terapias familiares refletem sobre a *função* do sintoma. Ao lado da vertente negativa – que incapacita e é fonte de sofrimentos inerentes aos sintomas –, assumimos como tarefa acrescentar a vertente positiva, homeostática, criativa e presente na vitalidade familiar.

Para os sistêmicos, o conjunto familiar está em constante busca do equilíbrio. Desse modo, o portador do sintoma é visto como aquele que é designado e é responsável por denunciar uma disfunção relacional. Ele "escolhe" os sintomas por razões, até certo ponto, particulares, mas a ativação desses sintomas tem a função de mexer com as relações interpessoais. Conforme a caracterização, o paciente pode passar de dependente da substância a dependente da relação.

Nesse caso, o terapeuta deve propor hipóteses que expliquem a função do sintoma, utilizando técnicas próprias, por exemplo: metáforas, esculturas, genograma, trabalho supervisionado etc.

Se o eixo *aqui e agora* norteia o início da terapia familiar, concentrando-se em manter a caracterização, em nosso trabalho ele é o caminho que permite explorar a história da família. São evocados os modos de transmissão, o papel e a utilidade de cada uma das regras familiares. De observador neutro, o terapeuta passa a ser considerado membro do sistema terapêutico que ajudou a criar.

Esse trabalho sistêmico iniciou-se na década de 1970, quando foram modificadas tanto as questões clínicas relativas à dependência química quanto o olhar dos profissionais sobre os dependentes. O professor Claude Olievenstein, entre outros, foi pioneiro ao propor que não mais se referissem aos dependentes químicos como se fossem todos iguais. Deve-se, então, reconhecer o paciente como doente, e não atribuir a ele, pura e simplesmente, o rótulo de delinquente; além de conhecer as especificidades das implicações do consumo de cada droga em particular.

A percepção dos dependentes químicos tornou-se mais complexa; e, daí em diante, com base nesses postulados, as equipes passaram a refletir melhor. Somando-se a isso, adveio a epidemia de aids, que, como sabemos, alterou o campo da dependência, pois um percentual significativo dos dependentes tornou-se soropositivo, com decorrente aumento do risco de morte.

Como terapeutas, devemos pensar a família nos moldes sistêmicos gerais, mas evidentemente também levar em conta as especificidades das questões da dependência química. Tentaremos, então, restringir o trabalho do terapeuta a uma família que apresente relações de dependência, e descrever características e encadeamentos correlatos, frequentemente promovidos ou coordenados pelo contato com as drogas.

Relembrando definições básicas

Sistema e sistema familiar

Chamaremos de sistema o conjunto dos elementos que interagem; e de sistema familiar o conjunto de indivíduos com características comuns, ligados por interações específicas, cujos atributos podem ser expressos em relação aos papéis ou funções que desempenham. Não nos referimos necessariamente à família nuclear, ou à família cujos membros vivem juntos, mas àquela composta por indivíduos que interagem intensamente.

Assim, consideramos família como um sistema autorregulado, governado por normas referentes aos acordos firmados no grupo; nada além da transcrição de mitos familiares que organizam e estruturam a dinâmica familiar no tempo. Há duas formas de ler as interações: pela circularidade cada um é, por sua vez, causa e efeito; em oposição à leitura *linear*, em que uma causa produz um efeito.

Todo sistema familiar tem por objetivo evoluir segundo o próprio ciclo vital – nascimento, casamento, aposentadoria, falecimento –, seguindo um processo de renovação. Qualquer alteração dessa ordem pode provocar uma crise e pôr em risco a homeostase do sistema. Por isso, a família tende naturalmente a manter a coerência, a segurança e a estabilidade em seu interior. Essa estabilidade é obtida pelos processos de interação e regulação em que os familiares são envolvidos. Com certeza, trata-se de uma estabilidade evolutiva, resultante de ações anteriores, positivas e negativas. Aos olhos de um observador, o tempo – que marca a vitalidade e a perenidade – aparenta ser negado em famílias disfuncionais. Em famílias com relações patológicas, a homeostase é assegurada pelo paciente designado, portador do sintoma que leva a família à consulta. Devido ao comportamento sintomático, esse paciente permite que a família concentre sobre ele as dificuldades de todo o grupo. Tal atitude lhe concede enorme poder, pois, não raro, ele serve de intermediário entre os protagonistas. Por trás dessa designação, é delineada a função de regulador. Ao deflagrar a crise, em determinado momento da vida familiar em que o equilíbrio é ameaçado, o paciente conduz a família em terapia, garantindo as regras de funcionamento.

O paciente designado não é, necessariamente, quem mais sofre com a situação; ou mesmo quem necessita procurar a terapia. Essa é, justamente, uma das indicações para a terapia familiar, visto que, em uma família, aquele que solicita ajuda não é o que "apresenta o sintoma", e nem aquele que sofre mais. A diversidade dos sintomas apresentados diz respeito às tipologias familiares que apresentam essa designação.

Em vez de levar em consideração o sintoma alegado a fim de definir o tipo de intervenção – não se fala de uma terapia familiar sistêmica específica para anoréxicos ou deprimidos, por exemplo –, os terapeutas procuram regular estratégias para distinguir os modos de relacionamentos. Evidentemente, tais distinções são esquematizadas, destinadas a apoiar situações terapêuticas complexas. Assim, foi possível diferenciar famílias com relacionamentos rígidos daquelas mais flexíveis, levando em consideração a habilidade para lidar com alterações no convívio, decorrentes de perturbações internas ou externas ao sistema.

Famílias com relacionamentos rígidos caracterizam-se pela capacidade de multiplicar *feedbacks* negativos, anulando qualquer possibilidade de evolução do sistema. Nessa, podemos encontrar fenômenos paradoxais, e também a comunicação denominada duplo vínculo, que inclui duas ou mais pessoas – tradicionalmente, mãe e filho – envolvidas numa relação intensa e vital. Nesse contexto. Trata-se de uma situação que se estabelece quando uma pessoa se vê diante de mensagens de aceitação e rejeição. Tais mensagens são simultâneas e contraditórias.

Essa experiência paradoxal é repetida diversas vezes, o que impede qualquer tomada de decisão em um ambiente relacional em que nenhum dos protagonistas pode abandonar a relação. Tal modo de comunicação foi descrito, em princípio, mediante a observação de famílias em que um dos membros é esquizofrênico; mas podemos encontrá-lo, também, em outras cujo paciente designado apresenta sintomas diversos, como anorexia, dependência de drogas etc. Nesses casos, associados a esse tipo de comunicação, encontramos outras características: confusão transgeracional e indiferença dos sexos; impressão de que o progresso do ciclo vital encontra-se estagnado e impossibilidade de metacomunicação.

Relacionamentos familiares são determinados por regras que delimitam fronteiras, tanto entre o que está dentro e fora do sistema quanto no interior da própria família, criando ali subsistemas, em que os membros podem evoluir. É útil trazer a tona essas regras para evidenciar o funcionamento da família e avaliar sua capacidade de mudança. Mudanças estereotipadas, sempre idênticas, num universo familiar em que os indivíduos são fusionados, podem favorecer o surgimento de patologias graves; o protótipo uma família com um membro psicótico. Quando competências individuais e a autonomia dos membros de um subsistema são reconhecidas, quando as distâncias entre os indivíduos são respeitadas, temos um funcionamento familiar mais claro, em que se estabelecem barreiras transgeracionais.

Ciclo vital

Para cada indivíduo, existe um espaço individual em que as trocas e as ligações se modificam, enriquecidas ao longo da vida, permitindo-lhe definir melhor a própria identidade, o que assegura diversas funções em relação às diversas pessoas às quais encontra-se unido. Tais funções evoluem por si mesmas, e também no interior do subsistema formado pela família. Esta, por sua vez, enfrenta períodos de evolução e instabilidade, por vezes desorganizadores, que alteram a relação entre a coesão e a capacidade de diferenciação entre os membros. Estes momentos podem permitir o desenvolvimento das aptidões adaptativas. Assim, um dos objetivos da terapia familiar é estudar os sistemas humanos desequilibrados.

Mitos familiares

São o conjunto das atribuições aceitas por todos – mas, no entanto, deturpadas -, adotadas pelos membros de uma família, numa atitude defensiva, e que não devem ser questionadas por um observador externo. Possibilitam à família a construção de uma coluna vertebral, garantindo o eixo em torno do qual se desenvolverá parte da história. Quanto ao conteúdo, os mitos referem-se aos relatos: são o conjunto organizado das crenças partilhadas por todos, reúnem representações implícitas e explícitas. Portanto, apresentam uma dupla estrutura, ao mesmo tempo histórica e não histórica, e são transmitidos tanto por palavras como pela linguagem analógica. Nesse sentido, proporcionam à família uma lógica interna. Para a família disfuncional, crer é sempre uma forma de desconhecer.

Intervenções terapêuticas

As intervenções terapêuticas são incorporadas na terapia de acordo com os objetivos a serem atingidos.

Conotação positiva

Reajusta o sintoma segundo a *função*. O sintoma é redefinido como responsável por reunir os membros da família, e o comportamento do paciente é apresentado – dependendo da visão dos terapeutas – como útil, lógico e voluntário.

A conotação positiva é seguida, muitas vezes, da prescrição paradoxal. Não se trata de prescrever o sintoma, mas de propor à família que prossiga e torne mais rígidas as interações entre os membros. Assim, uma vez constatado que os membros não conseguem se metacomunicar, os terapeutas denunciam os paradoxos comunicacionais e os reforçam, para que se tornem inócuos depois de explicitados.

Para alguns terapeutas, da linha italiana da terapia familiar, a prescrição paradoxal é acompanhada de provocação: intensifica-se o clima emotivo da sessão terapêutica, e também a tensão de todos os envolvidos, com o intuito de desencadear uma crise. Diante de uma bifurcação, esta oferecerá possibilidades ao sistema de propor uma mudança na estrutura. A provocação ao paciente designado não é uma provocação ao indivíduo, mas à função que este desempenha no sistema.

Trabalho com metáforas

O sintoma apresentado pelo paciente designado pode ser considerado uma metáfora, capaz de conciliar com a realidade aquilo que parece se opor a ela: é a formação de um compromisso. Por analogia, os terapeutas podem reencontrar a função, ou mesmo a significação, do sintoma fazendo uso de metáforas. Segundo Bateson: "a utilização da metáfora pelo terapeuta pode ser comparada à utilização do sintoma pelo paciente: a mensagem é comunicada em um contexto e sob uma forma tais, que seu conteúdo e seu destinatário são ao mesmo tempo afirmados e negados".

As metáforas, literárias ou criadas por um objeto metafórico, são soluções apresentadas pelo terapeuta, decorrentes de elementos trazidos pela própria família. Desenvolvida a metáfora, cria-se uma nova situação, que envolve todos os participantes do sistema terapeuta-família. Dessa forma, encontram-se representados comportamentos, relações, alianças ou regras familiares mediante a introdução de um *código*, que forma uma metacomunicação ou uma representação.

Escultura familiar

É uma forma, gestual e pictórica, de utilizar a metáfora. O *quadro vivo* – que um dos membros da família é solicitado a representar – simboliza a posição afetiva de cada um em relação aos demais. Os terapeutas incumbem um familiar – o paciente designado, um filho ou qualquer um que tenha sido relegado até então – de inserir cada um dos demais em posições que representem a relação entre os membros em determinado período da vida em comum. Em seguida, é possível fazer todo tipo de comentário: trocar um *quadro* por qualquer outro, ou escolher diferentes períodos do ciclo familiar – por exemplo, antes ou depois de aparecerem os sintomas. Pede-se, a cada participante, que expresse o que sentiu durante a sessão.

Extensão do campo da dependência de drogas

Numerosos estudos têm demonstrado que os dependentes mantêm uma relação muito mais estreita com a família original do que o pressuposto pelo imaginário da mídia. Tal imaginário, na década de 1970, descrevia um jovem contestador, que rompia com a sociedade para viver em comunidades, junto com seus pares. Entretanto, mesmo naquela época, os laços familiares permaneciam intensos. Além disso, os jovens em geral permanecem por mais tempo junto à família, em decorrência particularmente do desemprego e de demais problemas socioeconômicos.

C. Madanes salienta que os dependentes são muito ligados à família original, mesmo depois de casados e mais velhos; mas não conclui que tais relações estreitas decorram da manutenção de uma "existência de dependente químico". Segundo Madanes, é preciso empregar um tratamento que, ao mesmo tempo, atue quanto ao uso da droga e sobre a sociedade que a favorece.

É importante destacar novamente que não é possível usar os termos "tipologia de dependentes" e "famílias de dependentes". Segundo M. Zafiropoulos, "o dependente não existe" como protótipo: ele só pode existir como sujeito, e, portanto, está além do sintoma; convém, então, fazermos um paralelo com as famílias abordadas. Assim, a família característica do dependente não existe; no entanto, como ressalta M. Elkaim: "se não se revelam nada além de particularidades, não é possível nenhum discurso geral sobre um problema específico; e sendo sensível apenas aos elementos comuns a diferentes sistemas, corre-se o risco de se fazer um discurso não apenas 'totalizante', mas totalitário". Em nosso campo de atuação, isso é mais verdadeiro que a lei que tende a globalizar o problema, fazendo dos dependentes um grupo particular, e designando intervenções na dependência química. Desse pseudoparadoxo, convém uma saída elegante: a inexperiência total em tratar dependentes e a ausência de um certo nível de conhecimento sobre as substâncias psicoativas pode desqualificar o terapeuta aos olhos da família; mas, por outro lado, um "saber excessivo" – um profissional que se considera completamente versado no funcionamento desses pacientes e suas famílias –, pode não conseguir olhar as particularidades, tanto as individuais, quanto as familiares, desses pacientes.

OBJETIVOS DA TERAPIA FAMILIAR

São vários os objetivos da terapia familiar: no início, procura-se permitir à família restaurar as capacidades autocurativas, e assim encontrar soluções próprias para os problemas propostos. As mudanças esperadas não se limitam a interromper o consumo de drogas, mas buscam remanejar as interações, conduzindo a um novo estado de equilíbrio. Além do mais, cada membro deve estar apto a se desligar dos relacionamentos patológicos e adquirir um espaço psíquico próprio. O modelo sistêmico não propõe um modelo familiar único e ideal a ser imposto, nem de passagens obrigatórias no tratamento, como algumas outras linhas de terapia, que postulam que o jovem deve abandonar a família original, conquistar um emprego e apresentar uma relação afetiva estável.

DEFINIÇÃO DO ENQUADRE DE TRABALHO

O conceito *enquadre de trabalho* é essencial, portanto, é de suma importância para todo terapeuta e sua equipe dominá-lo com maestria. Em especial nós, que trabalhamos com famílias cuja característica frequente é a dificuldade de estabelecer limites, e que, inclusive, encontram um certo prazer em ultrapassar fronteiras impostas por outros.

Para formar esse enquadre é preciso levar em conta o modo de trabalho que escolhemos, e as particularidades de cada família. Ao longo da terapia, a articulação entre o enquadre e o processo será trabalhado constantemente, iniciando-se já no primeiro contato.

Na maioria das vezes, o primeiro contato é telefônico, e, imediatamente, possibilita algumas indicações, permitindo a formulação de determinadas hipóteses sobre o funcionamento familiar. Por telefone, é possível identificar a relação de parentesco entre a pessoa que entra em contato e o paciente designado. É bastante raro o próprio paciente tomar a iniciativa de agendar um encontro para a família: em nosso trabalho com mais de 1.500 famílias, foram registrados apenas quatro casos. No percurso como dependente de drogas, o paciente encontra-se na fase de não demandar por ajuda. Caso estivesse em condição de ter um *insight* suficiente para a demanda, geralmente, teria procurado terapia individual.

Nem sempre é a mãe quem entra em contato: às vezes é o pai; eventualmente, um dos irmãos; um dos avós,; uma tia que tenha relação estreita com o jovem; ou, ainda, o padrasto ou a madrasta. Quando possível, procuramos obter, fora desse primeiro contato, determinadas informações sobre a composição familiar, o relacionamento com o paciente designado, a data do início da dependência e da descoberta pelo círculo da família. As respostas a essas questões - que dizem respeito, ao mesmo tempo, ao sintoma apresentado e às interações familiares -, proporciona uma hipótese de funcionamento, um modelo de leitura, que será confirmado ou não no decorrer dos encontros coletivos. Muitas vezes, esse modelo é difícil de ser estabelecido, o que nos dá informações sobre a rigidez ou flexibilidade de cada família.

Eventualmente é aceito que o primeiro encontro ocorra na ausência do paciente designado; entretanto, exige-se que ele saiba desse contato. No caso de um psicótico, não aceitaríamos sua ausência no primeiro encontro; contudo, observamos que, com frequência, os dependentes enviam os pais, como informantes, para os primeiros contatos com uma instituição. Nesse caso, solicitamos que a entrevista seja relatada ao jovem; algumas vezes, tomamos a iniciativas de transcrevê-la para ele, indicando a data do próximo encontro. Em verdade, não devemos nos recusar a receber a família que não consegue inicialmente trazer o dependente, devido à necessidade de aliviar o sofrimento dos pais. Contudo, a ausência do jovem não pode ser aceita por muito tempo, para este não se tornar um membro familiar fantasma. Nesse primeiro encontro, é possível confrontar o modelo linear da família com o modelo circular dos terapeutas. Portanto, convém, em primeiro lugar, focar o sintoma e estabelecer, pouco a pouco, a relação entre o portador do sintoma e o funcionamento da família.

O trabalho em coterapia

O trabalho em coterapia, ou seja, com dois terapeutas atuando com a família, não depende de particularidades desta; é parte de nosso modelo de intervenções. Utilizamos, geralmente, o modelo da coterapia em supervisão imediata, em que um terapeuta fica na sala e o outro, num cômodo contíguo. Este último representa a coluna vertebral do primeiro, e, em vez de ser o terapeuta auxiliar, deve estudar o sistema terapeuta-família. Deve permitir ao colega entrar e sair da família, e pode haver interrupções durante a sessão, para reflexão. Dessa forma, o terapeuta em sala não precisa manter-se numa pseudoneutralidade, o que seria artificial. Esses dois terapeutas devem se manter fixos para cada família, e se reunir pelo menos uma vez durante a entrevista familiar, a fim de refletir sobre o processo em curso, sobre hipóteses relativas às interações, alianças etc.

O uso de um espelho unidirecional e de um equipamento de vídeo, já discutidos e aceitos pela família, permite uma supervisão tão imediata quanto diferenciada, o que as famílias nunca recusam.

Linguagem analógica e linguagem digital

Muitas vezes, nas famílias em tratamento, a linguagem por analogia – gestos, mímicas, atitudes etc. – demonstra ser tão relevante quanto o discurso falado. É de suma importância reafirmar que aquilo que é demonstrado é tão essencial quanto o que é percebido. Essa é uma das razões de se escolher o trabalho em coterapia.

Quem deve comparecer a primeira sessão

São raras as famílias que se apresentam completas no primeiro encontro. Nós solicitamos que compareçam à sessão os membros implicados no problema, e também o paciente designado, naturalmente. Numa família típica, essa resposta é simples de ser obtida; no entanto, em famílias desunidas ou rompidas, a definição é mais difícil. Diferentes subsistemas podem ser envolvidos, e nem sempre é prudente, ou possível, reuni-los. Às vezes, é mais fácil definir ao longo da terapia quais membros são indispensáveis do que restringir os participantes. Feitos os entendimentos preliminares e indicada a terapia familiar, as consultas deverão ser iniciadas assim que possível, com duração de 1h30min. cada.

Devemos concentrar nossa atenção em dois eixos de trabalho:

- o eixo *aqui e agora*, que estuda a interação durante as sessões;
- o eixo *transgeracional*, que estuda a *saga* familiar com o intuito de identificar os esquemas repetidos por muitas gerações, os mitos familiares etc.

Redundâncias

Não temos a intenção de criar uma família típica, entretanto, algumas sequências aparecem de forma muito similar, e são recorrentes o bastante para que possamos identificá-las, como é o caso da *cegueira familiar*.

Quando a dependência do jovem só é descoberta meses ou anos após o início, independente do jovem viver ou não junto com os pais, a família sofre um choque súbito. Durante o período de cegueira, os sinais exteriores da toxicomania são interpretados de forma errada pelos que o cercam, e a imaginação do jovem, mediante as perguntas feitas, rivaliza com a credulidade dos pais. Estes aceitam com facilidade uma explicação simples para as saídas noturnas, ou mesmo para o uso de seringa, para os furtos e os gastos excessivos. Aos poucos, é estabelecido um consenso entre o jovem – que, durante a *lua de mel* com a droga, sente-se poderoso, e julga poder parar de consumi-la assim que o desejar – e a família, que nega qualquer sinal de consumo. Tal consenso aproxima-se muito do existente nas famílias de jovens anoréxicas.

Nessas, é comum, sobretudo no início da terapia, o paciente designado chegar *viajando* às sessões. É, então, de suma importância indicar o que é mostrado e o que é percebido pelo restante da família. Nesse caso, a mãe poderá dizer: "O senhor sabe, doutor, ele tem trabalhado demais, anda muito cansado". Se o terapeuta não disser nada a respeito do estado evidente do jovem, arrisca-se a que o paciente designado o desqualifique imediatamente. Portanto, é crucial trabalhar o *cansaço* (no caso do exemplo citado), com o intuito de identificar as condições, as alianças, e, dessa forma, utilizar as designações do paciente como fator dinâmico. Da mesma forma, é importante não silenciar sobre a depressão da mãe, ou sobre a bulimia da irmã.

Sendo a banalização quase uma regra, somente o aumento da sintomatologia, eventualmente pondo em jogo a própria vida do paciente, poderá alterar o equilíbrio, induzindo a revelação e também a reação da família.

Muitas vezes é alguém de fora quem auxilia o jovem a fazer com que os que lhe são próximos compreendam o problema deste com as drogas: pode ser um médico, ao diagnosticar hepatite, septicemia, soropositividade para o vírus HIV, ao intervir no caso de *overdose;* pode ser um policial ou um juiz, devido à ocorrência de algum delito. As respostas a essas revelações são impressionantes e expõem as alianças: não é raro ver um jovem expulso de casa pelo pai ser visitado secretamente pela mãe, numa relação erotizada, que lhe garante a subsistência e lhe dá dinheiro, mesmo sabendo em que esse será usado. Também é possível encontrar o pai que vigia constantemente a filha, remexendo no quarto dela, escutando conversas telefônicas na extensão, examinando-a em busca de evidências do consumo, levando-a para viajar com a intenção de ajudá-la a se livrar da dependência. Um dos objetivos dos terapeutas é centralizar o fenômeno na dinâmica familiar, e permitir uma leitura diferente da que é feita pela família.

FASCÍNIO PELA TRANSGRESSÃO

Por definição, a dependência permanece quase axiomática, devido ao encontro entre personalidade, droga e momento sociocultural. O primeiro e o terceiro termos dessa definição compreendem certas particularidades inerentes à família.

Estudando o genograma, ou mapa, da família, é possível encontrar, nas gerações anteriores, um fascínio pela transgressão, o que revela o dependente não como um mutante na família, mas provando lealdade ao aceitar as transmissões transgeracionais. São muitos os exemplos, por vezes revelados nas sessões como autênticos segredos de família. A família T., de forma caricata, orgulha-se do bisavô que renunciou à batina, do avô advogado que foi alijado de alguma vara por perjúrio, do pai jogador inveterado e do filho, desviante devido à dependência. Por sua atitude desviante, este último desvela as páginas secretas do romance familiar, tornando-se uma espécie de herói que se livra dos condicionamentos normativos para viver uma pseudoautonomia repleta de riscos.

Outro momento importante da terapia, que muitas vezes se estende por várias sessões, é aquele em que é estudada a *circulação do dinheiro na família*, preocupação constante do dependente químico, cujos gastos frequentemente são altos. Poderemos verificar a forma como ele implica a família, ou determinado membro, e como esta reage ante as evasões financeiras. As ocorrências são frequentes, e podem ter lugar dentro da própria família: roubo de cheques; de aparelhos de som; da única joia remanescente que pertenceu a uma avó deportada; ou, mais pleno de significado, a venda da aliança da mãe que enviuvou há apenas alguns dias; etc. Por vezes os pais, para readaptar o filho, confiam a ele um cargo de responsabilidade na empresa, do qual deverá prestar contas, desafio que demonstra ser insuperável para o jovem.

O dinheiro tem o compromisso de manter uma relação mínima, evitando certo número de conflitos abertos. Com base na própria vivência familiar, alguns pais têm a impressão de que serão "maus pais", se impuserem limites demais ao filho. Esse estudo sobre os "vínculos do dinheiro" demonstra como se pode articular os dois eixos a que nos referimos anteriormente: a história atual e passada da família.

POSICIONAMENTO DO TERAPEUTA

Nessas famílias, o terapeuta deve ligar-se à dependência para poder se livrar dela. Por isso, um de nossos colegas, dr. Denis Valée, propôs duas espécies de terapeutas de dependências: os *terapeutas da limpeza* e os *terapeutas da falta*. Os terapeutas da limpeza buscam romper o vínculo da dependência, único sintoma a ser combatido. Respondem adaptando-se ao desejo dos pais do dependente, de erradicar a droga de dentro da família. Assim, imaginam uma família idealmente pura, sem as drogas. Essa pureza é metaforicamente representada pela ausência de sexualidade, ausência de conflito e indistinção de gerações. Esse tipo de resposta remete a um mito fundador da família: o risco vem sempre do exterior. Haveria um mundo sem drogas e um mundo com drogas; em um deles o paciente seria livre; no outro, alienado e dependente.

A outra categoria de terapeutas é composta pelos terapeutas da falta. Esses partilham com a família a presença da droga como objeto que religa os membros da família. A droga está no espaço familiar; seu uso, ou a interrupção do uso, permite amplificar e tratar de maneira análoga as relações terapêuticas e as relações intrafamiliares. Dessa forma, questões relativas à abstinência não entram como responsabilidade da família. Naturalmente, a dependência de drogas não se limita a uma das interações, mas a droga organiza um determinado estilo de relacionamento, em particular, todo aquele que diz respeito às questões que tratam da morte, da transgressão.

Que é observado, então? Que a família se reúne para não se reunir. O quadro terapêutico apresenta crise permanente, e sua capacidade de contenção é questionada. As sessões serão relatadas, e os atrasos, constantes. O paciente incorpora a cumplicidade, o fascínio sutil pelo proibido: torna-se o corpo de delito, enunciado por um dos pais e transmitido como regra familiar. Dizem eles: "Em nossa família, há sempre um herói, um tio briguento, uma irmã especialista em falências fraudulentas". O que sobra desse amontoado de jogos em que se flerta com a lei? A resposta é: um lugar a ser ocupado pelo paciente, que se apresenta como um compromisso familiar resultante do sistema. A valorização insidiosa e negada das proibições sociais e morais é reencontrada, e suplantada, em todos os momentos da terapia. O paciente é o compromisso vivo, e o trabalho do terapeuta consiste em fazer com que todos se conscientizem de que essa foi a melhor forma que o paciente encontrou de se adaptar ao próprio ambiente familiar. Por isso, se ele parece atrapalhar a ordem, na verdade não faz nada além de respeitá-la. É preciso, então, eliminar esses paradoxos constantes em que se encontra a família e o paciente, e, daí em diante, o terapeuta.

A dependência do indivíduo a uma substância é, para ele, apenas um compromisso que permite rever a autonomia em determinado período do ciclo familiar, em que ele julga estar em jogo a sobrevivência da família. A droga mascara o que está em jogo, e o dependente químico a utiliza – com a cumplicidade, muitas vezes, de um traficante dentro da família – como um embuste relacional, que salta aos olhos do terapeuta. A dependência aparece como o primeiro pedido da terapia familiar. Em seguida, vêm as díades: mães/filhos, irmãos/irmãs etc., fortemente ligadas, que se pode pensar que entrem em disjunção no momento da demanda. Oscilando entre dois extremos, a díade busca manter uma distância que permita aos protagonistas não confundir as próprias identidades e, ao mesmo tempo, preservar o relacionamento. Pelo que transparece nessa busca, pode-se pensar que os coparticipantes de uma díade procuram sair do impasse fusão-abandono pela triangulação com um terceiro agente – a droga, por exemplo.

Nas famílias chamadas *aditivas* – porque a problemática da dependência diz respeito a todos e porque a família, em si, depende das próprias ligações – existe um paradoxo. De fato, a família é o lugar em se cruza a sincronia: interações entre os membros; e a diacronia: ciclo vital, transmissão dos mitos. O paradoxo ligado à existência desse cruzamento pode ser assim enunciado: "para que essa família viva, é preciso que essa família morra". A autonomia dos membros passa pela dependência em relação ao sistema, e qualquer outra dependência só vem reforçá-la. Toda particularidade do trabalho terapêutico reside na tentativa de desnudar esse paradoxo, de possibilitar à família não mais fazer uso de sua energia mortal para garantir a própria coesão.

Assim, os trabalhos sobre a gênese das condutas de dependência, com base nos relatos de vida, demonstram que o paciente dependente não raro se encontra assolado pelos fantasmas da história familiar, escondidos nos armários. Numerosos exemplos ressaltam as lealdades invisíveis que ligam o portador dos sintomas aos pais, próximos ou distantes, e mesmo aos ascendentes desaparecidos ou afastados pela família. Essas lealdades obedecem a uma espécie de *código moral tumular* e funcionam como lembrete de uma ética sobre a qual não pode se falar. Os curto-circuitos geracionais e os telescópios intergeracionais remetem muitas vezes a segredos de família, falsos ou verdadeiros. Eles enclausuram o dependente – que deixa de ter espaço psíquico próprio – em um cenário de desejos e transgressões que não é o seu, mas que lhe é transmitido indistintamente e que ele integrou como parte de si mesmo, como um quisto.

O segredo encontra-se insepulto, pois o pai ou a mãe não observou o devido luto. Hélène Collet, Xavier Colle e Didier Rosch levantam essa hipótese em casos frequentes em que o filho foi confiado aos avós por algum tempo. Os pais o amaram com a expectativa da dor da separação, transmitindo-lhe, sem que fosse verbalizado, o seguinte mapa do mundo: "toda relação tem um fim mais ou menos programado; devemos aproveitar o instante, pois não sabemos como será o amanhã". Então, o que é questionado aqui é transmissão dos mitos familiares.

O tratamento da dependência pode ser um objetivo terapêutico ou é uma posição moral? Essa é a questão que nos é colocada, e que, antes, deve ser posta aos dependentes. Eles, muitas vezes, dispõem de um tempo que nos antecede: eles têm experiência, e, eventualmente, um conhecimento da própria dependência, do prazer que extraem dela, do preço que pagam. É nossa responsabilidade trabalhar, com eles e com as famílias, o que gira em torno daquilo que ele partilha; cabe a nós permitir-lhe, da melhor forma, se libertar das cadeias para que encontre novos laços que lhe sejam benéficos e que permitam a autonomia psíquica dos envolvidos. Nosso trabalho em terapia familiar diz respeito às relações de codependência.

Durante uma viagem ao país Sikh, na Índia inimiga, avistamos a seguinte placa, pintada na frente do aeroporto de Amristar: "a única alternativa à coexistência é a autodestruição!". Certas famílias vivem essa situação e podem experimentar muito bem como a droga, a um só tempo, é um modo de crer que se pode sair dessa armadilha, e também um reforço.

CONCLUSÃO

O modelo de terapia familiar sistêmica é uma interessante opção de tratamento para famílias em que um dos membros é dependente. Sem finalidade de compreender e tratar todas as famílias de maneira idêntica, permite aos grupos familiares em situação de sofrimento se desembaraçar dos vínculos malconstruídos que os paralisam. Com as capacidades autocurativas restauradas, as famílias podem permitir a cada um dos membros dispor de um espaço psíquico pessoal que permite seu desenvolvimento.

Sabemos qual o futuro dos dependentes após longos anos de dependência: exclusões sociais, enfermidades intercorrentes, contágio por HIV e hepatite C, suicídio, prisão etc. De maneira complementar ao tratamento individual, as terapias familiares permitem que se realizem bem, em geral, duas etapas necessárias para o processo de *cura* dos dependentes:

- a revelação das interações familiares;
- a reconsideração do sintoma em meio a outros sofrimentos familiares.

Essas terapias podem ter atuação preventiva, em particular para os irmãos e irmãs.

Autores

Ilana Pinsky
Psicóloga. Doutora em Psicologia Médica pela Unifesp -Universidade Federal de São Paulo, Pós-doutora pelo Robert Wood Johnson Medical School – EUA, professora-orientadora do Depto. de Psiquiatria da Unifesp, coordenadora do Ambulatório de Adolescentes da Uniad - Unidade de Pesquisa em Álcool e Drogas - Unifesp.

Marco Antonio Bessa
Psiquiatra. Mestre em Filosofia pela UFSCar – Universidade Federal de São Carlos. Professor colaborador de psiquiatria e psicologia médica da Faculdade Evangélica de Medicina do Paraná, coordenador da Aldeia - Ala de Desintoxicação da Infância e da Adolescência, e supervisor da Residência em Psiquiatria da Clínica Heidelberg, em Curitiba.

Ana Cecília Marques
Médica psiquiatra. Doutora em Ciências pela Unifesp, pesquisadora do Departamento de Psicobiologia da Unifesp, presidente da Abead - Associação Brasileira de Estudos do Álcool e outras Drogas.

Ana Regina Noto
Psicóloga. Doutora em Ciências; professora afiliada do Departamento de Psicobiologia da Unifesp – Escola Paulista de Medicina. Pesquisadora do Cebrid – Centro Brasileiro de Informações sobre Drogas Psicotrópicas.

Bernard Geberowicz
Médico psiquiatra. Terapeuta de casal e família, redator-chefe de Générations, revista francesa de terapia familiar. Membro da diretoria da Sociedade Francesa de Terapia Familiar.

Claudia Szobot
Psiquiatra da infância e adolescência. Mestre em Psiquiatria, professora do curso de Medicina da Ulbra - Universidade Luterana do Brasil. Pesquisadora do CPAD - Centro de Pesquisas em Álcool e Drogas - Universidade Federal do Rio Grande do Sul / University of Delaware.

Eliana Silvestre
Formada em Direito. Mestre em História Social pela Universidade Estadual de Maringá; coordenadora do projeto de extensão Educação para a Cidadania; membro do UEM - Programa Multidisciplinar de Estudos, Pesquisa e Defesa da Criança e do Adolescente.

Hélcio Fernandes Mattos
Médico. Doutor em psicanálise pela Université Paris VII; diretor do Instituto de Saúde da Comunidade UFF; coordenador do CRIAA - Centro Regional Integrado de Atendimento ao Adolescente, da UFF (filiação); especialista em Dependência Química – Uniesp.

Liana de Paula
Socióloga e mestranda em Sociologia pela USP - Universidade de São Paulo. Pesquisadora do Ilanud - Instituto Latino Americano de Prevenção ao Crime e Tratamento do Delinquente.

Luiza Nagib Eluf
Formada em Direito; procuradora de Justiça do Ministério Público do Estado de São Paulo. Foi membro dos Conselhos Estadual e Federal de Entorpecentes, secretária nacional dos Direitos da Cidadania e membro da comissão instituída pelo Ministério da Justiça para elaborar o projeto de lei de entorpecentes.

Marcos Zaleski
Médico psiquiatra, especialista em dependência química pela Unifesp e mestre em Psicofarmacologia pela UFSC. Professor de Psiquiatria no Departamento de Clínica Médica da UFSC. Supervisor do Ambulatório e da Unidade de Dependência Química da Residência em Psiquiatria do Instituto de Psiquiatria de Santa Catarina.

Miryam Mager
Psicóloga. Doutora em Psicologia Social pela Freie Universitat Berlin, Alemanha; pós-doutora pela Universidade Federal de São Carlos – UFSCar; professora associada, aposentada pela Universidade Estadual de Maringá.

Paula Inez Cunha Gomide
Psicóloga, doutora em Ciências pela Universidade de São Paulo. Professora do curso de Psicologia Fepar - Faculdades Evangélicas – Paraná. Membro do Comitê Assessor da Fundação Araucária - Fundação de Apoio à Pesquisa do Estado do Paraná.

Renato Sérgio de Lima
Mestre e doutorando em Sociologia pela USP. É Professor de Métodos e Técnicas de Pesquisa no Departamento de Sociologia da USP, Chefe da Divisão de Desenvolvimento Socioeconômico da Fundação Sistema Estadual de Análise de Dados – SEADE e ex-coordenador geral de análise da informação da Secretaria Nacional de Segurança Pública.

Tadeu Lemos
Médico especialista em dependência química; mestre e doutor em Neurociência pela Unifesp. Professor de Psicofarmacologia e Dependência Química nos Departamentos de Farmacologia e Clínica Médica da UFSC. Supervisor do Ambulatório e da Unidade de Dependência Química da Residência em Psiquiatria do Instituto de Psiquiatria de Santa Catarina.

Vilma Aparecida da Silva
Médica psiquiatra. Doutora em Psicofarmacologia pela Unifesp; pós-doutora pela University College London, professora adjunta da UFF - Universidade Federal Fluminense; coordenadora do Núcleo de Ciências Comportamentais e do Desenvolvimento; e do Progeta - Programa de Estudos e Tratamento do Tabagismo, da UFF.

Yifrah Kaminer
Médico psiquiatra. Mestre em Saúde Pública, professor do Departamento de Psiquiatria e do Alcohol Research Center - University of Connecticut Health Center, EUA. Membro fundador da Sasate - Society for Adolescent Substance Abuse Treatment Effectiveness e Presidente da Isam - Task Force on Youth and Families for the International Society of Addiction Medicine.

Zili Sloboda
Socióloga e epidemiologista. Professora adjunta e pesquisadora sênior do Institute for Health and Social Policy, University of Akron, EUA. Foi diretora do Setor de Prevenção do Nida - National Institute on Drug Abuse e fundadora da Society for Prevention Research

GRÁFICA PAYM
Tel. (011) 4392-3344
paym@terra.com.br